D1360402

DANS LA VILLE EN FEU

Né en 1956, Michael Connelly débute sa carrière en tant que journaliste en Floride, ses articles sur les survivants d'un crash d'avion en 1986 lui valant d'être sélectionné pour le prix Pulitzer. Il travaille au *Los Angeles Times* quand il décide de se lancer dans l'écriture avec *Les Égouts de Los Angeles*, pour lequel il reçoit l'Edgar du premier roman. Il y campe le célèbre personnage du policier Harry Bosch, que l'on retrouvera notamment dans *Volte-face* et *Ceux qui tombent*. Auteur du *Poète*, il est considéré comme l'un des maîtres du roman policier américain. Deux de ses romans ont déjà été adaptés au cinéma, et l'ensemble de son œuvre constitue le cœur de la série télévisée *Bosch*.

*Paru dans Le Livre de Poche :*

La Blonde en béton
Ceux qui tombent
Le Cinquième Témoin
Les Égouts de Los Angeles
L'Envol des anges
La lune était noire
L'Oiseau des ténèbres
Volte-face

MICHAEL CONNELLY

# *Dans la ville en feu*

ROMAN TRADUIT DE L'ANGLAIS PAR ROBERT PÉPIN

CALMANN-LÉVY

*Titre original :*

THE BLACK BOX
Publié avec l'accord de Little, Brown and Company, Inc., New York.

© Hieronymus, Inc., 2012.
© Calmann-Lévy, 2015, pour la traduction française.
ISBN : 978-2-253-16411-1 – 1re pubication LGF

*À tous les lecteurs*
*Qui font vivre Harry Bosch depuis vingt ans,*
*Un grand, très grand merci.*

*Et à ceux qui en ce jour de 1992*
*m'ouvrirent un passage dans la foule,*
*Aussi un grand, très grand merci.*

# BLANCHE-NEIGE

1992

Le troisième soir, le nombre des morts était déjà si élevé et montait si rapidement que beaucoup d'équipes des Homicides de la division avaient été retirées des premières lignes du maintien de l'ordre et du contrôle des émeutiers et affectées aux rotations d'urgence de South Central. L'inspecteur Harry Bosch et son coéquipier Jerry Edgar avaient ainsi été enlevés à la division d'Hollywood, assignés à une équipe mobile de surveillance – avec deux tireurs de la patrouille pour assurer leur protection – et aussitôt expédiés partout où l'on avait besoin d'eux, partout où l'on tombait sur un cadavre. Composée de quatre hommes, l'équipe se déplaçait dans une voiture de patrouille noir et blanc et filait de scène de crime en scène de crime sans jamais s'attarder. Ce n'était pas la meilleure façon d'enquêter sur un meurtre, loin de là, mais vu les circonstances, c'était ce qu'on pouvait faire de mieux dans une ville qui avait lâché aux coutures.

South Central était une vraie zone de guerre. Il y avait des incendies partout. Des pillards avançant en meutes passaient d'une boutique à une autre, tout semblant de dignité et de code moral parti avec la fumée qui s'élevait au-dessus de la ville. Les gangs de South L.A. se montraient en force pour contrôler les ténèbres, allant jusqu'à demander un armistice dans leurs guerres intestines afin d'opposer un front uni à la police.

Plus de cinquante personnes avaient déjà trouvé la mort. Des propriétaires de magasins avaient abattu des pillards, la garde nationale avait abattu des pillards, des pillards avaient abattu d'autres pillards, et il y avait tous les autres – tous les tueurs qui profitaient du chaos et des troubles sociaux pour régler des comptes qui n'avaient rien à voir avec les frustrations du moment et les émotions qui se donnaient libre cours dans les rues.

Deux jours plus tôt, les fractures raciales, sociales et économiques qui agitaient la ville avaient brisé sa surface avec une intensité proprement sismique. Le procès de quatre officiers de police du LAPD accusés d'avoir rossé un motocycliste noir après une course-poursuite à grande vitesse s'était achevé sur un non-lieu, la lecture du verdict dans un prétoire de banlieue situé à quelque soixante kilomètres de là ayant un impact quasi immédiat dans les quartiers sud de Los Angeles. Des petits groupes de gens en colère s'étaient formés au coin des rues pour huer cette injustice. Et très vite les violences avaient commencé. Aussitôt reprises dans le monde entier, des images aériennes en avaient été diffusées en direct dans tous les foyers de la ville par des médias toujours vigilants.

La police était prise au dépourvu. Son patron ne se trouvait pas à Parker Center et faisait une apparition très politique dans une réunion lorsque le verdict était tombé. D'autres membres du haut commandement n'étaient pas, eux non plus, à leur poste. Personne n'avait pris les choses en main sans attendre et, plus grave encore, personne ne bougeait. Toute la police s'était mise en retrait tandis que les images d'une violence débridée se répandaient comme une traînée de poudre d'un écran de télévision à l'autre dans la ville. Bientôt, tout L.A. était en feu et la situation était devenue incontrôlable.

Deux nuits plus tard, l'odeur âcre du caoutchouc brûlé et des rêves qui couvent était encore omniprésente. Les flammes de mille incendies se reflétaient tels des diables dansant dans un ciel noir. Des coups de feu et des cris de colère se faisaient sans cesse écho dans le sillage de la moindre voiture de patrouille. Mais jamais les quatre hommes de la 6-King-16 ne s'arrêtaient. Ils ne le faisaient que lorsqu'il y avait meurtre.

Vendredi 1er mai. « B Watch[1] », tel était le nom donné à l'équipe de garde d'urgence en service la nuit de 18 à 6 heures le lendemain. Dans la voiture, Bosch et Edgar occupaient la banquette arrière, les officiers Robleto et Delwyn s'étant installés devant. Assis à la place du mort, Delwyn tenait son fusil sur ses genoux, canon pointé vers le haut, la gueule de l'arme sortant par la fenêtre ouverte.

Ils faisaient route vers un corps retrouvé dans une ruelle en retrait de Crenshaw Boulevard. L'appel avait été relayé au centre des communications d'urgence par la garde nationale de Californie, qui s'était déployée dans la ville suite à l'instauration de l'état d'urgence. Il n'était encore que 22 h 30 et les appels se multipliaient. La King-16 avait déjà traité un appel pour homicide depuis sa prise de service – un pillard abattu dans l'entrée d'un

1. Ronde B. *(Toutes les notes sont du traducteur.)*

magasin de chaussures discount, le tireur n'étant autre que le propriétaire de l'établissement.

La scène de crime se trouvant à l'intérieur du magasin, Bosch et Edgar avaient pu travailler en relative sécurité, Robleto et Delwyn postés en tenue antiémeute et fusil en main sur le trottoir de devant. Cela leur avait aussi donné le temps de collecter des éléments de preuve, de faire un croquis des lieux et d'en prendre leurs propres photos. Ils avaient enregistré les déclarations du propriétaire et visionné la bande-vidéo de la caméra de surveillance. Ils y avaient vu le pillard se servir d'une batte de softball en aluminium pour briser la porte vitrée du magasin. L'homme s'était ensuite glissé dans l'ouverture irrégulière qu'il avait créée, et avait été promptement abattu de deux coups de feu par le propriétaire qui attendait, caché derrière le comptoir de la caisse.

Le bureau du coroner étant débordé d'appels qu'il ne pouvait plus gérer, le corps avait été enlevé par des brancardiers, puis transporté au County-USC Medical Center. Il y resterait jusqu'à ce que la situation se calme – si tant est que cela se produise – et que le coroner puisse rattraper son retard.

Côté tireur, Bosch et Edgar n'avaient procédé à aucune arrestation. Acte de légitime défense ou meurtre par guet-apens, ce serait au service du district attorney d'en décider plus tard.

Ce n'était pas la bonne façon de procéder, mais il allait falloir faire avec. Dans le chaos de ces instants, la mission était simple : on garde les éléments de preuve, on décrit la scène aussi bien et aussi vite qu'on peut, et on prend possession du corps.

Bref, on entre et on sort, et en sécurité. L'enquête véritable viendrait plus tard. Peut-être.

En roulant plein sud dans Crenshaw Boulevard, ils longeaient ici et là de petits groupes, essentiellement de jeunes qui se rassemblaient au coin des rues ou se déplaçaient en bandes. Au croisement de Crenshaw Boulevard et de Slauson Avenue, des individus portant les couleurs des Creeps les huèrent alors qu'ils les dépassaient à toute allure, sirène et gyrophare éteints. Ils eurent droit à des jets de bouteilles et de pierres, mais, la voiture roulant trop vite, les projectiles tombèrent derrière elle sans faire de dégâts.

— Vous inquiétez pas, on reviendra, bande d'enculés ! leur lança Robleto, Bosch se disant qu'il ne s'agissait probablement que d'une métaphore.

La menace du jeune gardien de la paix était aussi vaine que l'avait été la réaction du LAPD lorsque les verdicts avaient été lus en direct à la télé l'après-midi du mercredi précédent.

Assis au volant, Robleto ne commença à ralentir que lorsqu'ils approchèrent d'un barrage de véhicules et de soldats de la garde nationale. Depuis leur entrée en scène, la stratégie arrêtée la veille était de reprendre le contrôle des grandes intersections de South L.A., puis de repousser les émeutiers pour finir par contenir tous les points chauds. Ils se trouvaient maintenant à moins de quinze cents mètres d'un de ces carrefours clés, celui de Crenshaw Boulevard et de Florence Avenue, les troupes et les véhicules de la garde nationale s'étant déjà déployés sur des blocs et des blocs dans Crenshaw

Boulevard. Arrivé au barrage à la hauteur de la 62e Rue, Robleto abaissa sa vitre.

Un garde avec des barrettes de sergent s'approcha de la portière et se pencha pour examiner les occupants de la voiture.

— Sergent Burstin, détachement de San Luis Obispo, dit-il. Qu'est-ce que je peux faire pour vous, les gars ?

— Brigade des Homicides, lui renvoya Robleto en lui montrant d'un geste du pouce Bosch et Edgar assis à l'arrière.

Burstin se redressa et leva le bras pour qu'on leur ouvre un passage.

— Bon alors, reprit-il, elle est dans la petite rue, côté est, entre Sixty-Sixth Place et la 67e. Passez, mes gars vous montreront. On formera un périmètre serré et on surveillera les toits. On a reçu des infos non vérifiées comme quoi il y aurait des tirs de snipers dans le quartier.

Robleto remonta sa vitre et se remit en route.

— « Mes gars », dit-il en imitant la voix de Burstin. Ce mec est probablement prof ou quelque chose dans le genre dans la vraie vie. J'ai entendu dire qu'aucun de ces types qu'ils nous ont amenés n'est de L.A. Ils viennent de tous les coins de l'État, mais pas de L.A. Ils trouveraient même pas Leimert Park avec une carte.

— Sauf que toi, y a deux ans, c'était pareil… gars, lui asséna Delwyn.

— Bref, ce mec connaît que dalle à l'endroit où on est et comme qui dirait qu'il prendrait tout en charge ? Un guerrier du week-end, que c'est, bordel ! Non, moi, tout c'que je dis, c'est que ces gars-là, on n'en avait pas besoin. Avec eux, on a l'air nuls. C'est comme si on n'était pas capables de gérer et qu'il fallait ramener les pros de San Luis Bordel-d'Obispo !

Edgar s'éclaircit la gorge.

— Que j'te dise un truc, lui lança-t-il du siège arrière. On n'en était pas capables et on pourrait pas avoir l'air plus nuls que mercredi soir. On est restés vissés sur notre cul et on a laissé brûler la ville. T'as vu toutes les merdes qu'ils passent à la télé ? Ce que t'as pas vu, c'est nous en train de nous démerder comme des chefs sur le terrain. Alors arrête d'accuser les profs d'Obispo.

— Bref, conclut Robleto.

— Et c'est « Protéger et servir » qu'y a sur les côtés de la voiture, ajouta Edgar. Et ça, on l'a pas beaucoup fait.

Bosch garda le silence. Et ce n'était pas qu'il n'aurait pas été d'accord avec son coéquipier. Le LAPD s'était couvert de honte en réagissant si faiblement aux premières explosions de violence. Mais Harry pensait à autre chose. Il était encore sous le coup de ce qu'avait dit le sergent : la victime était une femme. C'était la première fois qu'on le mentionnait et, pour ce qu'il en savait, il n'y avait encore jamais eu de femmes parmi les victimes. Cela ne voulait pas dire qu'elles n'étaient pas impliquées dans les violences qui balayaient la ville. Piller et brûler étaient des entreprises à égalité des chances et Bosch en avait vu prendre part aux deux. La veille au soir encore, alors qu'il était de contrôle des émeutes dans Hollywood Boulevard, il avait assisté au pillage du célèbre magasin de lingerie féminine Chez Frederick. Et la moitié des pillards étaient des femmes.

Cela étant, le rapport du sergent lui donnait quand même matière à réflexion. Une femme s'était trouvée au milieu du chaos et cela lui avait coûté la vie.

Robleto franchit le barrage et continua vers le sud. Quatre rues plus loin, un soldat agita une lampe torche pour leur montrer un passage entre deux des boutiques du côté est de la rue.

En dehors des soldats postés tous les vingt-cinq mètres, Crenshaw Boulevard était désert. Tout était d'un calme étrange et plein de ténèbres. Tous les magasins, et des deux côtés de la rue, étaient plongés dans le noir. Plusieurs avaient été victimes de pillards et de pyromanes. D'autres étaient miraculeusement restés indemnes. D'autres encore arboraient, maigre défense contre la foule, l'inscription « Propriétaire noir » peinte à la bombe en travers de la vitrine aveuglée par des planches.

L'entrée de la ruelle se trouvait entre *Rêves déjantés*, un magasin de roues et de pneus de voiture, et *Révisé, pas d'arnaque*, une boutique d'électroménager d'occasion qui avait brûlé de fond en comble. Entouré d'un ruban jaune, le bâtiment avait été déclaré inhabitable par les inspecteurs de la ville. Bosch se dit que le coin avait dû être frappé au tout début des émeutes. Ils ne se trouvaient qu'à une vingtaine de rues de l'endroit où les violences avaient éclaté, à savoir au croisement des avenues Florence et Normandie, là où des gens avaient été tirés de force de leurs voitures et de leurs camions et battus à mort sous les yeux du monde entier.

Le garde à la lampe torche se mit à marcher devant la 6-K-16 pour la guider dans la ruelle. À trente mètres de l'entrée, il s'arrêta et leva le poing comme s'ils étaient en reconnaissance derrière les lignes ennemies. L'heure était venue de descendre de voiture. Edgar donna une tape sur le bras de Bosch du revers de la main.

— N'oublie pas, Harry, dit-il. On garde ses distances. Un bon petit écart de deux mètres, et tout le temps.

La blague était censée détendre l'atmosphère. Sur les quatre hommes assis dans le véhicule, Bosch était le seul Blanc. Il serait donc très probablement la première cible d'un tireur embusqué. De n'importe quel tireur, en fait.

— Pigé, répondit Bosch.

Edgar lui redonna une tape sur le bras.

— Et mets ton chapeau.

Bosch se pencha et attrapa le casque antiémeute blanc qu'on lui avait fourni à l'appel. L'ordre était de le porter à tout instant. Il pensait, lui, que plus que toute autre chose, le plastique blanc qui brillait faisait d'eux de belles cibles.

Edgar et lui durent attendre que Robleto et Delwyn descendent de voiture et leur ouvrent les portières arrière. Bosch entra enfin dans la nuit. Il enfila son casque à contrecœur, et sans en boucler la jugulaire. Il avait envie d'une cigarette, mais faire vite était essentiel et il ne lui en restait plus qu'une dans le paquet qu'il avait glissé dans la poche gauche de sa chemise d'uniforme. Et celle-là, il fallait qu'il la garde, car il n'avait aucune idée de l'endroit ou du moment où il pourrait refaire le plein.

Il regarda autour de lui. Et ne vit aucun corps. La ruelle débordait d'objets récents et anciens mis au rebut. De vieux appareils ménagers apparemment invendables s'empilaient le long d'un des murs du magasin *Révisé, pas d'arnaque*. Il y avait des détritus partout, et un bout de l'avant-toit avait dégringolé pendant l'incendie.

— Où est-elle ? demanda-t-il.

— Ici, répondit le garde. Contre le mur.

La ruelle n'était éclairée que par les phares de la voiture de patrouille et la lampe torche du garde. Les appareils ménagers et autres objets projetaient des ombres sur le mur et le sol. Bosch alluma sa Mag-Lite et en braqua le faisceau dans la direction que lui indiquait le garde. Le mur du magasin était couvert de graffiti de gangs. Noms, menaces et RIP[1], il servait de tableau d'affichage aux Crips du coin, les « Rolling Sixties ».

Il marcha trois pas derrière le garde et la vit. Petite, elle était étendue sur le côté au pied du mur et disparaissait dans l'ombre d'une vieille machine à laver rouillée.

Avant de s'approcher, Bosch fit courir le faisceau de sa Mag-Lite sur le sol. À un moment donné, la ruelle avait dû être pavée, mais elle n'était plus maintenant que ciment cassé, gravier et terre battue. Bosch n'y vit ni empreinte de pas ni trace de sang. Il avança lentement et s'accroupit. Appuya le lourd cylindre de sa lampe à six piles sur son épaule et éclaira le corps. Il observait des morts depuis si longtemps qu'il pensa aussitôt qu'elle avait perdu la vie entre douze et vingt-quatre heures plus tôt, au minimum. Elle avait les jambes fortement tordues aux genoux et il savait que cela pouvait être la conséquence de la rigidité cadavérique ou indiquer qu'elle s'était agenouillée peu de temps avant de mourir.

1. *Requiescat in Pace* ou *Rest in peace* : « repose en paix ».

Ce qu'on voyait de la peau de ses bras et de son cou était d'un gris de cendre et très sombre aux endroits où le sang avait coagulé. Elle avait les mains presque noires et l'odeur de putréfaction commençait à se répandre dans l'air.

Elle avait aussi le visage assez largement obscurci par de longs cheveux blonds retombés en travers. Du sang séché était visible à l'arrière de sa tête et collait à la lourde mèche qui lui barrait la figure. Bosch fit remonter le faisceau de sa lampe le long du mur au-dessus du corps et y découvrit des coulures et éclaboussures de sang indiquant qu'elle avait bien été tuée à cet endroit, et pas simplement jetée là pour en être débarrassé.

Il sortit un stylo de sa poche, se pencha et s'en servit pour dégager les cheveux du visage de la victime. Elle avait une trace de poudre autour de l'orbite droite et une blessure d'entrée qui lui avait fait exploser le globe oculaire. Le coup de feu avait été porté à seulement quelques centimètres de distance. Pratiquement à bout touchant. Bosch remit son stylo dans sa poche, se pencha davantage encore et braqua sa lampe torche sur la nuque de la morte. Grande et irrégulière, la blessure de sortie y était visible. La mort, cela ne faisait aucun doute, avait été instantanée.

— Putain, c'est une Blanche ?

Edgar. Il était arrivé dans son dos et regardait par-dessus son épaule comme l'arbitre au-dessus d'un attrapeur de base-ball.

— Ça m'en a tout l'air, dit Bosch.

Il éclaira le corps de la victime.

— Qu'est-ce que fout une Blanche par ici ? reprit Edgar.

Bosch garda le silence. Il venait de remarquer quelque chose sous le bras droit de la femme. Il posa sa Mag-Lite pour pouvoir enfiler une paire de gants.

— Braque ta lampe sur sa poitrine, ordonna-t-il à Edgar.

Puis, ganté, il se pencha à nouveau sur le corps. La victime reposait sur le côté gauche, bras droit en travers de la poitrine et masquant un objet attaché à un cordon autour de son cou. Bosch le dégagea doucement.

C'était un coupe-file presse orange vif du LAPD. Bosch en avait vu beaucoup dans sa carrière. Celui-là semblait récent. La pochette plastifiée était encore claire et sans rayures. On y voyait la photo de type identité judiciaire d'une femme aux cheveux blonds. Sous le cliché se trouvaient son nom et celui du journal pour lequel elle travaillait : *Anneke Jespersen. Berlingske Tidende.*

— Anneke Jespersen, dit Bosch. Presse étrangère.

— D'où ? demanda Edgar.

— Je ne sais pas. Peut-être d'Allemagne. Je vois Berlin… Berlin quelque chose. Je saurais pas le prononcer.

— Pourquoi enverraient-ils quelqu'un d'aussi loin que l'Allemagne pour ça ? Ils peuvent donc pas s'occuper de leurs oignons ?

— Je suis pas certain qu'elle soit allemande. Je peux pas dire.

Bosch cessa d'écouter les bavardages d'Edgar et examina la photo du coupe-file. La femme était séduisante, même sur ce cliché genre « identité judiciaire ».

Ni sourire ni maquillage, air sérieux, cheveux ramenés derrière les oreilles, peau très pâle, quasi translucide. Il y avait de la distance dans le regard. Comme chez tous les flics et soldats qu'il avait connus et qui en avaient trop vu, et trop tôt.

Il retourna le coupe-file. Il avait l'air réglo. Bosch savait qu'on les renouvelait tous les ans et qu'un timbre de validation était exigé de tout membre des médias désirant assister aux briefings de la police ou franchir les barrages dressés autour des scènes de crime. Le timbre datait de 1992. Cela voulait dire que la victime l'avait reçu dans les cent vingt jours précédents et, vu son parfait état, Bosch se dit que c'était très récent.

Il reprit l'examen du corps. La victime portait un jeans et un gilet par-dessus une chemise blanche. Le gilet était du type fourre-tout avec de grandes poches. Une photographe ? Mais il n'y avait aucun appareil photo sur elle ou aux alentours. On les lui avait pris, ce vol étant peut-être même le mobile du meurtre. La plupart des photographes de presse qu'il avait vus étaient équipés de plusieurs appareils de qualité avec les accessoires correspondants.

Il se pencha sur le gilet et ouvrit une des poches de devant. Normalement, c'était à l'enquêteur du coroner qu'il aurait demandé de le faire, le corps de la victime se trouvant dans la juridiction du comté. Mais Bosch ne savait même pas si une équipe de ses légistes allait se pointer et il n'avait aucune intention d'attendre pour le savoir.

La poche contenait quatre pellicules noir et blanc. Pas moyen de savoir si elles étaient vierges ou avaient servi. Il reboutonna la poche et sentit une surface dure en le faisant. Il savait que la rigidité cadavérique survient puis disparaît en un jour, laissant alors le corps souple et plus facilement déplaçable. Il ouvrit le gilet et donna un coup de poing dans la poitrine de la victime. La surface était dure, et le bruit le confirma : la femme portait un gilet pare-balles.

— Hé, regarde un peu la liste noire ! lui lança Edgar.

Bosch leva les yeux du corps. Edgar avait pointé le faisceau de sa lampe sur le mur. Les graffitis juste au-dessus de la victime étaient un « décompte 187 », ou liste noire, avec les noms de plusieurs membres de gang ayant péri dans des batailles de rues. Ken Dog, G-Dog, OG Nasty, Neckbone, etc. La scène de crime se trouvait en plein territoire des Rolling Sixties, un sous-ensemble de l'énorme gang des Crips, éternellement en guerre avec un autre sous-ensemble des Crips, les 7-Treys.

Le grand public avait généralement l'impression que les guerres de gangs qui sévissaient dans les trois quarts de South L.A. et faisaient des victimes tous les soirs de la semaine se réduisaient à une lutte pour la suprématie et le contrôle des rues entre les Bloods et les Crips. En réalité, les rivalités entre sous-groupes du même gang étaient les plus violentes de toute la ville et très largement responsables du nombre de morts hebdomadaires. Et les Rolling Sixties et les 7-Treys étaient les premiers de la liste. Ces deux groupes obéissaient au protocole du tir à vue, le score étant généralement noté dans les graffitis du quartier. La liste RIP, elle, honorait le souvenir des potes perdus dans cette bataille éternelle, les noms portés dans la 187 répertoriant les contrats effectués, autrement dit, les ennemis abattus.

— Comme qui dirait qu'on a affaire à Blanche-Neige et les 7-Treys Crips, ajouta Edgar.

Agacé, Bosch hocha la tête. La ville était sortie de ses gonds et ils en avaient le résultat devant eux – une femme poussée contre un mur et exécutée –, mais son coéquipier semblait incapable de prendre la chose au sérieux.

Edgar avait dû comprendre le langage corporel de son collègue.

— C'est qu'une blague, Harry ! reprit-il vite. Détends-toi. Y a besoin d'un peu d'humour de pendu dans le coin !

— Bon d'accord, lui renvoya Bosch. Moi, je me détends et toi, tu vas décrocher la radio. Dis-leur ce qu'on a, assure-toi qu'ils comprennent bien qu'il s'agit d'une journaliste étrangère et vois s'ils pourraient pas nous envoyer une équipe au complet. Sinon, au moins un photographe avec de l'éclairage. Dis-leur qu'on cracherait pas sur un peu d'aide et de temps en plus sur ce coup-là.

— Pourquoi ? Parce qu'elle est blanche ?

Bosch ne répondit pas tout de suite. C'était bien irréfléchi de dire ça. Edgar frappait fort parce que Bosch n'avait pas apprécié sa blague sur Blanche-Neige.

— Non, pas parce qu'elle est blanche, dit-il d'un ton égal. Parce que ce n'est ni un pillard ni un membre de gang et qu'ils feraient bien de croire que les médias ne vont pas laisser passer une affaire où une des leurs est impliquée, OK ? Ça te suffit ?

— Compris.

— Bien.

Edgar regagna la voiture pour appeler par radio pendant que Bosch revenait à sa scène de crime. La première chose qu'il fit fut de délimiter le périmètre de sécurité. Il ordonna à plusieurs soldats de la garde nationale de reculer dans la ruelle afin d'y créer une zone de cinquante mètres de part et d'autre du corps, les deux longueurs du rectangle étant le mur du magasin d'appareils ménagers d'un côté, et celui du vendeur de jantes de l'autre.

En le délimitant, Bosch remarqua que la ruelle coupait à travers un bloc d'immeubles résidentiels juste derrière l'alignement de magasins de Crenshaw Boulevard. Il n'y avait aucune homogénéité dans les clôtures des jardins à l'arrière de la ruelle. Certains bâtiments avaient des murs en béton, d'autres étaient entourés de palissades en bois ou de grillages à maillage métallique.

Bosch savait que, dans un monde parfait, il aurait fouillé dans tous ces jardins et frappé à toutes les portes, mais ça devrait attendre et n'arriverait peut-être jamais. Pour l'heure, c'était sur la scène de crime qu'il devait se focaliser. S'il avait en plus la possibilité de faire du porte-à-porte, il pourrait se considérer heureux.

Il remarqua que Robleto et Delwyn avaient pris position à l'entrée de la ruelle avec leurs fusils. Debout l'un à côté de l'autre, ils bavardaient, pour se plaindre, probablement. À l'époque où Bosch servait au Vietnam, on appelait ça « deux cartons pour le prix d'un ».

Huit gardes nationaux s'étaient postés dans la ruelle, tout autour du périmètre intérieur. Bosch s'aperçut qu'un groupe de badauds commençait à se former et à les regarder. Il fit signe au garde qui les avait conduits jusqu'à la ruelle.

— Comment vous appelez-vous, soldat ?

— Drummond, mais tout le monde m'appelle Drummer[1].

— OK, Drummer, moi, je suis l'inspecteur Bosch. Dites-moi qui l'a trouvé.

— Quoi, le corps ? C'est Dowler. Il était revenu là pour pisser un coup et c'est comme ça qu'il l'a vue. Il a dit qu'il l'avait d'abord sentie. Il reconnaissait l'odeur.

— Où est-il ?

— Je crois qu'il est en poste au barrage sud.

— J'ai besoin de lui parler. Vous voulez bien aller me le chercher ?

— Oui, Sir, répondit Drummond en se dirigeant vers l'entrée de la ruelle.

— Minute, Drummer, j'ai pas fini.

Drummer fit demi-tour.

— Quand vous êtes-vous déployés ici ?

— On est ici depuis hier 18 heures, Sir.

— Vous contrôlez donc ce coin depuis ce moment-là ? Cette petite rue, je veux dire ?

— Pas exactement, Sir. On a commencé au carrefour de Crenshaw Boulevard et de Florence Avenue et on a repoussé les gens vers l'est dans Florence, et vers le nord dans Crenshaw. Un croisement après l'autre.

— Et donc, quand êtes-vous arrivés dans cette rue ?

— J'en suis pas sûr. Je pense qu'on l'a eue sous contrôle ce matin à l'aube.

1. Le tambour.

— Et tous les pillages et incendies étaient déjà terminés dans la zone ?

— Oui, Sir, ça, c'était le premier soir, d'après ce qu'on m'a dit.

— OK, Drummer, une dernière chose : y a besoin de plus de lumière. Vous pourriez m'amener un de vos camions pleins phares là-dessus ?

— Ça s'appelle un Humvee, Sir.

— Oui, bon, amenez-m'en par ce côté-ci de la rue. Dépassez ces gens et braquez vos phares droit sur ma scène de crime. Vous comprenez ?

— Je comprends, Sir.

Bosch lui montra le bout de la rue opposé à la voiture de patrouille.

— Bien, reprit-il. Ce que je veux, c'est un feu croisé de lumières ici même, d'accord ? Ce sera probablement le mieux qu'on puisse faire.

— Oui, Sir, dit le garde, qui commença à s'éloigner au trot.

— Hé ! Drummer !

Drummond fit à nouveau demi-tour et revint sur ses pas.

— Oui, Sir ?

— Tous vos gars sont en train de me regarder, lui chuchota Bosch. Ils feraient pas mieux de se retourner pour regarder vers l'extérieur ?

Drummond recula de quelques pas et fit des ronds avec son index au-dessus de sa tête.

— Hé ! On se retourne et on regarde vers l'extérieur ! On a du boulot ici. On continue de surveiller ! cria-t-il en montrant le groupe de badauds au bout de la ruelle. Et on fait ce qu'il faut pour repousser ces gens !

Les gardes s'exécutant, Drummond se dirigea vers l'extrémité de la rue pour appeler Dowler à la radio et demander son camion d'éclairage.

Bosch sentit son téléavertisseur bourdonner à sa hanche. Il porta la main à sa ceinture et sortit l'appareil de son étui. Le numéro affiché à l'écran était celui du centre de commandement, il comprit qu'Edgar et lui allaient avoir droit à un autre appel. Ils n'avaient même pas eu le temps de commencer qu'on allait les arracher à la scène de crime. Il ne voulait pas de ça. Il raccrocha le téléavertisseur à sa ceinture.

Il gagna la première clôture partant du coin arrière du magasin d'appareils ménagers. Faite de lattes de bois, elle était trop haute pour qu'il puisse regarder par-dessus. Mais il remarqua qu'elle venait tout juste d'être peinte. Et qu'il ne s'y trouvait aucun graffiti, pas même côté ruelle. Il le remarqua parce que ça signifiait que, de l'autre côté, un propriétaire tenait assez à sa palissade pour passer les graffitis à la chaux. Peut-être cette personne était-elle même du genre à organiser sa propre surveillance et avait-elle entendu ou vu quelque chose.

Il traversa la ruelle et s'accroupit à l'autre extrémité de la scène de crime. Tel le combattant qui attend de sortir, tapi dans son coin. Il commença à balader le faisceau de sa lampe torche sur le mélange de ciment et de terre battue de la ruelle. Frappant en oblique, la lumière fit apparaître une myriade de surfaces planes, lui donnant ainsi un aperçu unique des lieux. Très vite il aperçut l'éclat de quelque chose de brillant et garda sa lampe braquée dessus. Puis il s'approcha et trouva une douille en cuivre jaune au milieu des gravillons.

Il se mit alors à quatre pattes de façon à pouvoir la regarder de près sans la déplacer. Il rapprocha la lumière et découvrit qu'il s'agissait d'une douille de 9 mm avec l'estampille Remington à sa base. Le percuteur avait laissé une marque sur l'amorce. Il remarqua aussi que la douille reposait sur le lit de gravier. Personne n'avait donc marché ou couru dessus dans ce qu'il se disait être une ruelle fréquentée. Il en conclut que la douille n'était pas là depuis longtemps.

Il cherchait quelque chose pour marquer son emplacement lorsque Edgar revint sur la scène de crime. Il portait une boîte à outils ; Bosch en déduisit qu'ils ne recevraient aucune aide.

— Qu'est-ce que t'as trouvé, Harry ? lui demanda Edgar.

— Une douille de Remington 9 mm. Et toute fraîche.

— Bon, on aura au moins trouvé quelque chose d'utile.

— Peut-être. T'as eu le poste de commandement ?

Edgar posa la boîte à outils. Elle était lourde. Elle contenait l'équipement qu'ils avaient vite rassemblé dans la salle des kits du commissariat d'Hollywood dès qu'ils avaient compris qu'ils ne pourraient compter sur aucun renfort de médecine légale sur le terrain.

— Ouais, j'ai réussi à passer, mais on m'a répondu qu'ils pouvaient pas. Tout le monde est occupé. C'est à nous seuls de jouer, frangin.

— On n'aura même pas de coroner ?

— Non, pas de coroner. C'est la garde nationale qui va passer prendre la victime avec un camion. Un transport de troupes.

— Tu déconnes ou quoi ? Ils vont la transporter dans un camion à plate-forme ?

— Et y a pas que ça. On a déjà un autre appel. Un carbonisé. Les pompiers l'ont trouvé dans une baraque à tacos incendiée dans Martin Luther King Boulevard.

— Putain, mais on vient juste d'arriver !

— Ben oui, mais c'est nous parce qu'on est les plus près. Bref, on s'efface et on trace, c'est ça qu'ils veulent.

— Ouais, sauf qu'on n'a pas fini. Et qu'on en est loin.

— On peut rien y faire, Harry.

Bosch était têtu.

— Moi, je pars pas tout de suite. Y a trop à faire, et si on repousse à la semaine prochaine ou plus, on y perdra la scène de crime. Et ça, c'est pas possible.

— On n'a pas le choix, collègue. C'est pas nous qui faisons le règlement.

— Des conneries, tout ça.

— Bon, que je te dise : on y donne encore un quart d'heure à ce truc. On prend quelques photos, on met la douille dans un sachet, on colle le corps sur le plateau du camion et on reprend la route. Lundi prochain ou le jour où tout ça sera fini, ça ne sera même plus notre affaire. On rentre à Hollywood dès que tout se calme et l'affaire bouge pas d'ici. Ce sera pour quelqu'un d'autre. C'est le territoire du 77e et ça sera leur problème à eux.

Que l'affaire soit donnée aux inspecteurs du 77e ou pas, ce qui se passerait plus tard, Bosch s'en moquait. Ce qui lui importait, c'était ce qu'il avait sous les yeux.

Une certaine Anneke qui venait de très loin était étendue morte devant lui, et il voulait savoir qui avait fait le coup et pourquoi.

— Je me fous que ce ne soit plus notre affaire plus tard, dit-il. Là n'est pas la question.

— Harry, y a pas de question à poser ou pas, lui renvoya Edgar. Pas maintenant, pas avec le chaos tout autour. Y a plus rien qui compte maintenant, mec. La ville est incontrôlable. Tu peux pas t'attendre à…

Les claquements soudains d'une arme automatique déchirèrent l'air. Edgar se jeta à terre, Bosch se précipitant instinctivement vers le mur du magasin d'appareils ménagers. Son casque s'envola. Des rafales montèrent de plusieurs des gardes nationaux jusqu'à ce que la fusillade disparaisse sous les cris de « Halte au feu ! Halte au feu ! Halte au feu ! Halte au feu ! ».

Les coups de fusil cessant, Burstin, le sergent posté au barrage, remonta la rue en courant. Bosch vit Edgar se relever lentement. Il semblait indemne, mais le regardait d'un drôle d'air.

— Qui a commencé ? hurla le sergent. Qui a ouvert le feu ?

— Moi, répondit un des hommes dans la rue. J'ai cru voir une arme dépasser d'un toit.

— Où ça, soldat ? Quel toit ? Où était le tireur ?

— Là-bas, répondit-il en montrant le toit du magasin de jantes.

— Mais putain ! s'écria le sergent. On ne tire pas, bordel. Ce toit-là, on l'a dégagé. Y a que nous là-haut ! Nous, nos gens !

— Je m'excuse, Sir. J'ai vu le…

— Je me contrefous ce que tu as vu ! Si jamais un seul de mes hommes est tué à cause de toi, je te descends moi-même !

— Oui, Sir. Désolé, Sir.

Bosch se releva. Il avait les oreilles qui bourdonnaient et les nerfs en pelote. Entendre cracher une arme automatique n'avait rien de nouveau pour lui. Mais il y avait presque vingt-cinq ans que ça ne faisait plus partie de son quotidien. Il alla ramasser son casque et le remit.

— Continuez votre travail, lui dit le sergent Burstin en le rejoignant. Je serai au nord du périmètre si vous avez besoin de moi. Nous avons un camion qui arrive pour la dépouille. J'ai cru comprendre que nous sommes censés vous fournir une équipe pour vous escorter jusqu'à un autre corps.

Et il fila à toute allure.

— Putain de Dieu, s'écria Edgar, tu le crois, ça ? C'est quoi ? Tempête du désert ? Le Vietnam ? Qu'est-ce qu'on fout ici, mec ?

— On se met juste au boulot, lui renvoya Bosch. Tu fais le croquis de la scène de crime pendant que moi, je m'occupe du corps et des photos. Dépêchons-nous.

Il s'accroupit et ouvrit la boîte à outils. Il voulait faire une photo de la douille avant de la mettre dans un sachet de pièce à conviction. Edgar n'arrêtait pas de parler. La montée d'adrénaline due à la fusillade ne s'atténuait pas. Edgar parlait beaucoup quand il était sur les nerfs. Parfois trop.

— Harry, dit-il, t'as vu ce que t'as fait quand ce dingue a ouvert le feu avec son arme ?

— Oui, je me suis baissé comme tout le monde.

— Non, Harry, tu as couvert le corps. Je l'ai vu. Tu as protégé Blanche-Neige comme si elle vivait encore.

Bosch ne répondit pas. Il sortit le premier plateau de la boîte à outils et tendit la main pour attraper le Polaroid. Et remarqua qu'il ne leur restait que deux paquets de film. Soit seize clichés plus ce qu'il y avait dans l'appareil. Du vingt photos en tout, et ils avaient à photographier cette scène de crime et celle qui les attendait dans Martin Luther King Boulevard.

— C'était quoi, ça, Harry ? insista Edgar.

Bosch finit par perdre patience et aboya :

— Je ne sais pas ! D'accord ? Je ne sais pas ! Alors, on se met au boulot et on essaie de faire quelque chose pour elle pour que quelqu'un puisse bâtir un dossier plus tard.

Son éclat avait attiré l'attention de la plupart des gardes nationaux dans la ruelle. Le soldat qui avait déclenché le feu le fixait, tout heureux de lui refiler le fardeau de l'attention dont on ne veut pas.

— OK, Harry, reprit doucement Edgar. On se met au boulot. On fait ce qu'on peut. Un quart d'heure, et on passe au suivant.

Bosch acquiesça d'un signe de tête en regardant la morte. *Un quart d'heure*, pensa-t-il. Il s'était résigné. Il savait que l'affaire était perdue avant même d'avoir commencé.

— Je suis désolé, murmura-t-il.

# PREMIÈRE PARTIE

## Le flingue baladeur

2012

# 1

Ils le faisaient attendre. L'explication était que Coleman était à la cantine et que l'en sortir créerait un problème parce que, après l'entretien, il faudrait qu'ils le réinsèrent dans le deuxième service, où il pourrait avoir des ennemis inconnus du personnel de garde. Quelqu'un pourrait alors l'attaquer sans que les gardiens le voient venir. Et ça, ils n'en voulaient pas. Ils lui avaient donc dit de se détendre quarante minutes, le temps que Coleman finisse son steak Salisbury aux haricots verts, assis dans le confort et la sécurité du nombre à une table de pique-nique de la cour D. Tous les Rolling Sixties de San Quentin partageaient la même nourriture et les mêmes quartiers de repos.

Bosch passait le temps en étudiant ses accessoires et en révisant son stratagème. Tout reposait sur lui. Il n'avait aucun collègue pour lui donner un coup de main. Il était seul. Les coupes claires dans le budget voyages avaient transformé presque toutes les visites de prisonniers en missions solo.

Il avait pris le premier avion du matin sans réfléchir à son heure d'arrivée. Pour finir, ce délai n'aurait pas d'importance. Il ne repartirait pas avant 18 heures et l'entretien avec Rufus Coleman ne prendrait probablement pas longtemps. Ou bien ce dernier accepterait l'offre ou bien il la refuserait. Dans un cas comme dans l'autre, Bosch passerait peu de temps avec lui.

La salle d'interrogatoire était un petit cube d'acier avec table intégrée la divisant en deux. Bosch prit place d'un côté, une porte directement derrière lui. De l'autre, l'espace était identique, porte y compris. C'était par celle-là qu'on allait faire entrer Coleman, il le savait.

Bosch enquêtait sur le meurtre vieux de vingt ans d'Anneke Jespersen, une photographe de presse abattue pendant les émeutes de 1992. À l'époque, il n'avait pu travailler l'affaire et étudier la scène de crime qu'une petite heure avant d'être envoyé sur d'autres meurtres, cette folle nuit de violences le voyant passer constamment d'un crime à un autre.

Quand elles avaient pris fin, le LAPD avait mis sur pied le Détachement spécial crimes liés aux émeutes, l'enquête sur l'assassinat de Jespersen lui étant aussitôt confiée. L'affaire n'avait jamais été résolue et, dix ans après être restée ouverte, l'enquête et les rares éléments de preuve collectés avaient été rangés dans des boîtes sans faire de bruit, le tout étant ensuite déposé aux archives. Ce n'était qu'à l'approche du vingtième anniversaire des émeutes que, très au fait des médias, le chef de police avait envoyé au lieutenant responsable de l'unité des Affaires non résolues une directive lui ordonnant de réexaminer d'un œil neuf tous les meurtres qui s'étaient produits pendant les troubles de 1992 et étaient restés sans solution. Il voulait être prêt lorsque les médias lanceraient leurs recherches pour leurs articles sur ce vingtième anniversaire. Le LAPD s'était peut-être fait surprendre en 1992, mais ce ne serait pas le cas en 2012. Le chef de police voulait pouvoir dire que tous les crimes non résolus liés aux émeutes faisaient toujours l'objet d'enquêtes en cours.

Bosch ayant alors demandé à s'occuper tout spécialement de l'affaire Anneke Jespersen, il la reprenait donc vingt ans plus tard. Non sans appréhension. Il savait que les trois quarts des meurtres sont résolus dans les premières quarante-huit heures suivant leur commission et qu'après, les chances de parvenir à une solution diminuent fortement. Et cette affaire-là n'avait même pas bénéficié d'une seule de ces quarante-huit heures. Elle avait été négligée à cause des circonstances et Bosch s'en était toujours voulu, comme s'il avait laissé tomber la victime. Aucun inspecteur des Homicides n'aime lâcher une affaire non résolue, mais la situation étant ce qu'elle était, on ne lui avait pas laissé le choix. On la lui avait tout simplement retirée. Il aurait très facilement pu accuser les enquêteurs qui avaient repris l'enquête après lui, mais cela l'aurait obligé à se compter au nombre des responsables. C'était avec lui, et sur les lieux mêmes du crime, qu'elle avait commencé. Il ne pouvait s'empêcher de penser que, si peu de temps qu'il y soit resté, il avait dû rater quelque chose.

Et, vingt ans plus tard, il avait la possibilité d'y revenir. Mais celle de la résoudre était on ne peut plus incertaine. À ses yeux, toute affaire a sa boîte noire, à savoir un élément de preuve, un individu, un agencement de faits qui amène à comprendre et aide à expliquer ce qui s'est produit et pourquoi. Mais, avec Anneke Jespersen, il n'y avait pas de boîte noire. Rien que deux ou trois cartons sentant le renfermé qu'il avait retirés des archives et qui, en plus de ne lui donner aucune direction d'enquête, ne lui laissaient que peu d'espoir. On y trouvait les habits de la victime et son gilet pare-balles, son passeport et quelques objets personnels, plus un sac à dos et tout le matériel photo saisi dans sa chambre après les émeutes. Il y avait aussi la seule et unique douille de 9 mm découverte sur les lieux et le maigre dossier – ce qu'on appelle « le livre du meurtre » – établi par le Détachement spécial.

Ce livre du meurtre disait assez largement l'inaction dudit Détachement spécial dans cette affaire. L'unité avait travaillé un an durant et sur des centaines de crimes et délits, dont plusieurs dizaines de meurtres. Elle s'était retrouvée à peu près aussi débordée que les enquêteurs comme Harry Bosch pendant les émeutes.

Le Détachement avait donc fait installer dans tout South L.A. des panneaux d'affichage donnant un numéro de téléphone où appeler et promettant une récompense pour tout renseignement amenant à l'arrestation et à la condamnation de tout auteur de crime lié aux émeutes. On y voyait des photos de suspects, de scènes de crime et de victimes. Trois d'entre eux comportaient une photo d'Anneke Jespersen et demandaient tout renseignement sur ses faits et gestes et son assassinat.

L'unité travaillait en gros à partir de toutes les informations qui lui arrivaient grâce à ces panneaux et à des travailleurs sociaux bénévoles, et ne prenait en main que des affaires où ces renseignements étaient solides.

Mais rien de probant ne lui étant parvenu pour l'affaire Jespersen, rien n'était jamais sorti de l'enquête. C'était l'impasse. Jusqu'au seul élément de preuve retrouvé sur la scène de crime – à savoir la douille – qui n'avait aucune valeur sans une arme à laquelle la relier.

En étudiant les dossiers et les effets gardés aux archives, Bosch s'aperçut que les meilleurs renseignements collectés lors de la première enquête avaient trait à la victime elle-même. Âgée de trente-deux ans, Jespersen était danoise, et pas allemande comme il l'avait cru pendant vingt ans. Elle travaillait pour un journal de Copenhague, le *Berlingske Tidende*, en qualité de photojournaliste, et ce au sens strict du terme : elle écrivait les articles et prenait les photos. Correspondante de guerre, elle effectuait des reportages dans le monde entier et détaillait tout en mots et en images.

Elle était arrivée à Los Angeles le lendemain matin des émeutes. Et le lendemain matin encore, elle était morte. Les semaines suivantes, le *Los Angeles Times* avait publié de courts portraits de tous ceux et celles qui avaient été tués pendant les violences. Dans celui consacré à Jespersen, son rédacteur en chef et son frère à Copenhague l'avaient décrite comme une journaliste qui prenait des risques et ne tergiversait pas pour se porter volontaire et partir enquêter dans des zones dangereuses. Les quatre années précédant sa mort l'avaient vue couvrir des conflits en Irak, au Koweït, au Liban, au Sénégal et au Salvador.

L'agitation à Los Angeles n'était pas vraiment comparable aux autres conflits armés auxquels elle avait consacré des articles accompagnés de photos, mais, d'après le *Times*, il se trouvait qu'elle parcourait les États-Unis lorsque les émeutes avaient éclaté à Los Angeles. Elle avait aussitôt appelé le desk photos du *BT*, comme on appelait plus familièrement ce journal à Copenhague, et avait laissé un message à son rédacteur en chef pour l'informer qu'elle quittait San Francisco pour Los Angeles. Mais elle était morte avant d'avoir pu lui envoyer des photos ou un quelconque article. Et lui ne lui avait plus jamais parlé après avoir reçu son message.

Après la dissolution du Détachement spécial, l'affaire Jespersen avait été assignée à la brigade des Homicides, division de la 77e Rue, le meurtre s'étant produit sur son territoire de juridiction. Confiée à de nouveaux enquêteurs déjà débordés d'affaires non résolues, elle avait vite été mise au rancart. Les notes portées dans la partie chronologie étaient rares et, fortement espacées, ne faisaient en gros que refléter l'intérêt des gens extérieurs à l'enquête. Le LAPD n'y travaillait même pas avec un semblant de ferveur, mais les parents de la victime et les membres de la communauté internationale du journalisme gardaient espoir. Cette chronologie répertoriait leurs demandes fréquentes sur l'état de l'enquête. Celles-ci avaient été prises en compte jusqu'au jour où les dossiers de l'affaire et les effets de la victime avaient été expédiés aux archives. À partir de ce moment-là, tous les gens qui voulaient savoir où on en était pour Anneke Jespersen avaient été assez largement ignorés, tout comme l'affaire pour laquelle ils appelaient.

Assez curieusement, les objets personnels de la victime n'avaient jamais été renvoyés à sa famille. Les cartons laissés aux archives contenaient encore son sac à dos et les biens rapportés à la police plusieurs jours après son assassinat, lorsque le propriétaire de la Travelodge de Santa Monica Boulevard avait fait le lien entre le nom d'une des victimes des émeutes mentionnées dans la liste du *Times* et un de ceux portés dans son propre registre de clients. Tout le monde était jusqu'alors persuadé qu'Anneke Jespersen avait filé de sa chambre sans payer. Les objets qu'elle avait laissés derrière elle avaient alors été placés dans une réserve fermée à clé du motel. Dès que le gérant avait compris que Jespersen ne reviendrait pas parce qu'elle était morte, le sac avec tous ses biens avait été confié au Détachement spécial qui travaillait dans des bureaux temporaires de la Central Division.

Ce sac se trouvait donc dans un des cartons d'archives que Bosch avait retirés des réserves. Il contenait deux paires de jeans, quatre chemises blanches en coton et un assortiment de socquettes et de sous-vêtements. Jespersen voyageait manifestement léger, comme un correspondant de guerre, même lorsqu'elle était en vacances. Probablement parce qu'un théâtre de guerre, elle allait en retrouver un après ses vacances aux États-Unis. Son rédacteur en chef avait en effet informé le *Times* que le *BT* l'expédiait dans l'ancienne Yougoslavie, à Sarajevo, où la guerre avait éclaté à peine quelques semaines plus tôt. On commençait à parler de viols de masse et de nettoyage ethnique dans les médias et Jespersen devait rejoindre la zone le lundi suivant le déclenchement des émeutes. Elle envisageait sans doute de faire un court arrêt à L.A. et d'y prendre quelques photos d'émeutiers en guise de petit échauffement avant ce qui l'attendait en Bosnie.

Dans les poches de son sac à dos se trouvaient aussi son passeport danois et plusieurs rouleaux de pellicule 35 mm vierges.

Son passeport portait un timbre des services de l'immigration de l'aéroport Kennedy de New York attestant qu'elle était entrée aux États-Unis six jours avant sa mort. D'après les rapports d'enquête et les articles de presse, elle voyageait seule et se trouvait déjà à San Francisco lorsque les verdicts étaient arrivés à Los Angeles, déclenchant aussitôt les violences.

Aucun rapport d'enquête ni article paru dans les médias ne disait où elle se trouvait aux États-Unis les cinq jours précédant le déclenchement des émeutes. Aux yeux des enquêteurs, cela ne paraissait avoir aucun rapport avec sa mort.

Ce qui était clair, c'était que le déclenchement des violences l'avait suffisamment intéressée pour que, changeant immédiatement de plan, elle roule toute la nuit pour gagner L.A. dans une voiture de location prise à l'aéroport international de San Francisco. Le jeudi matin 30 avril, elle présentait son passeport et ses accréditations de presse danoises au bureau des médias du LAPD afin d'obtenir un coupe-file.

Bosch avait passé l'essentiel des années 1969 et 1970 au Vietnam. Il y avait rencontré beaucoup de journalistes et de photographes aussi bien dans les camps de base que dans les zones de combat. Chez tous il avait remarqué une forme particulièrement unique de témérité. Pas celle du combattant, mais une croyance presque naïve en leur capacité à toujours en réchapper en fin de compte. Tout se passait comme s'ils voyaient dans leurs appareils photo et leurs coupe-file de presse des boucliers qui les sauveraient toujours, quelles que soient les circonstances.

Il en avait connu un particulièrement bien. Il s'appelait Hank Zinn et travaillait pour l'Associated Press. Et, un jour, ce Hank Zinn l'avait suivi dans un des tunnels de Cu Chi. Zinn était le genre de type qui ne refusait jamais une occasion d'aller en territoire ennemi pour avoir ce qu'il appelait « le vrai truc ». Il était mort au début de l'année 1970, le jour où l'hélicoptère Huey à bord duquel il était monté pour être conduit au front avait été abattu. Un de ses appareils photo ayant été retrouvé intact dans les débris, quelqu'un de la base avait développé la pellicule. Il s'était alors avéré que Zinn n'avait pas cessé de mitrailler tout le temps que l'hélico prenait feu avant de tomber. Qu'il ait courageusement voulu filmer sa propre mort ou cru prendre de superbes photos à envoyer à son journal dès qu'il serait de retour au camp de base n'avait jamais pu être déterminé. Le connaissant bien, Bosch s'était dit que Zinn se croyait invincible et qu'à ses yeux l'histoire ne prendrait pas fin avec le crash de l'hélico.

En reprenant l'affaire Jespersen après tant d'années, Bosch s'était demandé si Anneke Jespersen n'était pas comme Zinn. Sûre d'être invincible, sûre et certaine que son appareil photo et son coupe-file lui permettraient de traverser les flammes sans encombre. Il ne faisait aucun doute qu'elle s'était mise en danger. Il s'était aussi demandé quelle avait été sa dernière pensée lorsque le tueur lui avait pointé son arme sur l'œil. Était-elle comme Zinn ? Avait-elle pris la photo de son assassin ?

D'après une liste fournie par son rédacteur en chef à Copenhague et versée au dossier d'enquête du Détachement spécial, elle était munie de deux Nikon F4 avec tout un tas d'optiques. Bien sûr, cet équipement lui avait été pris et jamais retrouvé. Tout ce qu'elle avait filmé et qui se trouvait encore dans ces appareils avait disparu depuis longtemps.

Les enquêteurs du Détachement avaient développé les rouleaux de pellicule trouvés dans les poches de son gilet. Quelques-uns des tirages 20 × 30 en noir et blanc et quatre planches-contacts des quatre-vingt-seize clichés se trouvaient dans le livre du meurtre, mais n'avaient pas grand-chose à offrir côté éléments de preuve et pistes à suivre. On n'y voyait que la garde nationale de Californie se retrouvant au Coliseum après avoir été appelée à plonger dans la mêlée. D'autres clichés montraient des gardes tenant des barrages à divers carrefours de la zone d'émeutes. Rien sur les violences, les incendies ou les pillages, alors même que plusieurs de ces soldats montaient la garde devant des magasins qui avaient été pillés ou incendiés. Ces photos semblaient avoir été prises le jour de son arrivée à Los Angeles, juste après qu'elle avait obtenu son coupe-file presse du LAPD.

En dehors de leur valeur historique en tant que documents sur les émeutes, ces photos n'avaient pas retenu l'attention des enquêteurs en 1992 et, vingt ans plus tard, Bosch ne leur donnait pas tort.

Le dossier du Détachement spécial contenait une liste des biens de la victime datée du 11 mai 1992 et une fiche détaillant la manière dont le véhicule Avis que Jespersen avait loué à l'aéroport de San Francisco avait été retrouvé. Il avait été abandonné dans Crenshaw Boulevard, à sept rues de celle où son corps avait été découvert. Au cours des dix jours où il était resté à cet endroit, il avait été forcé et sa garniture arrachée. Le rapport concluait que la voiture et son contenu, ou absence de contenu, étaient sans valeur pour l'enquête.

En résumé, seul l'élément de preuve que Bosch avait trouvé dans sa première heure de travail, à savoir la douille, donnait quelque espoir de résoudre l'affaire. En vingt ans, les technologies ayant trait au maintien de l'ordre s'étaient améliorées à la vitesse grand V. Des succès dont on ne rêvait même pas à l'époque étaient devenus monnaie courante. L'arrivée de techniques applicables aux éléments de preuve et à la résolution des crimes avait conduit à des réévaluations d'affaires non résolues aux quatre coins de la planète. Tous les services de police des grandes métropoles avaient maintenant des équipes d'enquêteurs spécialisés dans la résolution de ce genre de dossiers. Leur appliquer de nouvelles technologies tenait parfois de la pêche à la dynamite : une correspondance ADN, balistique ou d'empreintes digitales conduisait souvent à l'inculpation imparable d'individus qui pensaient depuis longtemps l'avoir emporté au paradis.

De temps en temps, néanmoins, c'était plus compliqué.

Une des premières décisions prises par Bosch lorsqu'il avait rouvert le cold case 9212-00346 avait été d'apporter la douille à l'unité des Armes à feu aux fins d'analyse et de profilage. Vu l'embouteillage dû à la charge de travail et le statut non prioritaire des demandes de l'unité des Affaires non résolues, trois mois s'étaient écoulés avant qu'il obtienne enfin une réponse. Et cette réponse n'avait rien d'une panacée. Cela étant, si elle ne lui permettait pas de tout résoudre immédiatement, elle lui ouvrait une piste. Après vingt ans d'absence de justice pour Anneke Jespersen, ce n'était pas si mal.

Le rapport lui avait en effet fourni le nom de Rufus Coleman – quarante et un ans, membre genre « noyau dur » du sous-gang des Crips, les Rolling Sixties, et présentement incarcéré pour meurtre au pénitencier de l'État de Californie de San Quentin.

# 2

Il était presque midi lorsque, la porte s'ouvrant enfin, Coleman fut amené dans la pièce par deux gardiens de la prison. Il fut attaché, les bras dans le dos, au siège en face de Bosch. Les gardiens l'avertirent qu'ils le surveilleraient, puis ils laissèrent les deux hommes se dévisager de part et d'autre de la table.

— T'es flic, toi, pas vrai ? lança Coleman. Tu sais ce que ça pourrait me faire de me mettre dans une pièce avec un flic si ces nullards faisaient passer le mot ?

Bosch ne répondit pas. Il étudia l'homme en face de lui. Il en avait vu des trombines, mais elles n'en montraient que le visage. Il savait que Coleman était costaud – c'était un collecteur de fonds reconnu des Rolling Sixties –, mais pas à ce point. Fortement musclé et sculptural, il avait le cou plus large que la tête… oreilles comprises. Seize ans de pompes, d'abdos et autres exercices exécutables en cellule lui avaient bâti une poitrine qui lui dépassait facilement du menton et, côté biceps et triceps, c'étaient des étaux qui donnaient l'impression de pouvoir réduire des noix en poudre. Sur ses photos, ses cheveux étaient toujours coupés selon un dégradé très stylé. Il avait maintenant la boule à zéro et s'en servait comme d'une toile au service du Seigneur : de chaque côté du dôme de son crâne on découvrait des croix emprisonnées dans du fil de fer barbelé, le tout tatoué à l'encre bleue des prisons. Bosch se demanda si cela faisait partie des efforts qu'il déployait pour séduire la Commission des libérations conditionnelles. *Je suis sauvé. C'est même écrit sur mon crâne.*

— Oui, je suis flic, répondit enfin Bosch. Je suis monté de L.A.

— Bureau du shérif ou LAPD ?

— LAPD. Je m'appelle Bosch. Et Rufus, ceci va être le jour le plus heureux ou malheureux de ton existence... et le seul. Et ce qu'il y a de cool là-dedans, c'est que c'est toi qui vas pouvoir choisir lequel ce sera. Nous n'avons pas, la plupart d'entre nous du moins, la possibilité de choisir entre coup de bol et malchance. Pour l'un comme pour l'autre, c'est le hasard qui décide. C'est le destin. Mais toi cette fois, cette possibilité, tu l'as. T'as le choix. Là, tout de suite.

— Ah ouais ? Et comment ça se fait ? T'as toute la chance du monde dans ta poche ?

Bosch acquiesça d'un signe de tête.

— Aujourd'hui, oui, dit-il.

Il avait placé un dossier sur la table avant qu'on lui amène Coleman. Il l'ouvrit et en sortit deux lettres. Il laissa l'enveloppe déjà timbrée dans le dossier, juste assez loin de Coleman pour qu'il ne puisse pas lire l'adresse qui y était portée.

— Et donc, à ce que j'en sais, reprit-il, c'est bien le mois prochain que tu vas tenter pour la deuxième fois d'obtenir une libération conditionnelle.

— C'est exact, dit Coleman, un soupçon de curiosité et de crainte dans la voix.

— Bien, j'ignore si tu sais comment ça marche, mais ce sont les deux mêmes membres de la Commission devant lesquels tu t'es présenté il y a deux ans qui vont siéger pour ta deuxième audience. En résumé, ce sont deux types qui t'ont déjà refusé ta demande qui vont venir. Et ça, Rufus, ça veut dire que tu vas avoir besoin d'aide.

— J'ai déjà le Seigneur de mon côté.

Et de se pencher en avant et de tourner la tête à droite puis à gauche pour que Bosch voie bien ses croix tatouées. Bosch songea aux logos qu'on voit sur les casques d'une équipe de football.

— Si tu veux mon avis, dit-il, deux tatouages ne suffiront pas. Tu vas avoir besoin de plus que ça.

— Je te demande que dalle, le flic. J'ai pas besoin de ton aide. J'ai mes lettres tout comme il faut et aussi l'aumônier du bloc D et mes bons rapports avec moi. J'ai même une lettre de pardon de la famille Regis.

Walter Regis était le nom de l'homme qu'il avait tué de sang-froid.

— Mais oui. Et ça t'a coûté combien ?

— J'ai rien payé. J'ai prié et le Seigneur a pourvu. La famille me connaît et sait ce qui m'anime. Elle me pardonne mes péchés, tout comme le Seigneur.

Bosch hocha la tête et baissa longuement les yeux sur les lettres qu'il avait devant lui avant de continuer.

— Bien, et donc tu as tout réglé. Tu as la lettre et tu as le Seigneur avec toi. Tu n'as donc peut-être pas besoin que je travaille pour toi, mais ce qu'il y a de sûr, c'est que tu n'aimerais sans doute pas beaucoup que je travaille contre toi. C'est ça, le hic. Et ça, tu n'en voudrais pas.

— Hé, mec ! C'est quoi, ta manip ?

Bosch hocha de nouveau la tête. Enfin, on y était. Il souleva l'enveloppe.

— Tu vois cette enveloppe ? demanda-t-il. Elle est adressée à la Commission des libérations conditionnelles de Sacramento et y a ton numéro de prisonnier dans le coin en bas. Y a aussi un timbre et elle est prête à partir.

Il posa l'enveloppe, prit les deux lettres, une dans chaque main, et les posa l'une à côté de l'autre sur la table pour que Coleman puisse les lire.

— Je vais en glisser une dans cette enveloppe et la mettre au courrier dès que je sortirai d'ici. À toi de décider laquelle.

Coleman s'avançant, Bosch entendit ses chaînes cliqueter contre le dossier de sa chaise en métal. L'homme était tellement costaud qu'il donnait l'impression de porter des protège-épaules sous sa combinaison grise de prisonnier.

— De quoi tu parles, le flic ? J'arrive pas à lire ces merdes.

Bosch se redressa et tourna les lettres de façon à pouvoir les lire.

— Bon alors, dit-il. Ces lettres sont adressées à la Commission des libérations conditionnelles. La première dit beaucoup de bien de toi. On y lit que tu es plein de remords pour les crimes que tu as commis et que tu as coopéré avec moi pour chercher à résoudre un meurtre longtemps resté sans solution. Elle se termine par…

— J'coopère pas avec toi, mec. Que dalle ! C'est pas toi qui vas me coller une veste d'indic sur le dos. Fais gaffe à c'que tu dis pour ces merdes.

— Elle se termine donc par la recommandation que je fais à la Commission de t'accorder une remise en liberté conditionnelle.

Il reposa la lettre sur la table et se concentra sur la seconde.

— Maintenant, reprit-il, celle-là est pas vraiment géniale pour toi. On n'y trouve rien sur de quelconques remords. Elle dit que tu as refusé de coopérer dans une enquête pour meurtre où tu détiens des renseignements de première importance. Et, pour finir, elle dit encore que la Gang Intelligence Unit[1] du LAPD a des informations laissant entendre que les Rolling Sixties attendent ton retour à la liberté pour utiliser à nouveau tes talents de tueur à gages parce qu'ils…

— Alors là, c'est que des conneries, ça ! C'est un mensonge. Tu peux pas envoyer cette merde !

Bosch reposa calmement la lettre sur la table et commença à la plier pour la glisser dans l'enveloppe. Et regarda Coleman sans broncher.

— Parce que tu vas rester là assis sur ton cul à me dire ce que je peux et ne peux pas faire ? Ah mais non,

1. Unité chargée du renseignement sur les gangs.

c'est pas comme ça que ça marche, Rufus. Tu me donnes ce que je veux et je te donne ce que tu veux. Voilà, c'est comme ça que ça marche.

Et de laisser courir son doigt le long des plis de la lettre avant de commencer à l'insérer dans l'enveloppe.

— De quel meurtre tu causes ? lui demanda Coleman.

Bosch le regarda. C'était la première brèche. Il glissa la main dans la poche intérieure de sa veste et en sortit la photo de Jespersen qu'il avait fait faire à partir de celle de son coupe-file de presse. Il la tint en l'air pour que Coleman la voie.

— Une Blanche ? s'écria celui-ci. Je sais rien de rien sur une Blanche assassinée.

— J'ai pas dit que c'était toi.

— Alors, à quoi on joue, mec ? Quand est-ce qu'elle s'est fait flinguer les fesses ?

— Le 1er mai 1992.

Coleman fit le calcul, hocha la tête et sourit comme s'il avait affaire à un crétin.

— T'as pas le bon mec, dit-il. En 92, j'étais à Corcoran pour cinq ans. Avale donc ça, flic de merde.

— Je sais exactement où t'étais en 92. Tu crois que je serais monté jusqu'ici si je savais rien sur toi ?

— Tout c'que je sais, moi, c'est que j'étais à des kilomètres d'une Blanche assassinée.

Bosch hocha la tête comme pour lui dire qu'il n'en discutait pas.

— Que je t'explique, Rufus, reprit-il, parce qu'il y a quelqu'un d'autre ici que je veux voir et que j'ai un avion à prendre. Alors, tu m'écoutes maintenant, d'accord ?

— J'écoute. Voyons voir les merdes que t'as à me raconter.

Bosch leva de nouveau la photo en l'air.

— Et donc, on parle d'il y a vingt ans de ça. De la nuit du 30 avril au 1er mai 1992. La deuxième des émeutes de Los Angeles. Anneke Jespersen de Copenhague se trouve dans Crenshaw Boulevard avec ses appareils. Elle prend des photos pour son journal, là-bas au Danemark.

— Qu'est-ce qu'elle fout dans ce coin-là ? Elle aurait pas dû y être.

— Je vais pas te dire le contraire, Rufus. Mais elle y était quand même. Et quelqu'un l'a collée contre un mur dans une petite rue et lui a tiré une balle dans l'œil.

— C'était pas moi et j'sais rien là-dessus.

— Je le sais, que c'était pas toi. Tu as un alibi en béton. Tu étais en prison. Je peux continuer ?

— Ouais, mec. Allez, raconte tes salades.

— Le type qui a tué Anneke Jespersen s'est servi d'un Beretta. Et on a retrouvé la douille sur la scène de crime, elle avait les marques caractéristiques d'un Beretta modèle 92.

Il regarda Coleman de près pour voir s'il avait une idée d'où ça les menait.

— Bon et maintenant, tu me suis, Rufus ?

— J'te suis, mais je sais pas de quoi tu causes, mec.

— L'arme qui a tué Anneke Jespersen n'a jamais été retrouvée et l'affaire n'a jamais été résolue. Et, quatre ans plus tard, tu débarques tout frais sorti de Corcoran et tu te fais arrêter et accuser du meurtre d'un membre de gang rival du nom de Walter Regis, dix-neuf ans. Tu lui as tiré dans la figure alors qu'il était assis dans un box d'un club de Florence Avenue. Le mobile supposé ? Qu'il aurait été vu en train de vendre du crack à un coin de rue sous contrôle des Sixties. Tu as été reconnu coupable de ce meurtre suite à de nombreux témoignages oculaires et aux déclarations que tu as toi-même faites à la police. Cela dit, il manquait un élément de preuve et c'était l'arme dont tu t'étais servi, à savoir un Beretta modèle 92. L'arme n'a jamais été retrouvée. Dis, tu vois où je veux en venir maintenant ?

— Pas encore, non.

Coleman commençait à jouer au con. Ça ne gênait pas Bosch. Le type voulait une chose : sortir de prison. Il finirait donc par comprendre que Bosch pouvait soit l'aider, soit lui ruiner ses chances.

— Bien, alors laisse-moi continuer à te raconter l'histoire et toi, essaie de suivre. Je vais faire de mon mieux pour te faciliter la tâche.

Il se tut un instant. Coleman n'éleva aucune objection.

— Nous sommes donc en 96 et te voilà condamné. Tu écopes de quinze ans à perpète et tu pars en prison comme le bon petit soldat des Rolling Sixties que tu es. Sept ans passent, nous voilà en 2003 et il y a un autre assassinat. Un certain Eddie Vaughn, un dealer des Grape Street Crips, se fait buter et tout voler alors qu'il est assis dans sa voiture avec un méga Slurpee et un pétard. Un type passe le bras par la fenêtre côté passager et lui en colle deux dans le crâne et deux de plus dans le torse. Mais passer le bras comme ça n'est pas génial. Les douilles sont éjectées et retombent partout à l'intérieur de l'habitacle. Pas le temps de toutes les ramasser. Le tireur en récupère deux et se tire.

— Et qu'est-ce que ç'a à voir avec moi, mec ? J'étais déjà ici à c'moment-là.

Bosch acquiesça avec emphase.

— Tu as raison, Rufus, dit-il, tu étais bien ici. Mais tu vois, en 2003, on avait un truc qui s'appelait le National Integrated Ballistic Information Network. C'est une banque de données de l'ATF[1] et on y trouve toutes les balles et toutes les douilles récoltées sur les scènes de crime et les victimes de meurtre.

— Putain, c'est dément, ça !

— La balistique, Rufus, au jour d'aujourd'hui, c'est quasi comme d'avoir des empreintes digitales. Et là, y a correspondance entre les douilles ramassées dans la voiture d'Eddie Vaughn et le flingue dont tu t'es servi sept ans plus tôt pour liquider Walter Regis. Même arme dans les deux meurtres commis par deux tueurs différents.

— C'est super cool, ces merdes, inspeeeecteur !

— Et comment ! Mais ça n'est pas vraiment du nouveau pour toi. Je sais qu'on est monté ici pour te parler de l'affaire Vaughn. Les enquêteurs voulaient savoir à qui tu avais passé ton arme après avoir buté Regis. Ils voulaient savoir qui était le patron des Rolling Sixties pour qui tu avais exécuté le contrat. Parce qu'ils se disaient que c'était peut-être le même type qui avait demandé qu'on flingue Vaughn.

---

1. *Bureau of Alcohol, Tobacco, Firearms and Explosives*, Bureau des alcools, tabac et armes à feu.

— Ça m'rappelle vaguement quelque chose. C'était y a longtemps. Je leur ai dit que dalle à ce moment-là et c'est pas maintenant que j'vais te raconter des trucs.

— C'est vrai, j'ai lu leur rapport. Tu leur as dit d'aller se faire foutre et de rentrer chez eux. C'est que tu vois, à l'époque, t'étais encore un soldat, brave et fort. Mais ça, c'était il y a neuf ans et t'avais rien à perdre. L'idée de décrocher une conditionnelle dans dix ans, c'était comme un beau gâteau après la mort. Mais maintenant, c'est plus pareil. Parce que maintenant, c'est de trois meurtres avec la même arme qu'on cause. Un peu plus tôt cette année, j'ai sorti la douille qu'on avait ramassée sur la scène de crime d'Anneke Jespersen et je l'ai fait passer à la banque de données de l'ATF. Et y a eu correspondance avec les meurtres de Regis et de Vaughn. Trois meurtres reliés à la même arme… un Beretta modèle 92.

Bosch se radossa au dossier de sa chaise et attendit la réaction de Rufus. Il savait très bien que celui-ci savait ce qu'il voulait.

— J'peux pas t'aider, mec. Tu peux rappeler les nullards pour m'emmener.

— T'es bien sûr de ça ? Non, parce que je peux vraiment t'aider, répéta Bosch en reprenant l'enveloppe. Ou te faire très mal.

Il attendit, puis ajouta :

— Je pourrais m'assurer que tu te paies encore dix ans de taule avant qu'ils daignent même seulement envisager de te faire passer en commission. C'est comme ça que tu veux jouer le coup ?

— Et combien de temps crois-tu que je durerais dehors si j'te filais un coup de main, hein ? lui renvoya Coleman en hochant la tête.

— Pas beaucoup, je te l'accorde. Mais y a pas besoin que ça se sache, Rufus. Je ne te demande pas de témoigner au tribunal ou de me faire une déclaration par écrit.

Coleman baissa les yeux sur la table et réfléchit. Bosch savait qu'il comptait les années. Même le plus solide des soldats a ses limites.

— C'est pas comme ça que ça marche, dit enfin Coleman. Le mec qui ordonne les contrats parle jamais au tireur. Y a des tampons, mec.

Bosch avait été briefé par la Gang Intelligence Unit avant de faire le voyage. On lui avait dit que dans les gangs installés depuis longtemps dans South Central le système hiérarchique tenait habituellement de l'organisation paramilitaire. Elle était de type pyramidal et un collecteur de fonds aussi bas dans l'échelle que Coleman n'aurait même seulement jamais eu idée de l'individu qui avait ordonné l'exécution de Regis. Bosch ne lui avait posé la question que pour le tester. Si Coleman lui avait donné le nom d'un donneur d'ordre, il aurait tout de suite su qu'il mentait.

— Bien, dit-il, je comprends. Et donc, faisons simple et restons sur le problème du flingue. Qui te l'a donné le soir où tu as buté Regis et à qui l'as-tu rendu une fois le boulot effectué ?

Coleman hocha la tête et continua de baisser les yeux. Il garda le silence et Bosch attendit. C'était ça, la manip'. C'était pour ça qu'il était venu.

— J'peux plus continuer comme ça, grommela Coleman.

Bosch se tut et tenta de respirer normalement. Coleman allait caner.

— J'ai une fille, reprit ce dernier. C'est presque une femme maintenant et je l'ai jamais vue ailleurs qu'ici. Y a qu'en prison que j'l'ai vue.

Bosch hocha la tête.

— Ça devrait pas exister, dit-il. Moi aussi, j'ai une fille et j'ai passé beaucoup d'années sans la voir.

Il vit comme une moiteur briller dans les yeux de Coleman. Le soldat était épuisé par des années d'incarcération, de culpabilité et de peur. Seize ans à surveiller ses arrières. Ses monceaux de muscles n'étaient que le déguisement d'un homme brisé.

— Donne-moi ce nom, Rufus, et j'envoie la lettre, le pressa Bosch. Marché conclu. Ne me donne pas ce que je veux et tu ne sortiras pas vivant d'ici, tu le sais. Et y aura toujours du verre entre ta fille et toi.

Avec les bras menottés dans le dos, Coleman ne put rien faire pour empêcher sa larme de couler de long de sa joue gauche. Il baissa la tête.

— La vérité, Bosch, l'entendit-il dire.

Il attendit, mais Coleman en resta là.

— Dis-la ! lui lança-t-il enfin.

— Dis-la, quoi ?

— La vérité. Dis-la.

Coleman hocha la tête.

— Non, mec, c'est son nom. Trumont Story. On l'appelle « Tru », comme dans « True Story », la vraie histoire, la vérité. C'est lui qui m'a donné le flingue pour faire le boulot et c'est à lui que j'l'ai rendu après.

Bosch acquiesça d'un signe de tête. Il avait ce qu'il voulait.

— Mais y a un truc, reprit Coleman.

— Oui, quoi ?

— Tru Story est mort, mec. En tout cas, c'est c'que j'ai entendu dire ici.

Bosch s'était préparé en venant. Le décompte des morts dans les gangs de South L.A. s'élevait à plusieurs milliers d'individus rien que pour les deux dernières décennies. Il savait qu'il était plus que probable que le type soit mort. Mais il savait aussi que la piste ne s'arrêtait pas forcément avec Tru Story.

— Tu vas quand même l'envoyer, cette lettre ? demanda Coleman.

Bosch se leva. Il en avait terminé. Tueur sans pitié, la brute qu'il avait devant lui était à l'endroit même où elle méritait d'être. Mais il avait passé un marché avec elle.

— Tu y as probablement pensé des millions de fois, lui répondit Bosch. Qu'est-ce que tu vas faire une fois que tu seras sorti et que tu auras serré ta fille dans tes bras ?

Coleman lui répondit sans même attendre une seconde.

— Je me trouve un coin de rues, dit-il.

Puis il attendit en sachant que Bosch allait en tirer la mauvaise conclusion.

— Et je commence à prêcher, enchaîna-t-il. Je dis à tout le monde ce que j'ai appris. Ce que je sais. C'est pas la société qu'aura des problèmes avec moi. Je serai toujours un soldat. Mais je serai un soldat du Christ.

Bosch hocha la tête. Il savait que beaucoup de prisonniers qui sortaient de cet endroit avaient le même plan. Marcher avec Dieu. Mais peu le réalisaient. Le système comptait sur les récidivistes. Au plus profond de lui-même, il se dit que Coleman en était probablement un lui aussi.

— Bien, dit-il. Alors je l'envoie.

# 3

Le lendemain matin, Bosch se rendit au South Bureau de Broadway pour y rencontrer l'inspecteur Jordy Gant de l'unité de Répression des gangs. Assis à son bureau, Gant était au téléphone quand Bosch entra, mais l'affaire n'avait pas l'air importante et l'inspecteur raccrocha rapidement.

— Comment ça s'est passé là-haut avec Rufus ? demanda-t-il.

Et de sourire pour se montrer compréhensif si, comme il fallait s'y attendre, Bosch lui répondait que son voyage à San Quentin n'avait rien donné.

— Eh bien… il m'a filé un nom, mais il m'a aussi dit que le type était mort. Bref, en gros, il se pourrait qu'il m'ait roulé dans la farine autant que moi.

— C'est quoi, ce nom ?

— Trumont Story. Ça vous dit quelque chose ?

Gant se contenta de hocher la tête et se tourna vers une pile de dossiers posés au bord de son bureau. Tout à côté se trouvait une petite boîte noire étiquetée *Rolling Sixties, 1991-1994*. Bosch y reconnut une de celles où l'on rangeait jadis les procès-verbaux d'interpellation. C'était avant que le service commence à utiliser des ordinateurs pour enregistrer les renseignements.

— Ça tombe bien ! s'écria Gant. J'ai justement le dossier de Tru Story sous la main.

— Ça alors ! s'exclama Bosch en s'en emparant.

Il l'ouvrit et tomba pile sur la photo format 20 × 25 d'un homme étendu mort sur un trottoir. Il avait une blessure d'entrée à la tempe gauche – coup tiré à bout touchant. Son œil droit n'était plus qu'une grande blessure de sortie. Une petite quantité de sang avait coulé sur le béton et déjà coagulé lorsque le cliché avait été pris.

— Mignon, dit Bosch. On dirait qu'il a laissé quelqu'un s'approcher d'un peu trop près. L'affaire est toujours en cours ?

— Toujours.

Harry passa à la page suivante et nota la date portée dans le rapport d'incident. Trumont Story était mort depuis presque trois ans. Il referma le dossier et regarda Gant assis, l'air content de lui, à son bureau.

— Tru Story est mort depuis 2009 et il se trouve justement que son dossier est sur votre bureau ?

— Non, je l'ai sorti pour vous. J'en ai aussi sorti deux autres en me disant que vous aimeriez peut-être même jeter un coup d'œil aux P-V de 92. On sait jamais. Y a peut-être un nom qui vous dira quelque chose.

— Peut-être en effet. Mais pourquoi avoir sorti ces dossiers ?

— Eh bien, après avoir parlé de votre affaire et des correspondances ATF avec les deux autres… vous savez bien… trois meurtres, une seule arme, trois tireurs différents… j'ai commencé à…

— En fait, ce n'est pas si évident, il se pourrait qu'il y ait seulement deux tireurs. Le type qui me flingue ma victime en 92 revient et flingue Vaughn en 2003.

Gant hocha la tête.

— Possible, mais je n'y crois pas. C'est un peu trop gros. Alors, rien que pour voir, je me suis dit : « trois victimes, trois tireurs différents, une seule arme » et j'ai repris nos dossiers Rolling Sixties. Enfin je veux dire… les affaires dans lesquelles ils sont impliqués, peu importe de quel côté de la violence on se place. Côté tueurs ou côté tués. J'ai ressorti les affaires qu'on peut peut-être relier à cette arme et j'en ai trouvé trois où il y a eu fusillade mais sans preuves balistiques. Deux d'entre elles sont des contrats sur des 7-Treys et l'autre… vous l'aviez deviné… sur Tru Story.

Bosch était toujours debout. Il tira une chaise à lui et s'assit.

— Je peux jeter un rapide coup d'œil aux deux autres ? demanda-t-il.

Gant lui tendit les dossiers par-dessus le bureau, Bosch se mettant à les feuilleter aussitôt. Il ne s'agissait pas de meurtres. Seulement de gangs, et les documents n'étaient donc que des comptes rendus et des rapports succincts sur ces assassinats. Les dossiers de meurtres complets étaient entre les mains des inspecteurs des Homicides chargés d'enquêter sur ces affaires. S'il voulait en savoir plus, Bosch allait devoir réquisitionner leurs services, ou passer voir l'inspecteur en charge pour en avoir un aperçu.

— Typique, reprit Gant tandis que Bosch continuait sa lecture. Tu vends de la came au mauvais coin de rue ou tu vas voir une nana dans le mauvais quartier et tu es marqué « À abattre ». Si j'ai mis Tru Story dans le lot, c'est parce qu'il a été abattu dans un endroit et son cadavre jeté ailleurs.

Bosch regarda Gant par-dessus ses feuilles.

— Pourquoi ce serait important ?

— Parce que ça pourrait vouloir dire qu'il s'agit d'un boulot en interne. Exécuté par sa propre équipe. Avoir affaire à un cadavre jeté ailleurs que sur les lieux du crime est inhabituel dans un assassinat de gang. Vous savez bien… on tire depuis des voitures ou on assassine sur place. Personne ne se donne le temps de buter un type et de se débarrasser de son corps ailleurs s'il n'y a aucune raison de le faire. Et ici, l'une de ces raisons pourrait être qu'on essayait de masquer un petit coup de balai en interne. Vu qu'il a été jeté en territoire 7-Treys, on se dit qu'il a probablement été liquidé par sa propre équipe, puis balancé en territoire ennemi pour faire croire qu'il était passé de l'autre côté.

Bosch enregistra tout ce qu'il venait d'entendre.

— Bon, c'est juste une idée que je creuse, reprit Gant en haussant les épaules. L'affaire est toujours en cours.

— Ça me semble être plus que ça, lui renvoya Bosch. Que savez-vous pour envisager cette hypothèse ? Vous travaillez sur l'affaire ?

— Je ne travaille pas pour les Homicides, seulement pour le Renseignement. On m'a appelé pour consultation. Mais à ce moment-là… c'est-à-dire il y a trois ans. Tout ce que je sais maintenant, c'est que l'affaire n'est pas close.

L'unité de Répression des gangs était la branche du LAPD qui couvrait toute la criminalité des gangs de rue. Elle comprenait des brigades des Homicides, des brigades d'enquêteurs, des unités du Renseignement et des programmes d'aide aux communautés.

— Bon, reprit Bosch, et donc, vous donnez une consultation. Que savez-vous de ce qui s'est passé il y a trois ans ?

— Eh bien, Story était haut placé dans la pyramide dont je vous ai parlé l'autre jour. Et là-haut, ça peut se bagarrer sévère. Tout le monde veut être numéro 1, et quand on l'est, il faut toujours regarder par-dessus son épaule pour voir qui c'est qu'on a derrière. (Il lui montra les dossiers que Bosch avait en main.) Vous l'avez dit vous-même dès que vous avez regardé la photo. Il a laissé quelqu'un s'approcher de trop près. Ça, c'est sûr ! Vous savez combien nous avons d'assassinats de gang avec blessures de contact ? Pratiquement aucun… à moins que ça se passe dans un club ou autre. Au final, c'est très rare. Les trois quarts du temps, ces types-là ne s'approchent pas de la victime et ça n'a rien de personnel. Mais là, avec Tru Story, c'est comme ça qu'ils ont fait. À l'époque, la théorie a donc été que c'étaient les Sixties qui avaient fait le coup eux-mêmes. Quelqu'un près du sommet de la pyramide avait des raisons de penser que Tru devait dégager et l'affaire a été faite. En résumé, ça pourrait bien être l'arme que vous cherchez. Il n'y a ni balle ni douille récupérées, mais la blessure colle assez bien avec un 9 mm et maintenant que Rufus

Coleman vous dit, et à San Quentin, que le Beretta 92 était entre les mains de Tru Story, la théorie me paraît encore meilleure.

Bosch acquiesça. Ça n'était pas dénué de sens.

— Et l'unité n'a jamais deviné de quoi il pouvait s'agir ?

Gant hocha la tête.

— Nan, elle en est restée loin. Il faut que vous compreniez un truc, Harry : c'est à sa base que la pyramide est vulnérable aux recherches de la police. Au niveau rue. C'est aussi là que c'est presque visible à l'œil nu.

Ce qu'il disait ? Que les efforts déployés par l'unité se concentraient essentiellement sur les dealers et les crimes de rue. Qu'un homicide de gang ne soit pas résolu en moins de quarante-huit heures et il ne tardait pas à y en avoir un autre dont s'occuper. Des deux côtés de la ligne, c'était à une guerre d'usure qu'on se livrait.

— Bien, reprit Bosch. Revenons au meurtre de Walter Regis, celui commis par Rufus Coleman et pour lequel il a été condamné en 96. Coleman dit que c'est Tru Story qui lui a donné l'arme et indiqué ce qu'il fallait faire, qu'il a exécuté le boulot et lui a rendu le flingue après. Il dit aussi que ce n'était pas Story qui voulait tuer Regis. Lui aussi en avait reçu l'ordre. Et donc, a-t-on une idée de l'identité du donneur d'ordre ? Qui a commandité le contrat pour les Rolling Sixties en 96 ?

Gant hocha de nouveau la tête. Il n'arrêtait pas de le faire.

— C'était avant moi, tout ça, Harry. À ce moment-là, j'étais de patrouille à Southeast L.A. Et à dire vrai, on était passablement naïfs à l'époque. C'est là qu'on leur a balancé CRASH à la tête, vous vous rappelez ?

Il s'en souvenait. L'explosion du nombre de membres de gangs et la violence qui va avec s'étaient produites au même moment que l'épidémie de crack dans les années 80. Débordé, le LAPD de South Central avait réagi en instaurant un programme intitulé Community Resources Against Street Hoodlums[1]. L'acronyme était ingénieux, certains disant même qu'on avait passé plus de temps à le trouver qu'à travailler. CRASH s'en prenait aux niveaux les plus bas de la pyramide. S'il troubla le commerce des dealers de rue, il n'affecta que rarement le haut du système. Rien d'étonnant à cela. Les soldats qui vendaient la drogue et exécutaient les missions de vengeance et d'intimidation en savaient rarement plus que le boulot qu'ils avaient à faire ce jour-là et, même ça, ils ne le lâchaient pratiquement jamais à la police.

Tous étaient de jeunes hommes trempés à l'anti-flic dans le chaudron de South L.A… Racisme, drogue, indifférence de la société, érosion de la famille traditionnelle et des structures éducatives, c'était de ça qu'ils étaient abreuvés avant d'être jetés dans des rues où ils pouvaient se faire plus d'argent en un jour que leur mère en un mois. À l'époque, ce style de vie était applaudi dans tous les ghetto-blasters et boomboxes et encouragé par des rappeurs dont le message était : « J'encule la

1. Les ressources de la communauté contre les voyous des rues.

police et le reste de la société. » Mettre un membre de gang de dix-neuf ans dans une pièce et obtenir qu'il dénonce le copain d'à côté était à peu près aussi facile que d'ouvrir une boîte de petits pois avec les doigts. En plus du fait que le type ne savait d'ailleurs pas qui était ce voisin et ne l'aurait jamais donné s'il l'avait su. Terminer à la prison du comté ou en centrale n'était qu'une conséquence acceptée de ce genre de vie, qu'une étape dans le processus d'apprentissage, qu'un moyen de gagner du galon. Il n'y avait qu'un inconvénient à cela : l'animosité de la famille du gang parce que là, ça se soldait toujours par une condamnation à mort.

— Bref, ce que vous me dites, reprit Bosch, c'est qu'on ne sait ni pour qui travaillait Trumont Story à l'époque ni où il avait eu le flingue qu'il a filé à Coleman pour éliminer Regis.

— Exact, pour l'essentiel. Sauf pour l'arme. Je pense que Tru l'avait toujours et qu'il la passait à ceux qu'il voulait faire travailler. On en sait beaucoup plus aujourd'hui qu'à l'époque. Et donc à prendre les connaissances d'aujourd'hui et à les appliquer à ce qui se passait à ce moment-là, on arrive à quelque chose comme ceci : on démarre avec un type au sommet ou près du sommet de la pyramide dite « Rolling Sixties street gang ». Ce type en est comme le capitaine. Et il veut la mort d'un dénommé Walter « Wide Right » Regis[1] parce qu'il a vendu de la dope là où il aurait pas dû. Il va donc voir son sergent de confiance Trumont Story et lui souffle à l'oreille qu'il faut régler la question

1. Grand virage à droite.

Regis. À ce moment-là, c'est devenu le boulot de Story et il faut absolument qu'il le fasse s'il veut maintenir sa position dans l'organisation. Il va donc voir un des types sûrs de son équipe, Rufus Coleman, lui dit que Regis est la cible et lui donne le nom du club où il aime traîner. Et pendant que Coleman va faire le boulot, il se cherche un alibi parce que ce flingue, c'est lui qui en a la garde. C'est juste une petite précaution au cas où lui et le flingue viendraient à être reliés. C'est comme ça que font ces types aujourd'hui et ce que je pense, c'est que c'est probablement comme ça aussi qu'ils procédaient à l'époque… sauf que nous, on ne le savait pas vraiment.

Bosch acquiesça. Il commençait à sentir combien ses recherches étaient vaines. Trumont Story était mort et le lien avec l'arme avait disparu avec lui. De fait, il n'était pas plus près de savoir qui avait tué Anneke Jespersen qu'il l'avait été le soir où, vingt ans plus tôt, il avait regardé son cadavre et lui avait demandé pardon. Il n'avançait pas.

Gant remarqua sa déception.

— Désolé, Harry, dit-il.

— Ce n'est pas votre faute.

— Ça vous évitera probablement beaucoup d'ennuis de toute façon.

— Ah bon ? Comment ça ?

— Oh, vous savez bien, toutes ces affaires non résolues qui remontent à cette époque. Et si celle de la Blanche était la seule qu'on résolve, hein ? Ça ne ferait pas trop plaisir à la communauté… si vous voyez ce que je veux dire.

Bosch regarda Gant, qui était noir. Il n'avait pas vraiment pris en considération les questions raciales dans cette affaire. Il essayait seulement de résoudre un meurtre qui lui était resté vingt ans en travers de la gorge.

— Je crois, oui, dit-il.

Ils restèrent un bon moment assis sans rien dire jusqu'à ce que Bosch lui pose une question :

— Bon alors, qu'est-ce que vous croyez ? Que ça pourrait se reproduire ?

— Quoi ? Vous voulez dire les émeutes ?

Bosch acquiesça. Gant avait passé toute sa carrière à South L.A. Il devait connaître la réponse mieux que personne.

— Bien sûr, tout peut arriver là-bas, répondit Gant. Les rapports sont-ils meilleurs entre la police et la population ? Évidemment que oui. Aujourd'hui, il y en a même qui nous font confiance. Le nombre de morts a beaucoup baissé. C'est même toute la criminalité qui a baissé et les membres de gangs ne courent plus les rues impunément. On a le contrôle et la population aussi.

Il s'arrêta, Bosch attendit, mais Gant en resta là.

— Mais…, le pressa Bosch.

Gant haussa les épaules.

— Mais il y a beaucoup de gens sans travail et des tas de commerces ont fermé. Les chances de trouver du boulot sont maigres, Harry. Et ça, on sait où ça mène. Frustrations, agitation, désespoir. C'est pour ça que je dis que tout peut arriver. L'histoire marche par cycles. Elle se répète. Bien sûr que ça pourrait se reproduire.

Bosch acquiesça. La façon dont Gant voyait les choses n'était pas très éloignée de la sienne.

— Je peux garder ces dossiers un moment ? demanda-t-il.

— À condition de me les rapporter… Je vais aussi vous prêter la boîte noire.

Il tendit le bras dans son dos et prit la boîte à fiches. Bosch souriait lorsqu'il se retourna.

— Quoi ? dit-il. Vous n'en voulez pas ?

— Si, si, je la veux. C'est juste que je repense à un collègue que j'ai eu autrefois. Il y a très longtemps de ça. Il s'appelait Frankie Sheehan et…

— Je le connaissais. Un vrai malheur, ce qui lui est arrivé…

— Oui, mais avant ça, quand on était collègues, pour les homicides il disait toujours : « Avant tout, trouver la boîte noire. C'est la première chose à faire : trouver la boîte noire. »

Gant avait l'air perplexe.

— Vous voulez dire… comme celle d'un avion ?

Bosch acquiesça.

— Oui, comme quand un avion s'écrase et qu'il faut mettre la main sur sa boîte noire et les données du vol. On l'a, on sait ce qui s'est passé. Frankie disait que c'était pareil pour un meurtre ou une scène de crime. Il y a toujours quelque chose qui remet les éléments en ordre et explique tout. On le trouve et c'est le jackpot. C'est comme de tomber sur la boîte noire. Et voilà qu'aujourd'hui, une boîte noire, vous m'en donnez une.

— Oui, mais bon… n'en attendez pas trop. On les appelle aussi les boîtes à crash. C'est juste les fiches d'interpellation de l'époque.

Avant l'arrivée du terminal mobile de données aujourd'hui installé dans toutes les voitures de patrouille, les officiers de police avaient toujours sur eux des FI, ou fiches d'interpellation, dans la poche revolver. Il ne s'agissait en fait que de fiches de format 8 × 12 où porter des notes sur les interpellations effectuées. On y lisait la date, l'heure et le lieu de l'interrogatoire, et le nom, l'âge, l'adresse, les pseudonymes, les tatouages et les affiliations à tel ou tel gang de l'individu interpellé. On y trouvait aussi une partie réservée aux commentaires de l'officier de police, qui servait surtout à noter toute autre observation digne d'intérêt sur l'interpellé.

La branche locale de l'American Civil Liberties Union avait longtemps décrié cette pratique des forces de police qu'elle considérait comme injustifiée et anticonstitutionnelle et assimilait à du racket. Pas démontée pour autant, la police avait continué, ces cartes prenant alors le nom de « fiches d'extorsion » dans ses rangs.

Gant lui tendit la boîte, Bosch l'ouvrit et la trouva pleine de cartes bien usées.

— Comment cela a-t-il réchappé aux purges ? demanda-t-il.

Gant savait qu'il voulait parler du passage au stockage de données numériques. D'un bout à l'autre du service, les fiches en dur avaient été transformées en dossiers numériques pour laisser place à l'âge de l'électronique.

— Allons, mec, on savait bien que s'ils archivaient ces fiches dans des ordinateurs, ils louperaient toutes sortes de trucs. Ces fiches sont manuscrites, Harry. Des fois, on n'arrive même pas à les déchiffrer. On savait que les trois quarts de ces renseignements ne survivraient pas au transfert, si vous voyez ce que je veux dire. Alors, on s'est cramponnés au maximum de boîtes noires qu'on pouvait. Vous avez de la chance, Harry : les Sixties, on les avait toujours. J'espère qu'il y aura quelque chose qui pourra vous aider là-dedans.

Bosch recula sa chaise avant de se lever.

— Je ferai ce qu'il faut pour que vous la récupériez, dit-il.

# 4

Bosch fut de retour à l'unité des Affaires non résolues avant midi. L'endroit était assez largement désert, les trois quarts des inspecteurs arrivant tôt le matin et prenant la pause déjeuner tout aussi tôt. Aucun signe de David Chu, son coéquipier, mais cela ne l'inquiétait pas. Il pouvait être parti déjeuner ou se trouver ailleurs dans le bâtiment, voire au labo des environs. Bosch savait qu'il étudiait plusieurs demandes, autrement dit qu'il en était à la première phase pendant laquelle, en plus des empreintes digitales, on prépare les éléments de preuve génétiques et balistiques à soumettre à divers laboratoires aux fins d'analyse et de comparaisons.

Il posa ses dossiers et la boîte noire sur son bureau et décrocha son téléphone pour savoir s'il avait des messages. Rien. Il commençait juste à s'installer et se préparait à examiner ce que Gant lui avait remis lorsque le nouveau lieutenant de l'unité passa devant son box. Cliff O'Toole était nouveau non seulement à l'unité, mais aussi à la division des Vols et Homicides. Il avait été transféré du Bureau de la Valley, où il avait dirigé tous les inspecteurs de Van Nuys. Bosch n'avait pas eu beaucoup d'échanges avec lui, mais ce qu'il avait vu et entendu dire du monsieur n'était pas génial. Il était à peine arrivé pour prendre le commandement de l'unité des Affaires non résolues qu'il avait hérité non pas d'un surnom, mais de deux, et l'un et l'autre aux connotations négatives.

— Harry, dit-il, comment ça s'est passé là-haut ?

Avant d'autoriser le voyage à San Quentin, O'Toole avait été entièrement briefé sur l'arme reliant l'affaire Jespersen au meurtre de Walter Regis perpétré par Rufus Coleman.

— Bien et mal, lui répondit Bosch. Coleman m'a donné un nom. Celui d'un certain Trumont Story. Coleman affirme que c'est ce Story qui lui a fourni le flingue dont il s'est servi pour abattre Regis et que c'est à lui qu'il l'a rendu juste après. L'ennui, c'est que je ne peux pas aller voir Story vu qu'il est mort… lui aussi s'est fait buter, en 2009. J'ai donc passé la matinée au South Bureau à vérifier certains détails pour confirmer et la chronologie et que Story était bien impliqué dans le meurtre. Je pense que Coleman m'a dit la vérité et qu'il n'a pas juste essayé de tout coller sur le dos d'un mort. Le voyage n'a donc pas été inutile, mais je ne suis toujours pas plus avancé sur l'individu qui a tué Anneke Jespersen.

Il lui montra les dossiers et la boîte de fiches d'extorsion sur son bureau.

O'Toole hocha la tête d'un air pensif, croisa les bras et s'assit au bord du bureau de Dave Chu, à l'endroit même où celui-ci aimait poser son café. S'il avait été là, Chu n'aurait pas beaucoup aimé.

— Je déteste taper dans le budget voyage pour quelque chose qui ne donne rien, dit O'Toole.

— Mais ça a donné quelque chose ! lui renvoya Bosch. Je viens de vous dire que j'ai obtenu un nom et que ça colle.

— Bon, mais peut-être qu'on devrait mettre un ARA dessus et arrêter.

« Mettre un ARA sur un dossier » faisait référence à l'acronyme ARA, pour « affaire résolue autrement ». L'expression est utilisée pour mettre officiellement fin à une enquête lorsque sa résolution est connue, mais ne donne pas lieu à une arrestation ou à des poursuites judiciaires parce que le suspect est mort ou ne peut pas être déféré devant un tribunal pour d'autres raisons. À l'unité des Affaires non résolues, les affaires sont souvent résolues « autrement » parce qu'elles remontent fréquemment à plusieurs décennies et que les correspondances d'empreintes ou d'ADN conduisent à des suspects décédés depuis longtemps. Si l'enquête complémentaire place bien le suspect à l'heure et sur les lieux du crime, le superviseur de l'unité a le droit de clore le dossier et d'envoyer sa décision au Bureau du district attorney pour approbation automatique.

Mais Bosch n'était pas encore prêt à prendre ce chemin pour l'affaire Jespersen.

— Non, dit-il fermement, il n'y a pas d'ARA ici. Je ne peux mettre le flingue dans les mains de Trumont Story que quatre ans après les faits. Cette arme pourrait donc s'être trouvée dans bien d'autres mains avant ça.

— Peut-être, dit O'Toole, mais je ne veux pas que vous fassiez un hobby de cette histoire. On en a plus de six mille autres à traiter. Pour finir, gérer des enquêtes, c'est gérer le temps à leur consacrer.

Et de croiser les poignets pour bien lui dire qu'il était menotté par les contraintes du boulot. C'était ce côté zélé de sa personnalité que Bosch était toujours incapable d'apprécier. O'Toole était un administrateur, pas un vrai flic. Voilà pourquoi « The Tool[1] » était le premier surnom qu'il avait récolté.

— Je sais, lieutenant, dit Bosch. J'ai l'intention de faire avec ce que j'ai et s'il n'en sort rien, l'heure sera effectivement venue de passer à autre chose. Mais ce qu'on a aujourd'hui, ce n'est pas un ARA. Bref, ça n'ira pas engraisser nos statistiques. Ça repartira dans la catégorie des affaires non résolues.

Ce que Bosch essayait de faire comprendre au nouveau, c'était qu'il n'allait pas jouer le jeu des statistiques. À ses yeux, une affaire n'était résolue que s'il était convaincu qu'elle l'était vraiment. Et mettre l'arme du meurtre dans les mains d'un membre de gang quatre ans après les faits n'était pas vraiment suffisant.

— Bon, attendons de voir ce que vous en tirerez en cherchant partout, dit O'Toole. Je ne pousse pas quelque chose quand on n'a rien. On m'a mis ici pour booster l'unité. Y a besoin de clore plus d'affaires. Et pour y arriver, il faut en travailler davantage. Bref, ce que je dis, c'est que s'il y a rien dans celle-là, il faut passer à la suivante, parce que la suivante, peut-être qu'on arrivera à la résoudre. Pas d'enquêtes qu'on travaille comme un hobby, Harry. Quand je suis arrivé, vous étiez bien trop

1. Littéralement « l'outil », mais « le connard », en argot.

nombreux à bosser sur ce genre de dossiers. On n'a plus le temps pour ça.

— Compris, répondit Bosch sèchement.

O'Toole repartit vers son bureau. Bosch lui fit un faux salut dans le dos et remarqua le rond de café sur le fond de son pantalon.

O'Toole remplaçait depuis peu un lieutenant qui aimait bien rester dans son bureau toutes jalousies tirées. La dame n'avait que peu d'échanges avec la brigade. O'Toole était tout le contraire. Il mettait les mains dans le cambouis, parfois jusqu'à en être autoritaire. Qu'il soit plus jeune que la moitié des inspecteurs, et de vingt ans le cadet de Bosch, n'arrangeait pas les choses. Sa surgestion d'une équipe d'inspecteurs plus que chevronnés n'était pas de mise et Bosch se retrouvait souvent à piaffer d'impatience lorsqu'il arrivait.

En plus, il était clairement du genre adorateur de la calculatrice. Il voulait clore des affaires pour le seul amour des rapports mensuels et annuels qu'il expédiait au dixième étage. Rien à voir avec la volonté de rendre enfin justice à des victimes de meurtres depuis longtemps oubliées. Jusqu'à présent, il semblait bien qu'O'Toole ne comprenait rien à l'aspect humain du travail. Il avait déjà réprimandé Bosch pour avoir passé un après-midi avec le fils d'une victime d'assassinat qui, vingt-deux ans après les faits, voulait qu'on lui montre les lieux où son père avait été tué. O'Toole lui avait dit que cet homme aurait très bien pu trouver la scène de crime tout seul, Bosch pouvant alors utiliser cette demi-journée pour travailler sur d'autres affaires.

O'Toole fit brusquement demi-tour et revint vers le box. Bosch se demanda s'il avait surpris le reflet de son salut sarcastique dans une des fenêtres du bureau.

— Harry, dit-il, deux choses encore. Un, n'oubliez pas de porter vos frais de voyages sur la fiche. J'ai toujours la hiérarchie sur le dos pour les rendre à l'heure et je veux être sûr que vous récupériez tout ce que vous avez payé de votre poche.

Bosch pensa à l'argent qu'il avait déposé sur le compte cantine du deuxième détenu qu'il avait vu.

— Vous inquiétez pas pour ça, dit-il. Y a rien. J'ai pris un hamburger au Balboa. C'est tout.

À mi-chemin entre Frisco et la prison de San Quentin, le Balboa Bar & Grill était un arrêt très apprécié des inspecteurs des Homicides du LAPD.

— Vous êtes sûr ? insista O'Toole. Je ne voudrais pas que vous en soyez de votre poche.

— J'en suis sûr.

— Bon, bon.

Il commençait à s'éloigner à nouveau lorsque Bosch l'arrêta.

— C'était quoi, l'autre truc ? Vous avez dit : « Deux choses encore. »

— Ah oui ! Joyeux anniversaire, Harry !

Surpris, Bosch eut un mouvement de recul.

— Comment savez-vous ça ?

— Je connais les dates de naissance de tout le monde. De tous ceux qui travaillent pour moi.

Bosch hocha la tête. Il aurait préféré qu'O'Toole dise « avec » plutôt que « pour ».

— Merci, dit-il.

O'Toole partit enfin pour de bon, Bosch étant tout heureux que la salle des inspecteurs soit vide et que personne n'ait entendu que c'était son anniversaire. À l'âge qu'il avait, ç'aurait pu déclencher une avalanche de questions sur la retraite. Et c'était un sujet qu'il essayait d'éviter.

*

* *

Enfin seul, il dressa d'abord un déroulé chronologique de l'affaire. Il commença par le meurtre d'Anneke Jespersen, le 1er mai 1992. Bien que l'heure exacte de la mort ne soit pas certaine et qu'Anneke ait donc pu être assassinée dans les dernières heures du 30 avril, il opta officiellement pour le 1er mai : c'était le jour où son corps avait été trouvé et très probablement celui où elle avait été tuée. À partir de là, il répertoria tous les meurtres conduisant au dernier, celui relié ou vraisemblablement relié au Beretta modèle 92. Il y inclut les deux autres affaires dont Gant avait sorti les dossiers parce qu'il y voyait un lien possible.

Il porta tout cela sur une feuille de papier vierge plutôt que sur un écran d'ordinateur comme les trois quarts de ses collègues l'auraient fait. Il était inflexible dans ses habitudes et c'était un document papier qu'il voulait. Quelque chose qu'il puisse tenir dans sa main, étudier, plier et transporter dans sa poche. Ce qu'il voulait, c'était vivre avec.

Il laissa beaucoup d'espace autour de chaque entrée de façon à pouvoir ajouter des notes au fur et à mesure qu'il avançait. C'était comme ça qu'il travaillait depuis toujours.

*1er mai 1992 – Anneke Jespersen – croisement 67e Rue et Crenshaw Boulevard. (Assassin inconnu.)*

*2 janvier 1996 – Walter Regis – croisement 63e Rue et Brynhurst Avenue. (Rufus Coleman.)*

*30 septembre 2003 – Eddie Vaughn – croisement 68e Rue et East Park Avenue. (Assassin inconnu.)*

*18 juin 2004 – Dante Sparks – croisement Onzième Avenue et Hyde Park. (Assassin inconnu.)*

*8 juillet 2007 – Byron Beckles – Centinela Park/Stepney Street. (Assassin inconnu.)*

*1er décembre 2009 – Trumont Story – 76e Rue Ouest/Circle Park. (Assassin inconnu.)*

Les trois derniers meurtres étaient ceux dont Gant avait sorti les dossiers et dans lesquels il n'y avait aucun élément de preuve balistique. Bosch étudia sa liste et remarqua le fossé de sept ans dans l'utilisation connue de l'arme entre les affaires Regis et Vaughn, puis se référa au dossier Trumont Story, qu'il avait obtenu de la banque de données du National Crime Information Center. Il montrait que Story avait été en prison de 1997 à 2002, soit cinq ans, pour agression caractérisée. S'il avait laissé l'arme dans une cachette qu'il était seul à connaître, le fossé de cinq ans dans son utilisation s'expliquait.

Bosch ouvrit ensuite son atlas Thomas Bros de Los Angeles et se servit d'un crayon pour porter ces meurtres sur le plan de la ville. Les cinq premiers tenaient dans une page du gros livre de cartes, tous s'étant en plus produits à l'intérieur du périmètre tenu par les Rolling Sixties. Le dernier assassinat, celui de Trumont Story, se trouvait sur la page suivante. On avait retrouvé son corps sur un trottoir de Circle Park, soit au cœur même du territoire des 7-Treys.

Bosch étudia longuement la carte en passant et repassant d'une page à l'autre. Étant donné que, d'après Jordy Gant, le cadavre de Story avait très probablement été balancé à l'endroit même où on l'avait trouvé, c'était à un groupement de lieux très proches les uns des autres qu'on avait affaire. Six assassinats, avec peut-être une seule arme utilisée. Et tout avait commencé avec le seul et unique assassinat qui ne collait pas avec les suivants. Celui de la photojournaliste Anneke Jespersen abattue loin de chez elle.

— Blanche-Neige, chuchota Bosch.

Il ouvrit le livre du meurtre de Jespersen et regarda la photo de son coupe-file presse. Il n'arrivait à comprendre ni ce qu'elle pouvait bien faire toute seule dans un endroit pareil ni ce qui s'était passé.

Il tira à lui la boîte noire en travers de son bureau. Juste au moment où il allait l'ouvrir, son téléphone sonna. L'écran indiquait que c'était Hannah Stone, la femme avec laquelle il avait une relation depuis près d'un an.

— Joyeux anniversaire, Harry ! lui lança-t-elle.

— Qui te l'a dit ?

— Mon petit doigt.

Sa fille.

— Ma fille ferait mieux de s'occuper de ses oignons, dit-il.

— Mais ce sont ses oignons, Harry ! Comme je sais qu'elle va probablement t'avoir à elle toute seule ce soir, je t'appelais pour voir si je ne pourrais pas t'inviter à un déjeuner d'anniversaire.

Il consulta sa montre. Il était déjà midi.

— Aujourd'hui ?

— C'est bien aujourd'hui ton anniversaire, non ? Je t'aurais bien appelé plus tôt, mais ma séance de groupe a duré plus longtemps. Allez, quoi ! Qu'est-ce que tu en dis ? Tu sais qu'on a les meilleures camionnettes de tacos de la ville dans le coin.

Ce qu'il savait, c'était qu'il avait besoin de lui parler de San Quentin.

— Je ne sais pas trop si c'est vrai, mais si ça roule bien, je pourrais y être dans vingt minutes.

— Parfait.

— À tout à l'heure.

Il raccrocha et regarda la boîte noire sur son bureau. Il s'y mettrait après le déjeuner.

*

* *

Ils se décidèrent pour un restaurant plutôt qu'une camionnette à tacos. Un restau chic ne faisant pas vraiment partie des options à Panorama City, ils descendirent à Van Nuys et déjeunèrent dans une cafétéria au sous-sol du tribunal. Ce n'était pas non plus très chic, mais la plupart du temps il y avait un vieux jazzman qui jouait sur un quart de queue dans un coin de la salle. C'était une de ses adresses secrètes de la ville. Hannah fut impressionnée. Ils prirent une table près du musicien.

Ils se partagèrent un sandwich à la dinde, chacun prenant en plus une assiette de soupe. La musique remplit agréablement les moments de silence dans la conversation. Bosch apprenait à se sentir bien avec Hannah. Il l'avait rencontrée au cours d'une enquête l'année précédente. Thérapeute, elle travaillait avec des délinquants sexuels à leur sortie de prison. Le travail était éprouvant et lui donnait la même vision sinistre du monde que lui.

— Ça fait quelques jours que je n'entends plus parler de toi, reprit-elle. Qu'est-ce que tu trames encore ?

— Oh, je travaille juste sur une affaire. Un flingue baladeur.

— Ce qui veut dire ?

— Que je relie ou suis une arme d'une affaire à une autre. Cette arme, on ne l'a pas, mais la balistique nous la relie à plusieurs crimes. Tu sais bien… d'une année à l'autre, d'un lieu à l'autre, d'une victime à l'autre, comme ça, quoi. C'est ce qu'on appelle « un flingue baladeur ».

Il ne lui en dit pas plus, elle hocha la tête. Elle savait qu'il ne répondait jamais en détail aux questions sur son travail.

Il écouta le pianiste terminer *Mood Indigo*, puis s'éclaircit la gorge.

— Hannah, dit-il, hier j'ai vu ton fils.

Il ne savait pas trop comment aborder le sujet. Et avait donc fini par le faire sans aucune finesse. Elle posa sa cuillère à soupe si violemment dans son assiette que le pianiste resta les doigts en suspens au-dessus de son clavier.

— Comment ça ? demanda-t-elle.

— J'étais monté à la prison pour une affaire, dit-il. Le flingue baladeur, justement… et il fallait que j'y voie quelqu'un. Comme il me restait un peu de temps après, j'ai demandé à voir ton fils. Je ne suis resté qu'une dizaine de minutes, un quart d'heure avec lui. Je lui ai dit qui j'étais et il m'a dit qu'il avait entendu parler de moi… par toi.

Elle regarda dans le vide. Il comprit qu'il avait mal joué. Son fils n'avait rien d'un secret. Ils en avaient longuement parlé ensemble. Il savait qu'il était délinquant sexuel et avait été mis en prison après avoir plaidé coupable pour viol. Ce crime avait failli détruire sa mère, mais elle avait trouvé un moyen de continuer en changeant d'optique dans son travail. Elle était passée de la thérapie familiale au traitement de délinquants du genre de son fils. Et c'était ce travail qui lui avait permis de rencontrer Harry. Bosch lui était reconnaissant de faire partie de sa vie et comprenait la nature sombrement accidentelle de leur rencontre. Si son fils n'avait pas commis un crime aussi horrible, jamais il n'aurait rencontré sa mère.

— J'aurais sans doute dû t'en parler avant, reprit-il. Je te demande pardon. C'est juste que je n'étais même pas sûr d'avoir le temps de le voir. Avec les restrictions budgétaires, y a plus moyen de rester la nuit à Frisco. Et comme il faut faire l'aller-retour dans la journée, je n'étais pas certain de…

— Comment allait-il ?

Lâché avec toute la peur d'une mère dans la voix.

— Il m'a paru OK. Je lui ai demandé si ça allait et il m'a répondu que oui. Je n'ai rien vu d'inquiétant, Hannah.

Son fils vivait dans un endroit où l'on est ou proie ou prédateur. Et il n'était pas costaud. Pour commettre son crime, il avait drogué et pas du tout soumis physiquement sa victime. La situation s'inversant en prison, on s'en prenait souvent à lui. Hannah en avait tout dit à Bosch.

— Écoute, reprit celui-ci, y a pas besoin de parler de ça. Je voulais juste que tu sois au courant. Ça n'avait rien de planifié. J'ai eu un peu de temps, j'ai juste demandé à le voir et ils m'ont arrangé le coup.

Elle commença par ne pas répondre, puis le fit sur le ton de l'urgence.

— Si, dit-elle, y a besoin d'en parler, justement. Je veux savoir tout ce qu'il a dit, tout ce que tu as vu. C'est mon fils, Harry. Quoi qu'il ait fait, c'est mon fils.

Bosch acquiesça d'un signe de tête.

— Il m'a dit de te dire qu'il t'aimait fort.

# 5

La salle de l'unité des Affaires non résolues était en plein boom après le déjeuner. La boîte noire se trouvait toujours là où il l'avait laissée, et son coéquipier à son bureau dans son box, à taper sur le clavier de son ordinateur.

— Comment ça va, Harry ? lui demanda Chu sans lever le nez de son écran.

— Ça va.

Bosch s'assit et attendit que Chu mentionne son anniversaire, mais rien ne vint. Les bureaux étant disposés des deux côtés du box, les deux hommes travaillaient dos à dos. À l'ancien Parker Center, où Bosch avait passé l'essentiel de sa carrière, les coéquipiers se faisaient face, de part et d'autre de bureaux poussés l'un contre l'autre. Bosch préférait la disposition dos à dos. Elle lui offrait plus d'intimité.

— C'est quoi, le coup de la boîte noire ? reprit Chu derrière lui.

— Ce sont les fiches d'interpellation des Rolling Sixties. Je me raccroche à tout ce que je peux dans cette histoire en espérant qu'il en sortira quelque chose.

— Ouais, ben, bonne chance !

Les coéquipiers qu'ils étaient se voyant attribuer les mêmes affaires, ils se les partageaient et les travaillaient en solo tant qu'il n'y avait pas de boulot de terrain du genre surveillance ou mandats de perquisition à exécuter. Les arrestations faisaient elles aussi partie du travail d'équipe. Cette façon de procéder donnait à chacun une bonne compréhension de la charge de travail de l'autre. En général, Bosch et Chu se prenaient un café tous les lundis matin pour discuter des affaires et voir où en était tel ou tel dossier. Bosch avait déjà briefé Chu sur son voyage à San Quentin lorsqu'il était rentré de Frisco l'après-midi précédent.

Bosch ouvrit la boîte et contempla la grosse pile de fiches d'interpellation à l'intérieur. Les examiner comme il faut lui prendrait probablement le reste de l'après-midi et une partie de la soirée. Ça ne le dérangeait pas, mais Bosch était aussi quelqu'un d'impatient. Il sortit le tas de fiches 8 × 12 et y jeta un rapide coup d'œil qui lui permit de constater qu'elles étaient classées en ordre chronologique et couvraient bien les quatre années indiquées sur l'étiquette de la boîte. Il décida d'axer sa première recherche sur l'année où Anneke Jespersen avait été assassinée, sélectionna les fiches de 1992 et commença à lire.

Noms, pseudos, adresses, numéros des permis de conduire et autres détails assortis, il ne fallait que quelques secondes pour venir à bout d'une fiche. Il arrivait souvent que l'officier qui avait mené l'interrogatoire ait noté les noms d'autres membres de gang se trouvant avec l'individu interpellé. Bosch repéra ainsi plusieurs noms récurrents dans ces fiches, soit comme sujets de l'interpellation, soit comme associés connus de l'interpellé.

Il releva toutes les adresses – celles inscrites sur les permis de conduire et les lieux des interpellations – et les porta sur la carte de l'atlas Thomas Bros où étaient déjà reportées les scènes de crime reliées au Beretta modèle 92. C'étaient les liens de proximité avec les six meurtres contenus dans son déroulé chronologique qu'il cherchait. Il y en avait plusieurs, la plupart d'entre eux manifestes. Deux de ces assassinats s'étaient produits à des coins de rue où la vente de drogue s'effectuait habituellement de la main à la main. Il était raisonnable de penser que les officiers de patrouille et les unités du programme CRASH avaient éjecté les membres de gangs se trouvant dans ce genre d'endroits.

Après deux heures de travail assorties de raideurs dans le dos et le cou à force de reporter ces adresses sur la carte de l'atlas Thomas Bros, Bosch tomba enfin sur quelque chose qui lui remua brusquement les sangs. Un adolescent identifié comme étant un « BG » ou « baby gangster » des Rolling Sixties avait été arrêté pour vagabondage au croisement de Florence Avenue et de Crenshaw Boulevard le 9 février 1992. Nom porté sur son permis de conduire : Charles William Washburn. Son nom de rue, ceci d'après la fiche : « 2 Small[1] ». À peine âgé de seize ans et haut de 1,61 mètre, il avait

1. Jeu de mots sur la prononciation de 2 Small (*two Small*, « Small n° 2 », et *too small*, « trop petit ».)

déjà eu le droit de se faire tatouer le logo des Rolling Sixties – le nombre 60 inscrit sur une pierre tombale, soit « fidélité au gang jusqu'à la mort » – en travers du biceps gauche. C'était l'adresse inscrite sur son permis de conduire qui avait attiré l'attention de Bosch. Charles « 2 Small » Washburn habitait West 66th Place, et en reportant cette adresse sur la carte Bosch avait découvert une propriété dont l'arrière donnait dans la ruelle où Anneke Jespersen avait été assassinée. En regardant la carte, il calcula que Washburn habitait à moins de quinze mètres de l'endroit où le corps de Jespersen avait été trouvé.

Bosch n'avait jamais travaillé au sein d'une unité spécialisée dans les affaires de gangs, mais il avait déjà enquêté sur des meurtres dans lesquels ils étaient impliqués. Il savait qu'un « baby gangster » était un jeune qu'on préparait à devenir membre, mais qui n'avait pas encore sauté le pas. Être admis dans le gang avait un coût, ce coût étant généralement de faire honneur au quartier ou au gang en accomplissant quelque chose qui démontre le dévouement du candidat. Il s'agissait habituellement d'un acte de violence, parfois même d'un meurtre. Tout jeune ayant un 187[1] à son actif était aussitôt élevé au grade de membre à part entière.

Bosch se radossa à sa chaise et pensa à Charles Washburn en essayant de relâcher ses épaules. Au début de 1992, Washburn n'était probablement qu'un aspirant gangster, qu'un jeune qui cherchait l'occasion

1. Code de la police désignant le meurtre.

de percer. Et voilà que, moins de trois mois après son interpellation au croisement de Florence Avenue et de Crenshaw Boulevard, une émeute éclate dans son quartier et qu'une photojournaliste est tuée à bout portant dans la ruelle derrière chez lui.

Pareille confluence de faits était trop grosse pour qu'on l'ignore. Bosch prit le dossier du meurtre assemblé vingt ans plus tôt par le Détachement spécial crimes liés aux émeutes.

— Chu, dit-il sans même se retourner pour le regarder, tu pourrais me passer un nom à l'ordinateur ?

— Juste une seconde.

Chu était rapide comme l'éclair à l'ordi. Bosch, lui, n'y avait que des talents limités. C'était donc de manière routinière que Chu passait des noms à l'ordinateur du National Crime Information Center.

Bosch se mit à feuilleter les pages du dossier. Les enquêteurs étaient loin d'avoir fait le tour complet des lieux, mais un relevé des maisons ayant une clôture donnant sur la ruelle avait été effectué. Bosch trouva la fine liasse des P-V de porte-à-porte et commença à lire les noms qui y étaient notés.

— Bon alors, tu me le donnes, ce nom ? lui demanda Chu.

— Charles William Washburn. Date de naissance : 7 avril 1975.

— 7 « poisson d'avril ! », blagua Chu.

Bosch entendit les doigts de son coéquipier se mettre à voler d'un bout à l'autre du clavier. En attendant sa réponse, il trouva un rapport de porte-à-porte pour l'adresse de Washburn. Le 20 juin 1992, soit cinquante jours pleins après le meurtre, deux inspecteurs avaient frappé chez lui et parlé à une Marion Washburn, cinquante-quatre ans, et une Rita Washburn, trente-quatre, la mère et la fille habitant toutes les deux à cette adresse. Elles ne leur avaient donné aucun renseignement sur la fusillade du 1er mai dans la ruelle. L'interrogatoire avait été bref et aimable, le P-V se réduisant à un paragraphe. Il n'y était nulle part fait mention d'un individu de la troisième génération résidant à cet endroit. Aucune mention d'un gamin de seize ans s'appelant Charles Washburn. Bosch referma le dossier d'un coup sec.

— J'ai quelque chose, dit Chu.

Bosch pivota dans son fauteuil et contempla le dos de son coéquipier.

— Donne. J'en ai besoin, de ce quelque chose.

— Charles William Washburn, pseudonyme « 2 Small » avec le chiffre, a beaucoup d'arrestations à son actif. Pour des histoires de drogue essentiellement, des agressions… Il a aussi une mise en danger d'enfant. Voyons voir… deux mensualités au pénitencier et maintenant libre, mais recherché depuis juillet pour non-paiement de pension alimentaire. Domicile inconnu.

Chu se retourna et regarda son collègue.

— Qui c'est, ce mec, Harry ?

— Quelqu'un que je dois regarder de plus près. Tu peux m'imprimer ça ?

— C'est parti, dit Chu en envoyant le rapport du NCIC à l'imprimante de l'unité.

Bosch entra le mot de passe dans son téléphone et appela Jordy Gant.

— Charles « 2 Small » Washburn, le *two* en chiffre. Vous le connaissez ?

— « 2 Small »… euh, ça me dit… attendez une seconde.

Puis plus rien au bout de la ligne, Bosch devant attendre près d'une minute avant que Gant la reprenne.

— Il est fiché au Renseignement. C'est un Rolling Sixties. Premier niveau de la pyramide. Ce n'est pas votre donneur d'ordres. Où avez-vous trouvé son nom ?

— Dans la boîte noire. En 92 il habitait de l'autre côté de la palissade donnant sur la scène de crime de Jespersen. Il avait seize ans à l'époque et cherchait probablement à intégrer les Sixties.

Bosch entendit des bruits de clavier dans l'écouteur alors qu'il parlait. Gant avait déjà lancé une recherche.

— On a un mandat d'amener devant un juge émis par le 120$^{e}$ du centre-ville, dit-il. Charles ne payait pas sa pension alimentaire à la maman de son petit comme il était censé le faire. Dernière adresse connue : la maison de West 66$^{th}$ Place… Mais ça remonte à quatre ans.

Bosch savait qu'à South L.A. ce genre de mandat pour un bon à rien de père n'aboutissait pratiquement jamais. Ce n'était pas quelque chose qui attirait l'attention des équipes d'arrestation du LAPD, à moins que l'affaire n'intéresse les médias. C'était plutôt le genre de chose qui allait traîner dans les bases de données jusqu'au jour où, Washburn entrant à nouveau en collision avec les forces de l'ordre, son nom serait passé à l'ordinateur. Mais tant qu'il ferait profil bas, il serait libre.

— Je vais aller faire un tour par chez lui, lança Bosch. Histoire de voir si j'ai de la chance.

— Vous voulez des renforts ?

— Non, j'ai ce qu'il faut. Mais si vous pouviez faire monter la pression flics dans les rues...

— C'est comme si c'était fait. Je fais passer le mot pour 2 Small. En attendant, bonne chasse, Harry. Faites-moi savoir quand vous l'aurez coincé ou si vous avez besoin de moi.

— Entendu.

Bosch raccrocha et se tourna vers Chu.

— Prêt à faire un tour ?

Chu acquiesça, mais avec une grimace de dégoût.

— On sera rentrés pour 16 heures ? demanda-t-il.

— On ne sait jamais. Si mon gars est chez lui, ça pourrait prendre du temps. Tu veux que je demande à quelqu'un d'autre ?

— Non, Harry. C'est juste que j'ai un truc à faire ce soir.

Du coup, Bosch se rappela qu'il avait reçu l'ordre formel de sa fille de ne pas être en retard pour le dîner.

— Quoi ? Un rendez-vous « hot » ? demanda-t-il à Chu.

— T'occupe. Allons-y.

Chu se leva, plus enclin à filer qu'à répondre à des questions sur sa vie privée.

*

* *

La maison des Washburn était une petite bâtisse de style ranch, de plain-pied, avec une pelouse miteuse et une Ford « tas de ferraille » montée sur parpaings dans l'allée. Bosch et Chu avaient fait le tour du pâté de maisons avant de s'arrêter devant et conclu que le coin ouest de la cour de derrière se trouvait à moins de six mètres de l'endroit où Anneke Jespersen avait été collée contre un mur et abattue.

Bosch frappa fermement à la porte, puis se mit d'un côté du perron, Chu se positionnant de l'autre. La porte était munie d'une grille de sécurité, et la grille fermée à clé.

Pour finir la porte s'ouvrit et une femme d'environ vingt-cinq ans les regarda à travers la grille. Elle avait un petit garçon qui, debout à côté d'elle, la tenait par la cuisse.

— Qu'est-ce que vous voulez ? demanda-t-elle d'un ton indigné après avoir très justement reconnu des flics en eux. J'ai pas appelé la pô-lisse.

— M'dame, lui renvoya Bosch, on cherche juste Charles Washburn. On a une adresse qui dit que c'est chez lui. Il est là ?

La femme se mit à hurler, Bosch mettant deux ou trois secondes à se rendre compte qu'en fait elle riait.

— M'dame ? répéta-t-il.

— C'est de 2 Small que vous causez ? De ce Charles Washburn-là ?

— C'est bien ça. Il est là ?

— Pourquoi voudriez-vous qu'il soye là ? C'que vous pouvez être cons, vous aut' ! Ce type me doit du fric. Pourquoi qu'il serait ici ? Il met le pied ici, vaudrait mieux qu'il ait le pognon.

Bosch comprit enfin. Il regarda le garçon sur le seuil, puis reporta les yeux sur la femme.

— Comment vous appelez-vous, s'il vous plaît ?

— Latitia Settles.

— Et votre fils ?

— Charles Junior.

— Vous avez idée de l'endroit où pourrait être Charles Senior ? On a un mandat d'amener contre lui parce qu'il ne vous paie pas la pension alimentaire. C'est lui qu'on cherche.

— C'est pas trop tôt, putain ! Chaque fois que je l'vois passer en voiture, je vous appelle, mais y a jamais personne qui vient, personne qui fait quoi que ce soit. Et maintenant, vous êtes là et ça fait deux mois que j'ai pas vu ce p'tit mec.

— Et ce qu'on raconte, Latitia ? Des gens vous disent-ils l'avoir vu dans le coin ?

— Il a filé.

— Et sa mère et sa grand-mère ? Elles habitaient ici.

— Sa grand-mère est morte et sa mère a déménagé à Lancaster y a longtemps. Elle est plus ici.

— Charles monte-t-il la voir ?

— Je sais pas. Il allait la voir pour ses anniversaires et autres. Je sais pas s'il est mort ou vivant. Tout c'que je sais, c'est que mon fils a pas vu un dentiste ou un docteur depuis longtemps et qu'il a jamais eu d'habits neufs.

Bosch hocha la tête. *Et qu'il n'a pas de père*, songea-t-il. Il ne lui dit pas non plus que s'ils l'appréhendaient, ce ne serait pas pour l'obliger à payer la pension alimentaire de son fils.

— Latitia, ça vous embêterait qu'on entre ?

— Pour quoi faire ?

— Juste jeter un coup d'œil et nous assurer que vous êtes en sécurité.

— Oh, on est en sécurité, vous inquiétez pas pour ça, lui renvoya-t-elle en tapant sur la grille.

— Et donc, on peut pas entrer ?

— Non. Je veux pas qu'on voie le foutoir que c'est ici. Je suis pas prête.

— Bon d'accord. Et la cour de derrière ? On pourrait y aller ?

La question parut la rendre perplexe, mais elle finit par hausser les épaules.

— Allez-y, faites-vous plaisir, dit-elle, mais y est pas.

— La grille de derrière est fermée ?

— Elle est cassée.

— OK, on va faire le tour.

Bosch et Chu quittèrent la véranda et regagnèrent l'allée qui descendait le long de la maison jusqu'à une palissade en bois. Pour ouvrir la grille, Chu dut la soulever et la maintenir en l'air sur un gond rouillé. Ils passèrent dans une cour jonchée de meubles et de vieux jouets cassés. Un lave-vaisselle couché rappela à Bosch qu'il s'était trouvé dans cette ruelle vingt ans plus tôt – à l'époque, c'étaient des appareils ménagers irrécupérables qui s'y entassaient.

Le mur gauche de la propriété était mitoyen avec l'arrière de l'ancien magasin de jantes de Crenshaw

Boulevard. Bosch gagna la palissade qui séparait la cour de la ruelle. Comme elle était trop haute pour qu'il voie par-dessus, il tira à lui un tricycle auquel il manquait la roue arrière.

— Fais attention, Harry, lui dit Chu.

Bosch posa un pied sur la selle du tricycle, se hissa en haut de la palissade et regarda de l'autre côté de la ruelle, l'endroit où Anneke Jespersen avait été assassinée vingt ans plus tôt.

Puis il sauta à terre et longea la palissade en appuyant sur chaque planche pour voir s'il n'y en aurait pas une qui branle, ou alors une ouverture permettant de passer rapidement de la cour à la ruelle et vice versa. Aux deux tiers de la palissade, une planche se remit en place. Il s'arrêta, regarda plus près, puis la tira vers lui. Elle n'était reliée à aucun croisillon supérieur ou inférieur. Il n'eut aucun mal à la sortir, un espace de vingt-cinq centimètres s'en trouvant aussitôt dégagé.

Chu s'approcha de lui et examina l'ouverture.

— Quelqu'un de menu pourrait facilement s'y glisser pour filer dans la ruelle, dit-il.

— Exactement ce que je pensais, lui renvoya Bosch.

L'évidence même. Toute la question était de savoir si la planche s'était détachée au fil des ans ou si elle avait servi de portail caché à l'époque où, « Baby G » de seize ans, Charles « 2 Small » Washburn habitait à cet endroit et cherchait à devenir un vrai G.

Bosch demanda à Chu de prendre une photo avec son téléphone portable. Il l'imprimerait plus tard et l'insérerait dans le dossier. Il remit la planche en place et se retourna pour regarder le reste de la cour une dernière fois. Il y vit Latitia Settles qui, debout à la porte, le regardait à travers une autre grille. Il savait qu'elle devait avoir deviné que ce n'était pas pour sa pension alimentaire qu'ils cherchaient Charles.

# 6

Un gâteau d'anniversaire et sa fille en train de lui préparer à dîner en suivant les indications d'un livre de cuisine furent les deux choses qu'il trouva en arrivant chez lui.

— *Wouahou*, dit-il, ça sent bon !

Il avait le dossier Jespersen sous le bras.

— Toi, tu dégages de la cuisine, lui renvoya sa fille. Tu vas sur la terrasse et tu y restes jusqu'à ce que je te dise que c'est prêt. Et tu ranges ce truc de boulot dans un coin… au moins jusqu'après le repas. Et tu mets la musique, aussi.

— Oui, chef.

La table de la salle à manger était mise pour deux. Après avoir rangé son dossier sur une étagère, littéralement dans un coin de la pièce, il alluma la chaîne et ouvrit le tiroir à CD. Sa fille en avait déjà placé cinq de ses préférés dans le bac : Frank Morgan, George Cables, Art Pepper, Ron Carter et Thelonius Monk. Il choisit le mode aléatoire et passa sur la terrasse.

Sur la table dehors, une bouteille de Fat Tire l'attendait dans un pot de fleurs en argile rempli de glace. Ça l'étonna. Si la Fat Tire était une de ses bières préférées, il gardait rarement de l'alcool chez lui et savait très bien qu'il n'avait pas acheté de bière récemment. À seize ans, sa fille faisait certes plus que son âge, mais pas assez pour pouvoir en acheter sans qu'on lui demande son permis de conduire.

Il ouvrit la bouteille et en but une grande gorgée. Il eut plaisir à la sentir descendre, le froid lui mordant l'arrière de la gorge. Tout soulagement était le bienvenu après une journée passée à courir après le flingue baladeur et se rapprocher de Charles Washburn.

Jordy Gant et lui avaient un plan. Dès le dernier appel du lendemain, tous les officiers de patrouille et toutes les unités de l'antigang du South Bureau auraient la photo de Washburn et sauraient qu'il était en tête de la liste des individus à appréhender. Le motif légal serait « non-paiement de pension alimentaire », mais dès que Washburn serait arrêté, Bosch serait alerté et irait le voir avec un sujet de conversation complètement différent.

Malgré tout, Bosch ne pouvait pas se contenter d'un avis de recherche général. Il avait du pain sur la planche. Oubliant que c'était son anniversaire, il avait rapporté le dossier du meurtre chez lui, l'idée étant d'en éplucher toutes les pages pour voir s'il n'y était pas fait mention de Washburn ou de quelque chose d'autre qu'il aurait raté ou auquel il n'aurait pas donné suite.

Mais cette idée, il était en train de la reconsidérer. Sa fille lui préparait un dîner d'anniversaire et ce serait sa priorité. Il n'y avait rien de mieux au monde que de profiter de toute cette attention.

Sa bière à la main, il regarda l'endroit où, de l'autre côté du canyon, il avait vécu plus de vingt ans. Il en connaissait les couleurs et les contours par cœur. Le bruit de l'autoroute tout en bas. La piste qu'empruntaient les coyotes pour disparaître dans la nature. Il savait aussi que jamais il ne quitterait cet endroit. C'était là qu'il resterait, jusqu'au bout.

— OK, c'est prêt, dit-elle. J'espère que ça sera bon.

Il se retourna. Maddie avait ouvert la porte coulissante sans qu'il l'entende. Il sourit. Elle avait aussi filé de la cuisine pour mettre une robe digne de ce dîner.

— J'ai hâte ! dit-il.

Le repas était déjà servi. Côtelettes de porc à la compote de pomme et patates rôties. Un gâteau maison était posé au coin de la table.

— J'espère que ça te plaira, dit-elle alors qu'ils s'asseyaient.

— Ça sent aussi bon que ç'en a l'air. Je suis sûr que oui.

Il eut un large sourire. C'était la première fois qu'elle se démenait pareillement pour son anniversaire depuis deux ans qu'elle vivait avec lui.

Elle leva son verre à vin rempli de Dr Pepper.

— À ta santé, papa !

Il tint son verre en l'air. Il était presque vide.

— À la bonne bouffe et à la bonne musique, mais d'abord et surtout à la bonne compagnie ! lança-t-il.

Ils trinquèrent.

— Il y a encore de la bière au frigo si tu en veux, dit-elle.

— Bien, mais… d'où elle vient cette bière ?

— T'inquiète pas. Je me débrouille, répondit-elle en plissant les yeux comme une comploteuse.

— C'est justement ce qui m'inquiète.

— Papa, tu vas pas commencer, s'te plaît ! Tu veux pas profiter du dîner que je t'ai fait ?

Il acquiesça d'un signe de tête et laissa filer… pour le moment.

— Bien sûr, tout de suite.

Il commença à manger et remarqua que c'était *Helen's Song*[1] qui montait des haut-parleurs. Merveilleux morceau… il sentit tout l'amour que George Cables y avait mis. Il avait toujours cru qu'Helen était une épouse ou une petite amie.

Le mélange « compote de pommes, côtelette de porc parfaitement sautée » était génial. Mais il s'était trompé en pensant qu'il ne s'agissait que d'une compote de pommes. Ç'aurait été trop facile. En fait, ces pommes, Maddie les avait réduites à petit feu, le résultat étant aussi bon que la garniture dans les tartes aux pommes de chez Dupar.

Son sourire lui revint.

— C'est vraiment délicieux, Mads, dit-il. Merci.

— Attends de goûter au gâteau. Il est marbré, comme toi.

— Quoi ?

— Pas marbré comme du marbre, mais… comme le mélange clair et sombre, tu vois ? À cause de ce que tu fais et de ce que tu as vu.

Il réfléchit.

---

1. La chanson d'Hélène.

— Ça doit être la comparaison culinaire la plus profonde qu'on ait jamais faite sur moi, dit-il. Je suis donc un gâteau marbré.

Ils rirent ensemble.

— J'ai aussi des cadeaux ! s'écria-t-elle. Mais comme j'ai pas encore eu le temps de les emballer, ce sera pour plus tard.

— Tu t'es vraiment donnée à fond. Merci, ma fille.

— Tu te donnes bien à fond pour moi.

Il se sentit à la fois bien et d'humeur sombre.

— J'espère, dit-il.

*

* *

À la fin du repas, ils décidèrent de digérer un peu avant d'attaquer le gâteau marbré. Madeline regagna sa chambre pour emballer les cadeaux, Bosch en profitant pour redescendre le livre du meurtre de l'étagère. Il s'assit sur le divan et remarqua que sa fille avait laissé son sac à dos d'école par terre près de la table basse.

Il réfléchit quelques instants à la question de savoir s'il valait mieux attendre qu'elle aille au lit à la fin de la soirée. Mais il savait qu'elle pouvait très bien emporter son sac dans sa chambre et qu'alors sa porte serait fermée.

Il décida de ne pas attendre. Il se pencha et ouvrit la fermeture Éclair de la petite poche sur le devant du sac. Le portefeuille de sa fille s'y trouvait bien. Il savait qu'il y serait car elle n'avait pas de sac à main. Il l'ouvrit vite – un symbole de la paix y était brodé –, et en vérifia le contenu. Elle avait une carte de crédit qu'il lui avait donnée en cas d'urgence et son tout nouveau permis de conduire. Il regarda la date de naissance, c'était bien la bonne. Elle avait aussi quelques reçus et des cartes cadeaux Starbucks et iTunes, plus une carte à tamponner chaque fois qu'elle achetait un smoothie à un vendeur du centre commercial. Achetez-en dix, le onzième sera gratuit.

— Papa, qu'est-ce que tu fais ?

Il leva le nez. Sa fille le regardait, un cadeau emballé dans chaque main. Elle avait gardé le motif marbré pour le papier d'emballage – il était plein de tortillons blanc et noir.

— Je, euh… je voulais voir si tu avais assez d'argent, et tu n'en as pas du tout.

— Je l'ai dépensé pour le dîner. Sauf que c'est pour la bière, pas vrai ?

— Ma fille, je ne veux pas que tu aies d'ennuis. Quand tu feras ta demande pour l'Académie de police, il ne faudrait pas que tu aies des…

— Je n'ai pas trafiqué mon identité, d'accord ? C'est Hannah qui m'a aidée à acheter la bière. T'es content maintenant ?

Elle laissa tomber les cadeaux sur la table, fit demi-tour et disparut dans le couloir. Bosch l'entendit claquer sèchement sa porte.

Il attendit un moment avant de se lever. Puis il descendit le couloir et frappa doucement à sa porte.

— Allez, Maddie, quoi, je m'excuse. Viens manger le gâteau et oublions tout ça.

Pas de réponse. Il essaya le bouton de la porte, mais celle-ci était fermée à clé.

— Allez, Maddie, ouvre. Je suis désolé.

— Va manger ton gâteau.

— Je ne veux pas le manger sans toi. Écoute, Maddie, je m'excuse. Je suis ton père et je dois faire attention à toi, te protéger et… je voulais juste m'assurer que tu n'étais pas allée te coller des ennuis.

Rien.

— Écoute, depuis que tu as ton permis, tu as beaucoup plus de liberté. J'adorais t'emmener au centre commercial… maintenant, tu y vas en voiture. Je voulais juste être sûr que tu n'avais pas fait de bêtises qui pourraient te coûter cher plus tard. Je suis désolé de m'y être pris comme un manche. Je m'excuse. D'accord ?

— Je mets mon casque. Je ne vais plus rien entendre de ce que tu dis. Bonne nuit.

Il s'interdit d'enfoncer la porte d'un coup d'épaule. Au lieu de ça, il y appuya la tête et écouta. Et entendit le bruit maigrichon de la musique qui montait de ses écouteurs.

Il regagna la salle de séjour et se rassit sur le canapé. Sortit son portable et envoya un texto d'excuses à sa fille en se servant de l'alphabet du LAPD. Il savait qu'elle pourrait le déchiffrer.

*DAVID*
*EDWARD*
*SAM*
*OCEAN*
*LINCOLN*
*EDWARD*
*TOM*

*OCEAN*
*NORA*
*ADAM*
*NORA*
*DAVID*
*OCEAN*
*UNION*
*IDA*
*LINCOLN*
*LINCOLN*
*EDWARD*
*DAVID*
*EDWARD*
*PAUL*
*EDWARD*
*ROBERT*
*EDWARD*

Il attendit qu'elle lui réponde, mais, rien ne venant, il reprit le livre du meurtre et se remit au travail en espérant que se replonger dans l'affaire Blanche-Neige lui ferait oublier la bourde qu'il venait de commettre.

Le rapport le plus épais du dossier était la chronologie établie par l'enquêteur : une ligne après l'autre, elle rendait compte de chaque décision prise par les inspecteurs et de tous les appels téléphoniques ou demandes émanant du public concernant l'affaire. Le Détachement spécial avait fait monter trois panneaux géants le long de Crenshaw Boulevard pour éveiller la curiosité des gens sur le meurtre non résolu de Jespersen. On y promettait une récompense de 25 000 dollars pour tout renseignement conduisant à l'arrestation et à la condamnation du coupable. Panneaux et promesses de récompenses avaient déclenché des centaines d'appels du plus légitime au plus bidon en passant par les plaintes de citoyens reprochant à la police d'essayer de résoudre le meurtre d'une Blanche alors que tant de Noirs et de Latinos avaient été victimes de meurtres pendant les émeutes. Les inspecteurs du Détachement spécial avaient très consciencieusement noté chaque appel dans la chronologie et répertorié toutes les suites qui leur avaient été données. Bosch les avait passés très vite en revue la première fois qu'il avait feuilleté le dossier, mais maintenant qu'il avait des noms à rattacher à l'affaire, il voulait en étudier chaque page pour voir si certains d'entre eux n'y avaient pas déjà été portés.

L'heure qui suivit le vit éplucher des dizaines de pages de la chronologie. Il n'y était nulle part fait mention de Charles Washburn, Rufus Coleman ou Trumont Story. La plupart des tuyaux paraissant sans intérêt rien qu'à les voir, il comprit pourquoi ils n'avaient pas été retenus. Plusieurs personnes avaient donné d'autres noms, mais ces suspects avaient eux aussi été rejetés après enquête. Dans de nombreux cas, c'étaient des anonymes qui dénonçaient des innocents en sachant que la police enquêterait sur eux et leur mènerait la vie dure jusqu'à ce qu'ils soient disculpés, toute l'affaire se résumant à une basse vengeance suite à quelque différend qui n'avait rien à voir avec le meurtre.

Les appels recensés dans la chronologie commençaient à se raréfier dès 1993, année où le Détachement spécial avait été dissous et les panneaux démontés. Une fois le dossier transféré aux Homicides, division de la 77e Rue, les appels notés dans la chronologie se réduisaient à quelques-uns, et très espacés dans le temps. De fait, seul Henrik, le frère d'Anneke, et un certain nombre de journalistes cherchaient de temps en temps à savoir où en était l'affaire. Mais une de ces toutes dernières entrées retint l'attention de Bosch.

Le 1er mai 2002, date du dixième anniversaire du meurtre, un appel avait été porté à la chronologie : il émanait d'un certain Alex White. Le nom ne lui disait rien, mais l'entrée comportait un numéro de téléphone avec indicatif 209. L'appel était qualifié de demande d'État. Alex White voulait savoir si l'enquête était close.

Rien d'autre n'était noté quant à la nature de l'intérêt que ce monsieur portait à l'affaire. Bosch ne savait rien de ce White, mais l'indicatif l'intriguait. Il ne correspondait à aucun de Los Angeles et Bosch n'arrivait pas à le situer.

Il ouvrit son ordinateur, passa le numéro sur Google et apprit vite que c'était celui du comté de Stanislaus, dans la Central Valley – soit à quelque quatre cents kilomètres de Los Angeles.

Bosch consulta sa montre. Il était tard, mais pas si tard que ça. Il appela le numéro porté après le nom. Une seule sonnerie et l'appareil passa l'enregistrement d'une agréable voix de femme.

— « Vous êtes à la Cosgrove Tractor, le numéro 1 des concessionnaires John Deere de la Central Valley, à Modesto, 912 Crows Landing Road. Nous sommes près du Golden State Highway et sommes ouverts du lundi au samedi de 9 à 18 heures. Laissez-nous un message et un membre de notre équipe commerciale vous rappellera dès que possible. »

Bosch raccrocha avant le *bip* et décida de rappeler le lendemain aux heures d'ouverture. Il n'oubliait pas que la Cosgrove Tractor pouvait très bien n'avoir aucun rapport avec l'appel. Le numéro pouvait très bien avoir été assigné à un autre commerce ou individu en 2002.

— Tu es prêt pour le gâteau ?

Il releva la tête. Sa fille était ressortie de sa chambre. Elle portait une longue chemise de nuit, sa robe étant maintenant fort probablement sur un cintre dans sa penderie.

— Bien sûr.

Il ferma le livre du meurtre, se leva et le déposa sur la table basse. En approchant de la table de la salle à manger, il essaya de prendre sa fille dans ses bras, mais elle s'esquiva doucement et se tourna vers la cuisine.

— Laisse-moi aller chercher un couteau, des fourchettes et des assiettes, dit-elle.

Une fois à la cuisine, elle lui cria d'ouvrir ses deux cadeaux en commençant par le plus évident, mais il attendit qu'elle revienne.

Elle coupait le gâteau lorsqu'il ouvrit la boîte longue et mince qui, il le savait, contenait une cravate. Sa fille lui faisait souvent remarquer combien celles qu'il mettait étaient vieillottes et sans couleurs. Elle lui avait même laissé entendre un jour que ses idées de cravates sortaient de la vieille série Badge 714, à l'époque de la télé en noir et blanc.

Il découvrit une cravate à motifs bleus, verts et violets teints à la ficelle.

— Elle est magnifique ! déclara-t-il. Je la porte dès demain.

Elle sourit, il passa au deuxième cadeau. Défit le papier et tomba sur un coffret de six CD contenant une collection d'enregistrements *live* d'Art Pepper récemment sorti.

— *Art jamais publié*, lut-il sur le coffret. *Volumes 1 à 6*. Comment as-tu fait pour trouver ça ? demanda-t-il.

— Sur le Net. C'est sa veuve qui les sort.

— C'est la première fois que j'en entends parler.

— Elle a son propre label : « Du goût de la Veuve ».

Bosch s'aperçut que certains étuis contenaient plusieurs disques. Ça faisait beaucoup de musique.

— On écoute ? dit-il.

Elle lui tendit un morceau de gâteau marbré sur une assiette.

— J'ai encore des devoirs à faire, dit-elle. Je vais retourner dans ma chambre, mais vas-y.

— Je commencerais bien par le premier.

— J'espère que ça te plaira.

— J'en suis sûr. Merci, Maddie. Pour tout.

Il posa son assiette et les CD sur la table et tendit les bras pour enlacer sa fille. Cette fois, elle le laissa faire et il lui en fut encore plus reconnaissant.

# 7

Ce mercredi matin là, il débarqua tôt dans son box. Personne d'autre n'était arrivé. Il versa le café à emporter qu'il s'était acheté dans le mug qu'il gardait dans le tiroir de son bureau. Puis il mit ses lunettes de vue et vérifia ses messages en espérant avoir eu assez de chance pour apprendre que Charles Washburn avait été appréhendé pendant la nuit et l'attendait dans une cellule du commissariat de la 77e Rue. Mais téléphone ou e-mail, il n'avait rien sur 2 Small. Le bonhomme était toujours dans la nature. Cela dit, le frère d'Anneke Jespersen avait, lui, répondu à son message. Bosch se sentit tout excité en reconnaissant ce qu'il avait écrit en « objet » : *L'enquête sur le meurtre de votre sœur*.

Lorsque, une semaine plus tôt, l'ATF lui avait notifié que la douille de la balle qui avait tué Jespersen était balistiquement rattachée à deux autres meurtres, l'affaire était passée d'enquête envisageable à active. Et le règlement de l'unité des Affaires non résolues stipulait qu'il fallait alors avertir les parents de la victime. Ce qui n'était pas des plus simples. La dernière chose à faire était de leur donner de faux espoirs ou de leur faire inutilement revivre le traumatisme qu'ils avaient enduré en perdant un être cher. Cette première notification devait être effectuée avec beaucoup de tact, ce qui signifiait aborder le membre de la famille retenu en choisissant bien ses mots et en ne lui donnant que les informations soigneusement vérifiées.

Dans l'affaire Jespersen, Bosch n'avait qu'un seul lien avec la famille à Copenhague. Henrik Jespersen, le frère de la victime, était mentionné dans les premiers rapports d'enquête, une entrée de 1999 dans la chronologie faisant état de son e-mail. Bosch lui en avait donc envoyé un à cette adresse en ne sachant absolument pas si elle serait encore bonne treize ans plus tard. Le message ne lui était certes pas revenu, mais personne n'y avait répondu. Deux jours après, il l'avait renvoyé, mais une fois encore il était resté sans réponse. Bosch avait alors mis le problème du contact de côté et commencé à enquêter sur Rufus Coleman afin de préparer sa visite à la prison de San Quentin.

Pure coïncidence, une des raisons pour lesquelles il était arrivé tôt au bureau était qu'il voulait essayer d'obtenir un numéro de téléphone pour Henrik Jespersen et l'appeler à Copenhague, cette ville ayant neuf heures d'avance sur Los Angeles.

Henrik l'avait coiffé au poteau en lui répondant par un e-mail qui avait atterri dans sa corbeille à 2 heures du matin, heure de Los Angeles.

*Cher Monsieur Bosch,*

*Je vous remercie de votre e-mail qui par erreur a été dévié dans mon dossier « indésirables ». Je viens récupérer le et souhaite y répondre promptement. Bien des mercis à vous et au LAPD pour chercher le tueur de ma sœur. Anneke manque toujours beaucoup à nos vies, ici à Copenhague. Le journal où elle a travaillé a placé une plaque en cuivre pour commémorer cette courageuse journaliste qui est un héros. J'espère que vous pouvez attraper ces gens méchants qui tuent. Si nous pouvons nous parler mon téléphone de bureau est mieux appeler à l'hôtel où je travaille tous les jours comme direkteur. 00-45-25-14-63-69 est le numéro que vous appellerez.*

*J'espèce que vous pouvez trouver tueur. Ça compte beaucoup pour moi. Ma sœur était une jumelle à moi. Je la manque beaucoup.*

*Henrik*

*PS : Anneke Jespersen était pas en vaction. Elle était pour l'article.*

Bosch resta longtemps les yeux fixés sur cette dernière ligne. Henrik avait sûrement dû vouloir dire « vacances » au lieu de « vaction ». Son post-scriptum semblait répondre directement à quelque chose qui se trouvait dans l'e-mail original de Bosch, celui-ci ayant été joint à la fin du message.

*Cher Monsieur Jespersen,*

*Je suis inspecteur des Homicides à la police de Los Angeles. Je suis chargé de continuer l'enquête sur l'assassinat de votre sœur le 1er mai 1992. Je ne souhaite ni vous importuner ni vous causer encore de la peine, mais il est de mon devoir d'enquêteur de vous informer que je suis activement de nouvelles pistes dans cette affaire. Je m'excuse de ne pas parler votre langue. Si vous pouvez m'écrire en anglais, je vous serais reconnaissant de répondre à ce message ou de m'appeler à n'importe lequel des numéros ci-dessous.*

*Cela fait vingt ans que votre sœur est venue dans ce pays en vacances et a perdu la vie lorsqu'elle a dévié de sa route et s'est rendue à Los Angeles afin de couvrir ce qui se passait dans cette ville en feu pour son journal de Copenhague. J'ai le devoir et le ferme espoir de mettre un point final à cette enquête. Je ferai de mon mieux pour résoudre l'affaire et suis impatient de communiquer avec vous au fur et à mesure de mon travail.*

Bosch avait l'impression que ce « vaction » et cet « article » ne faisaient pas forcément référence aux émeutes. Henrik pouvait très bien avoir voulu dire que sa sœur était venue aux États-Unis pour un sujet et avait dévié de son but à cause des émeutes de Los Angeles.

Mais tout cela ne serait que pures sémantique et conjectures tant qu'il ne lui aurait pas parlé directement. Il jeta un coup d'œil à la pendule murale et fit un petit calcul. Il était un peu plus de 16 heures à Copenhague, il avait donc de bonnes chances de l'attraper à son hôtel.

Un employé de la réception décrocha tout de suite, mais l'informa qu'il venait juste de rater Henrik. Bosch laissa son nom et son numéro, mais pas de message. Puis il raccrocha et envoya un e-mail à Henrik pour lui demander de l'appeler dès que possible, de jour comme de nuit.

Il sortit les rapports de sa mallette délabrée et commença à tout relire, mais, cette fois, à travers le filtre de sa nouvelle théorie – celle qui voulait qu'Anneke Jespersen travaille déjà un sujet lorsqu'elle était venue aux États-Unis.

Les choses se mirent rapidement en place. Jespersen n'avait pas emporté grand-chose parce qu'elle n'était pas en vacances. Elle travaillait et n'avait pris que des tenues en conséquence. Juste un sac à dos et rien de plus. De façon à pouvoir voyager rapidement et facilement. À se déplacer et trouver de quoi étoffer son article – quel qu'en soit le sujet.

Changer ainsi de perspective mit en lumière des choses à côté desquelles il était passé. Jespersen était photographe et journaliste. Elle prenait des photos pour ses articles et les écrivait. Sauf qu'on n'avait retrouvé aucun carnet sur elle ou dans ses affaires au motel. Si elle travaillait un sujet, ne devait-elle pas prendre des notes ? N'aurait-il pas dû y avoir un carnet de notes dans une des poches de son gilet ou dans son sac à dos ?

— Quoi d'autre ? dit-il à haute voix avant de regarder autour de lui pour s'assurer qu'il était seul.

Qu'est-ce qui lui échappait encore ? Qu'aurait-elle dû avoir avec elle ? Il se livra à un petit exercice mental. Se vit dans une chambre de motel. Il allait partir, il fermait la porte derrière lui. Qu'est-ce qu'il aurait dû avoir dans ses poches ?

Il réfléchit un instant, puis quelque chose lui vint à l'esprit. Il tourna rapidement les pages du dossier jusqu'à la liste des effets personnels dressée par le coroner. Manuscrite, elle recensait tous les objets découverts sur le corps et dans les vêtements de la victime. On y trouvait aussi bien les pièces vestimentaires qu'un portefeuille, de la petite monnaie et des bijoux, à savoir une montre et un collier en argent sans grande valeur.

— Pas de clé de chambre, dit-il tout haut.

De deux choses l'une : soit elle l'avait laissée dans sa voiture de location, où elle lui avait été volée lorsque la portière du véhicule avait été fracturée. Ou alors, et c'était la conclusion la plus vraisemblable, l'individu qui l'avait tuée lui avait pris la clé de sa chambre dans sa poche.

Il revérifia la liste et examina les pochettes en plastique contenant les clichés Polaroid qu'il avait pris vingt ans plus tôt. Passés, ils montraient la scène de crime sous plusieurs angles et le corps dans l'état où il avait été découvert. Deux d'entre eux étaient des gros plans du torse et l'on y voyait clairement son pantalon. La doublure blanche de la poche de gauche en dépassait. Bosch n'eut plus aucun doute : cette poche avait été retournée lorsque quelqu'un l'avait détroussée et s'était emparé de sa clé, sans s'intéresser à son argent et à ses bijoux.

Il était donc plus que probable que sa chambre avait été fouillée. Dans quel but, ce n'était pas clair. Cela dit, aucun carnet de notes, voire seulement une feuille de papier, n'avait été retrouvé dans les effets rendus à la police par la direction du motel.

Bosch se leva : il était trop tendu pour rester assis. Il avait l'impression d'être sur une piste, mais conduisant à quoi, il n'en avait aucune idée et ne savait même pas si, tout bien considéré, elle avait un quelconque rapport avec le meurtre d'Anneke Jespersen.

— Hé, Harry.

Il se retourna et vit son coéquipier arriver dans son box.

— Salut.

— T'es bien matinal.

— Non, je suis arrivé à la même heure que d'habitude. C'est toi qui es en retard.

— Eh mais… j'aurais pas loupé ton anniversaire ?

Bosch le regarda un moment avant de répondre.

— Si. C'était hier. Comment tu le sais ?

Chu haussa les épaules.

— Ta cravate. Elle m'a l'air toute neuve et je sais bien que tu n'aurais jamais choisi des couleurs aussi vives.

Bosch baissa le nez dessus et la lissa sur sa poitrine.

— Ma fille, dit-il.

— Ben, elle a bon goût, elle. Dommage que toi, t'aies un goût à chier.

Et de rire avant d'annoncer qu'il allait descendre se prendre un café à la cafétéria. Un matin après l'autre, il faisait son apparition à la salle des inspecteurs puis, aussitôt après, il se mettait en pause-café.

— Harry, reprit-il, tu veux quelque chose ?

— Oui, j'ai besoin que tu me passes un nom à l'ordinateur.

— Non, je voulais dire : tu veux un café ? Autre chose ?

— Non, ça ira.

— Je te passe le nom dès que je reviens.

Bosch lui fit signe de filer et se rassit à son bureau. Il avait décidé de ne pas attendre. Il se mit à l'ordinateur et commença par la base de données du DMV[1]. En tapant avec deux doigts, il y entra le nom d'Alex White et découvrit qu'il y avait presque quatre cents conducteurs portant les noms Alex, Alexander ou Alexandra White en Californie. Seuls trois d'entre eux étaient de Modesto et les trois étaient des hommes, entre vingt-huit et cinquante-quatre ans. Il nota ces renseignements, puis passa les noms à l'ordinateur du NCIC : aucun d'entre eux n'avait de casier judiciaire.

Il jeta un coup d'œil à la pendule murale et vit qu'il n'était encore que 8 h 30. Le concessionnaire John Deere d'où l'appel d'Alex White avait été passé dix ans plus tôt n'ouvrirait pas avant une demi-heure. Il appela les Renseignements de l'indicatif 209, mais il n'y avait aucun numéro pour Alex White.

Chu revint, entra dans le box et posa son café à l'endroit même où le lieutenant O'Toole s'était assis la veille.

— OK, Harry, c'est quoi, ton nom ? demanda-t-il.

— C'est déjà fait, lui répondit Bosch. Mais si tu pouvais le passer à la TLO et me donner des numéros de téléphone…

— Pas de problème. File-moi ça.

Bosch poussa son fauteuil à roulettes du côté de Chu et lui tendit la feuille où il avait porté les renseignements sur les trois Alex White. Banque de données à laquelle

---

1. *Department of Motor Vehicles*, équivalent de notre service des Mines et des permis de conduire.

souscrivait la police, la TLO rassemblait toutes sortes de renseignements tirés de nombreuses sources publiques et privées. Utile, cet outil lui procurait souvent des numéros de téléphone en liste rouge, parfois même des numéros de portables mentionnés dans des demandes d'emploi et d'emprunt. Il fallait un certain savoir-faire pour se servir de cette banque de données et formuler très précisément sa requête et dans ce domaine les talents de Chu dépassaient largement les siens.

— Bon, donne-moi cinq minutes, dit Chu.

Bosch regagna son bureau et remarqua les photos empilées à droite. C'étaient les tirages 8 × 12 de la photo du coupe-file presse d'Anneke Jespersen qu'il avait demandés au service photo de façon à pouvoir les distribuer là où c'était nécessaire. Il en tint un en l'air et examina encore une fois le visage de la victime, ses yeux comme attirés par les siens et son regard distant.

Puis il le glissa sous la plaque de verre qui recouvrait son bureau. Il y retrouva les autres. Toutes des femmes. Toutes victimes. Toutes les affaires et tous les visages qu'il voulait ne jamais oublier.

— Bosch, mais qu'est-ce que vous faites ici ?

Bosch releva la tête. O'Toole.

— Mais je travaille, lieutenant.

— Vous êtes de qualifications aujourd'hui et vous ne pouvez plus repousser.

— C'est pas avant 10 heures, et ils seront débordés de toute façon. Ne vous inquiétez pas, ce sera fait.

— Fini, les excuses.

O'Toole repartit vers son bureau. Bosch le regarda s'éloigner et hocha la tête.

Chu se tourna, la feuille que Bosch lui avait donnée à la main.

— Facile, lui lança-t-il.

Bosch lui prit la feuille et vérifia. Chu avait écrit des numéros de téléphone sous les trois noms. Bosch oublia O'Toole aussitôt.

— Merci, collègue, dit-il.

— Alors, qui c'est, ce mec ?

— J'en suis pas trop sûr, mais il y a dix ans de ça, un certain Alex White a appelé de Modesto pour avoir des renseignements sur l'affaire Jespersen. Je veux savoir pourquoi.

— Il n'y a rien dans le dossier ?

— Non, juste une entrée dans la chronologie. On a même probablement de la chance que quelqu'un ait pris le temps de l'y reporter.

Bosch décrocha son téléphone et se mit au travail en appelant les trois Alex White. Il eut de la chance, mais pas vraiment. S'il réussit à parler aux trois, aucun d'eux ne reconnut être l'Alex White qui avait appelé pour l'affaire Jespersen. Tous parurent assez perplexes de recevoir ce coup de fil de Los Angeles. Chaque fois, Bosch leur avait non seulement posé des questions sur l'affaire, mais aussi sur ce qu'ils faisaient dans la vie et s'ils connaissaient le concessionnaire John Deere d'où l'appel était censément parti. Le mieux qu'il obtint fut lors de son dernier coup de téléphone.

Le plus âgé des Alex White – il était comptable et propriétaire de plusieurs terrains non viabilisés – lui dit avoir acheté une tondeuse à gazon motorisée chez le concessionnaire de Modesto environ dix ans plus tôt, mais ajouta être incapable de lui donner la date exacte de l'achat sans aller voir dans ses archives. Il jouait au golf lorsque Bosch l'avait joint, mais promit de le recontacter avec une date d'achat plus tard dans la journée. En bon comptable, il était sûr d'avoir encore ça quelque part dans ses papiers.

Bosch raccrocha. Il ne savait absolument pas s'il ne faisait que du surplace, mais l'appel passé par cet Alex White était un détail qui l'agaçait. Il était maintenant 9 heures passées, il téléphona au concessionnaire d'où le coup de fil avait été émis en 2002.

Appeler en aveugle était toujours délicat. Bosch voulait y aller doucement et ne pas commettre de bourdes ou dire quelque chose qui ferait comprendre à un suspect potentiel qu'il était sur l'affaire. Il décida de jouer la comédie au lieu d'y aller franc-jeu et de dire qui il était et d'où il appelait.

Ce fut une réceptionniste qui décrocha et Bosch lui demanda simplement de parler à Alex White. Il commença par y avoir un blanc.

— Je ne pense pas qu'il y ait un Alex White dans le répertoire des employés, dit-elle. Vous êtes bien sûr de vouloir la Cosgrove Tractor ?

— C'est le numéro qu'il m'a donné. Depuis combien de temps travaillez-vous là ?

— Vingt-deux ans. Ne quittez pas.

Elle n'attendit pas sa réponse. Il fut mis en attente tandis qu'elle prenait vraisemblablement un autre appel. Elle reprit vite la ligne.

— Nous n'avons pas d'Alex White ici, dit-elle. Quelqu'un d'autre peut-il vous renseigner ?

— Pouvez-vous me passer le directeur ?

— Oui. Qui dois-je annoncer ?

— John Bagnall.

— Ne quittez pas.

John Bagnall était le nom bidon dont se servaient tous les membres de l'unité des Affaires non résolues lorsqu'ils montaient un bobard au téléphone.

Le transfert fut rapide.

— Jerry Jimenez à l'appareil. Que puis-je faire pour vous ?

— Bonjour, monsieur, John Bagnall à l'appareil. Je veux juste vérifier une candidature où il est dit qu'Alex White a été employé à la Cosgrove Tractor de 2000 à 2004. Pourriez-vous me le confirmer ?

— Non, je ne vois pas. J'étais bien ici à l'époque, mais je ne me rappelle aucun Alex White. Où travaillait-il ?

— C'est bien là le problème. Ce n'est pas précisé.

— Dans ce cas, je ne sais pas comment je pourrais vous aider. À l'époque, j'étais chef des ventes. Je connaissais tous ceux qui travaillaient ici… tout comme aujourd'hui… et il n'y avait pas d'Alex White. Et notre affaire n'est pas énorme, vous savez… Il y a les ventes, le service après-vente, les pièces détachées et la gestion. Ça ne fait guère que vingt-quatre personnes, moi y compris.

Bosch lui répéta le numéro de téléphone d'où Alex White avait appelé et lui demanda depuis combien de temps c'était celui du magasin.

— Depuis toujours. Depuis que nous avons ouvert en 1990. Et j'étais là.

— Je vous remercie du temps que vous m'avez accordé, monsieur. Bonne journée.

Bosch raccrocha, plus intrigué que jamais par cet appel d'Alex White en 2002.

*

* *

Il perdit le reste de la matinée à se soumettre au stage semi-annuel de qualification au maniement des armes et aux procédures policières. Il commença par se taper une heure de cours pendant laquelle il fut mis au courant des derniers arrêts de justice ayant trait au travail de la police et des changements de procédure en résultant pour le LAPD. Au cours de cette heure furent aussi passés en revue divers coups de feu tirés par des policiers, avec analyse de ce qui avait foiré ou bien marché dans chaque cas. Puis il gagna le stand de tir où il devait tirer pour garder le droit de porter une arme. Le sergent en charge était un vieil ami qui lui demanda des nouvelles de sa fille. Cela lui donna une idée de ce qu'il pourrait faire avec elle pendant le week-end.

Bosch retraversait le parking pour regagner sa voiture en se demandant où il allait bien pouvoir manger un morceau lorsque Alex White le rappela de Modesto avec des infos sur son achat de tondeuse. Il lui dit avoir été tellement intrigué par ce coup de fil tombé du ciel qu'il avait aussitôt mis fin à sa partie de golf après à peine neuf trous. Il lui fit aussi remarquer que son score de 59 avait beaucoup compté dans sa décision.

D'après ses archives, le comptable avait acheté sa tondeuse à la Cosgrove Tractor le 27 avril 2002 et avait été livré le 1er mai, date du dixième anniversaire de l'assassinat d'Anneke Jespersen et le jour même où quelqu'un disant être Alex White avait appelé le LAPD en se servant du téléphone du concessionnaire pour savoir où en était l'affaire.

— Monsieur White, excusez-moi de vous le redemander encore une fois, mais le jour où vous avez été livré, avez-vous appelé de chez le concessionnaire pour avoir des renseignements sur une affaire de meurtre ?

White partit d'un petit rire embarrassé avant de répondre.

— Si c'est pas fou, ce truc ! s'écria-t-il. Non, je n'ai pas appelé le LAPD. Je ne l'ai jamais appelé de ma vie. Quelqu'un a dû se servir de mon nom et je ne sais vraiment pas pourquoi, inspecteur. Ça me dépasse.

Bosch lui demanda s'il y avait des noms sur les documents qu'il avait vérifiés pour la date de l'achat. White lui en donna deux. Le vendeur était un certain Reggie Banks, et le chef des ventes qui avait signé la transaction, Jerry Jimenez.

— Bien, monsieur White, lui dit Bosch. Vous m'avez beaucoup aidé. Je vous remercie et suis désolé de vous avoir gâché votre partie de golf.

— Pas de problème, inspecteur. Je n'avais pas le bon rythme de toute façon. Mais que je vous dise : si jamais vous percez le mystère du type qui a appelé en se servant de mon nom, faites-le-moi savoir, d'accord ?

— Ce sera fait, monsieur. Bonne journée.

Bosch continua de réfléchir en déverrouillant la portière de sa voiture. Le mystère Alex White était passé du simple détail à éclaircir à tout autre chose. Il était clair que quelqu'un avait appelé de chez le concessionnaire John Deere pour se renseigner sur l'affaire Jespersen, mais en donnant un faux nom et en utilisant celui d'un client qui se trouvait chez le concessionnaire ce jour-là. Pour Bosch, cela changeait absolument tout. Il ne s'agissait plus seulement d'un petit *bip* inexpliqué sur son écran radar. Il y avait maintenant du solide dans cette affaire et il fallait et l'expliquer et le comprendre.

## 8

Bosch décida de sauter le déjeuner et de retourner à la salle des inspecteurs. Coup de chance, Chu n'étant pas encore parti déjeuner, Bosch lui donna les noms de Reginald Banks et de Jerry Jimenez pour qu'il les passe au crible des banques de données. Puis il remarqua que le voyant lumineux de son téléphone clignotait et vérifia le message. Il avait raté un appel d'Henrik Jespersen. Il jura et se demanda pourquoi celui-ci n'avait pas essayé de le joindre sur son portable, dont il lui avait donné le numéro dans ses mails.

Il jeta un coup d'œil à la pendule et fit le calcul. Il était 21 heures au Danemark. Henrik ayant laissé le numéro de chez lui dans le message, Bosch l'appela. Il y eut un long silence tandis que l'appel franchissait un continent, puis un océan. Bosch commençait à se demander si l'appel était parti par l'est ou par l'ouest lorsqu'un homme décrocha au bout de deux sonneries.

— Inspecteur Bosch à l'appareil. Police de Los Angeles. C'est bien Henrik Jespersen ?

— Oui, c'est moi, Henrik.

— Je suis désolé de vous rappeler si tard. Pouvons-nous parler quelques minutes ?

— Oui, bien sûr.

— Merci. J'apprécie que vous ayez répondu à mes mails et aurais d'autres questions à vous poser, si ça ne vous gêne pas.

— Je suis heureux de parler maintenant. Je vous prie, allez-y.

— Merci. Je euh… je veux commencer par vous dire, comme je vous l'ai écrit dans mon mail, que l'enquête sur la mort de votre sœur est très prioritaire. Et que j'y travaille activement. Bien que cela remonte à vingt ans, je suis sûr que la mort de votre sœur vous est encore douloureuse aujourd'hui. Je vous présente mes condoléances.

— Merci, inspecteur. Elle était très belle et très excitée pour les choses. Elle me manque fort.

Au fil des ans, Bosch avait parlé avec beaucoup de personnes pleurant des proches suite à des violences. Il l'avait fait trop de fois pour les compter, mais le nombre ne rendait pas les choses plus faciles et son empathie n'avait jamais diminué.

— Qu'est-ce que c'est que vous vouliez me demander ? reprit Jespersen.

— Eh bien, je voulais d'abord vous poser une question sur le post-scriptum dans votre mail. Vous dites qu'Anneke n'était pas en vacances et j'aimerais clarifier ce point si c'est possible.

— C'est vrai, elle n'était pas en vacances.

— En fait, je sais qu'elle n'était pas en vacances quand elle était à L.A. pour couvrir les émeutes pour son journal, mais cela veut-il dire qu'elle n'a jamais été en vacances de tout son séjour aux États-Unis ?

— Elle travaillait tout le temps. Elle avait un article.

Bosch posa un bloc devant lui pour prendre des notes.

— Savez-vous sur quoi il portait ?

— Non, elle me l'a pas dit.

— Bon mais alors, comment se fait-il que vous sachiez que c'était pour travailler qu'elle venait ici ?

— Elle m'a dit qu'elle allait pour un sujet. Elle ne m'a pas dit ce que c'était parce qu'elle était journaliste et gardait ces choses pour elle.

— Son patron ou son rédacteur en chef auraient-ils su de quoi il était question ?

— Je ne pense pas. Elle était free-lance, vous voyez ? Elle vendait des photos et des sujets au *BT*. Des fois, on lui en assignait un, mais pas toujours. Elle faisait ses articles et elle leur disait ce qu'elle avait, vous voyez ?

Le rédacteur en chef d'Anneke étant mentionné dans les rapports de police et dans la presse, Bosch savait qu'il avait un point de départ. Mais il posa quand même la question à Henrik.

— Connaissez-vous par hasard le nom de son rédacteur en chef de l'époque ?

— Oui. Il s'appelait Jannik Frej. Il a parlé à la cérémonie commémorative pour elle. Homme très gentil.

Bosch lui demanda d'épeler les deux mots et si, par hasard, il avait un numéro de téléphone pour Frej.

— Non, je ne l'ai jamais eu. Je suis navré.

— Pas de problème. Je peux l'obtenir. Bon, et maintenant, pouvez-vous me dire quand vous avez parlé avec votre sœur pour la dernière fois ?

— Oui. C'était le jour avant qu'elle parte pour l'Amérique. Je la vis.

— Et elle ne vous a rien dit du sujet qu'elle travaillait ?

— Je n'ai pas demandé et elle n'a pas proposé.

— Mais vous saviez qu'elle venait ici, n'est-ce pas ? Vous étiez là pour lui dire au revoir.

— Oui, et pour lui donner les renseignements d'hôtel.

— De quels renseignements s'agit-il ?

— Je travaille maintenant trente ans dans l'hôtellerie. À l'époque, je faisais ses réservations d'hôtel pour Anneke quand elle voyageait.

— Ce n'était pas le journal ?

— Non, elle était free-lance et pouvait trouver mieux à travers moi. Je lui arrangeais toujours son voyage. Même avec les guerres. Il n'y avait pas l'Internet à l'époque, vous voyez ? Il était plus difficile de trouver les endroits pour rester. Elle avait besoin que je le fais.

— Je vois. Vous rappelez-vous les endroits où elle est descendue pendant son séjour aux États-Unis ? Elle est restée ici plusieurs jours avant les émeutes. Où est-elle allée en dehors de New York et de San Francisco ?

— Il faut que je vois si je sais.

— Pardon ?

— J'aurai à aller à mon débarras pour les archives. Je gardais beaucoup de choses de cette époque… à cause de ce qui arriva. Je regarderai. Je peux me souvenir qu'elle n'est pas allée à New York.

— Elle n'a fait qu'y atterrir ?

— Oui, et a pris correspondance pour Atlanta.

— Qu'y avait-il à Atlanta ?

— Ça, je sais pas.

— D'accord. Quand pensez-vous pouvoir aller à votre débarras, Henrik ?

Bosch voulait le presser, mais pas trop.

— Je ne suis pas sûr. C'est loin d'ici. Il faudra que je prends du temps hors de mon travail.

— Je comprends, Henrik. Mais ça pourrait beaucoup m'aider. Pourrez-vous m'envoyer un mail ou me rappeler dès que vous aurez vérifié ?

— Oui, bien sûr.

Bosch regarda son bloc-notes et essaya de penser à d'autres questions.

— Henrik, reprit-il, où était votre sœur avant de venir aux États-Unis ?

— Elle était ici, à Copenhague.

— Non, je veux dire : où est-elle allée en voyage avant ?

— Elle a été en Allemagne un moment et avant ça à Koweit City pendant un an.

Bosch comprit qu'il parlait de l'opération Tempête du désert. Grâce aux articles publiés sur elle, il savait qu'elle l'avait couverte. Il porta le mot « Allemagne » dans son bloc-notes. C'était quelque chose qu'il ignorait.

— Où en Allemagne, vous le savez ? reprit-il.

— À Stuttgart. Je m'en souviens.

Il nota le renseignement et se dit que c'était tout ce qu'il tirerait d'Henrik avant que celui-ci se rende à son débarras et fouille dans ses archives.

— Vous a-t-elle dit pourquoi elle allait en Allemagne ? Un article ?

— Elle m'a pas dit. Elle m'a dit de lui trouver un hôtel près de la base militaire américaine. Je me rappelle ça.

— Elle ne vous a rien dit d'autre ?

— C'était tout. Je ne comprends pas pourquoi c'est important quand elle a été tuée à Los Angeles.

— Ça ne l'est probablement pas, Henrik. Mais il est parfois bon de jeter un grand filet.

— Qu'est-ce que ça veut dire ?

— Ça veut dire que lorsqu'on pose beaucoup de questions, on obtient beaucoup de renseignements. Tous ne sont pas utiles mais parfois on a de la chance. J'apprécie votre patience et aussi que vous vouliez bien me parler.

— Vous résolvez l'affaire maintenant, inspecteur ?

Bosch prit un instant pour répondre.

— Je m'y donne à fond, Henrik. Et je vous promets que vous serez le premier averti.

*

* *

L'appel à Henrik lui avait redonné de l'énergie, même s'il n'avait pas obtenu tout ce qu'il y avait à obtenir. Il n'arrivait pas à mettre le doigt sur ce qui se passait dans cette affaire, mais les choses avaient bougé. À peine un jour plus tôt il se disait encore que l'enquête n'allait nulle part et qu'il lui faudrait bientôt remballer la boîte d'archives et renvoyer Anneke Jespersen dans les profondeurs du hangar aux affaires non résolues et aux victimes oubliées. Au moins y avait-il maintenant une étincelle. Il y avait du mystère et des fers au feu. Il y avait des questions auxquelles répondre et il était toujours dans la course.

Sa mesure suivante fut de prendre contact avec le rédacteur en chef d'Anneke au *BT*. Il vérifia le nom qu'Henrik lui avait donné – Jannik Frej –, et le compara avec ceux mentionnés dans la presse et les rapports versés au livre du meurtre. Ça ne correspondait pas. Les articles publiés à la suite des émeutes parlaient d'un certain Arne Haagan. La chronologie établie par l'enquêteur donnait elle aussi cet Arne Haagan comme étant le rédacteur en chef avec lequel les inspecteurs du Détachement spécial avaient parlé de Jespersen.

Bosch était incapable d'expliquer cette divergence. Il passa le numéro de téléphone de la salle de rédaction du *BT* sur Google et appela. Il se disait qu'il devait s'y trouver quelqu'un, même tard.

— *Redaktionen, goddag.*

Il avait oublié que la langue lui poserait peut-être un problème. Pas moyen de savoir si la femme qui venait de lui répondre lui disait son nom ou juste deux mots en danois.

— *Nyhedsredaktionen, kan jeg hjælpe ?*

— Euh… allô ? Vous parlez anglais ?

— Un peu. Comment je vous aide ?

Il se référa à ses notes.

— Je cherche Arne Haagan ou Jannik Frej, s'il vous plaît.

Il y eut une légère pause avant que la femme ne lui réponde.

— M. Haagan est mort, oui ?

— Il est mort ? Euh… et M. Frej ?

— Personne ici.

— Euh, quand M. Haagan est-il décédé ?

— Hmm, quittez pas, s'il vous plaît.

Bosch attendit quelque chose comme cinq minutes. Il jeta un coup d'œil autour de lui en attendant et ne tarda pas à voir que le lieutenant O'Toole le regardait par la fenêtre de son bureau. O'Toole fit semblant de tirer un coup de feu, puis il mit les deux pouces en l'air et haussa les sourcils d'un air interrogatif. Bosch comprit qu'il lui demandait s'il s'était qualifié à l'académie. Il lui fit oui des deux pouces et se détourna. Enfin, une voix masculine se fit entendre à l'autre bout du fil. L'homme parlait un anglais impeccable avec un très léger accent.

— Mikkel Bonn à l'appareil. Comment puis-je vous être utile ?

— Je voulais parler avec Arne Haagan, mais la femme qui m'a répondu dit qu'il est mort. C'est vrai ?

— Oui, Arne Haagan est mort il y a quatre ans. Puis-je vous demander pourquoi vous appelez ?

— Je m'appelle Harry Bosch et suis inspecteur de police à Los Angeles. J'enquête sur la mort d'Anneke Jespersen, il y a vingt ans de ça. Cette affaire vous dit-elle quelque chose ?

— Je sais qui c'était. Nous sommes bien connus ici. Arne Haagan était le rédacteur en chef du journal à l'époque. Mais il a pris sa retraite et il est mort.

— Et Jannik Frej ? Il est toujours là ?

— Jannik Frej… non, Jannik n'est pas là.

— Quand est-il parti ? Est-il toujours vivant ?

— Quelques années de cela, il a aussi pris sa retraite. Il est vivant pour ce que je sais.

— Bon. Savez-vous comment je pourrais le joindre ? J'ai besoin de lui parler.

— Je peux essayer de voir si quelqu'un a ses coordonnées. Certains correcteurs pourraient être encore en relation avec lui. Pouvez-vous me dire si le dossier est encore ouvert ? Je suis reporter et j'aimerais bien…

— Ouvert et très actif. J'enquête, mais je ne peux rien vous dire d'autre à part ça. Je commence juste.

— Je vois. Puis-je vous recontacter avec les coordonnées de Jannik Frej ?

— Je préférerais garder la ligne pendant que vous me les trouvez.

Il y eut une pause.

— Je vois. Très bien, je vais essayer de faire vite.

Bosch fut à nouveau prié de ne pas quitter. Cette fois, il ne regarda pas du côté du bureau du lieutenant. Il se retourna, regarda derrière lui et vit que Chu était parti – en pause-déjeuner, probablement.

— Inspecteur Bosch ?

Bonn avait repris la ligne.

— Oui.

— J'ai une adresse mail pour lui.

— Un numéro de téléphone ?

— Nous n'avons pas ça de disponible pour le moment. Je vais continuer à chercher et vous le ferai parvenir. Mais pour l'instant, voulez-vous cette adresse e-mail ?

— Oui, je la veux.

Il la nota et lui donna ses propres adresse mail et numéro de téléphone.

— Bonne chance, inspecteur, lui lança Bonn.

— Merci.

— Vous savez, je n'étais pas ici quand ça s'est passé. Mais il y a dix ans, j'y étais et je me rappelle qu'on a fait un grand sujet sur Anneke et toute l'affaire. Voudriez-vous l'avoir ?

Bosch hésita.

— Ce serait en danois, n'est-ce pas ?

— Oui, mais le Net a plusieurs sites de traduction que vous pourriez utiliser.

Bosch ne fut pas très sûr d'avoir compris ce qu'il voulait dire, mais l'invita à lui envoyer un lien vers l'article. Puis il le remercia de nouveau et raccrocha.

# 9

Bosch s'aperçut qu'il mourait de faim. Il prit l'ascenseur pour descendre dans le hall, sortit par l'entrée principale et traversa l'esplanade. Il avait dans l'idée d'aller se payer un sandwich au rosbeef Chez Philippe, mais son portable sonna avant même qu'il ait pu traverser la 1re Rue. C'était Jordy Gant.

— Harry, on tient déjà votre mec.

— 2 Small ?

— Voilà. Je viens juste de recevoir le coup de fil d'un de mes types. Ils l'ont ramassé alors qu'il sortait d'un McDo dans Normandie Boulevard. Un des gars que j'avais joints à l'appel de ce matin avait sa photo sur son pare-soleil. Et, tiens donc, c'était bien 2 Small !

— Où l'ont-ils emmené ?

— Au 77e. Il est à l'enregistrement à l'heure qu'il est, mais pour le moment ils ne le retiennent que pour son mandat d'amener au juge. Et moi, je me dis que si vous vous dépêchez, vous pourriez arriver là-bas avant qu'il ait pu contacter un avocat.

— Je démarre.

— Qu'est-ce que vous diriez que je vous retrouve là-bas et assiste à l'interrogatoire ?

— À tout de suite, lui renvoya Bosch.

Il ne lui fallut que vingt minutes dans la circulation de la mi-journée pour arriver au commissariat de la 77e Rue. Tout le long du chemin, il pensa à la manière de jouer le coup. Il n'avait rien contre Washburn, hormis une intuition basée sur sa proximité avec la scène de crime. Il n'avait aucune preuve de quoi que ce soit et rien de sûr. Il lui semblait que sa seule chance de réussir était de le berner. De le convaincre qu'il avait quelque chose de solide et de se servir de ce mensonge pour lui soutirer un aveu. Il n'y avait pas plus faiblard comme manière de procéder, surtout avec un suspect qui avait déjà pratiqué, et plus d'une fois, la police, mais c'était tout ce qu'il avait.

Gant l'attendait déjà à la permanence du 77e.

— Je l'ai fait mettre au bureau D. Vous êtes prêt ?

— Je suis prêt.

Bosch aperçut une boîte de doughnuts Krispy Kreme posée sur un comptoir derrière le bureau du lieutenant de patrouille. Elle était ouverte et il n'y avait plus que deux doughnuts dedans, probablement depuis l'appel du matin.

— Hé, ça gênerait quelqu'un que je… ? demanda-t-il en les montrant du doigt.

— Faites-vous plaisir, lui répondit Gant.

Bosch prit un doughnut glacé et en fit quatre bouchées en suivant Gant le long du couloir du fond jusqu'au bureau des inspecteurs.

Ils entrèrent dans l'énorme salle remplie de bureaux, de meubles classeurs et de monceaux de paperasse. Les trois quarts des bureaux étant vides, Bosch se dit que les inspecteurs devaient être en extérieur à travailler sur des affaires ou en pause-déjeuner. Il vit une boîte de mouchoirs en papier sur un des bureaux vides et en prit trois pour essuyer le sucre sur ses doigts.

Un officier de la patrouille était assis devant la porte d'une des deux salles d'interrogatoire. Il se leva lorsque Gant et Bosch s'approchèrent. Gant le présenta. C'était Chris Mercer, le policier qui avait repéré 2 Small Washburn.

— Beau boulot, dit Bosch en lui serrant la main. Vous lui avez fait la lecture ?

Il voulait parler de la lecture de ses droits et protections constitutionnels.

— Ç'a été fait.

— Génial.

— Merci, Chris, dit Gant. On prend la suite.

L'officier feignit de le saluer et se dirigea vers la sortie. Gant regarda Bosch.

— Une façon particulière de procéder qui vous plairait ?

— On a quelque chose contre lui en dehors du mandat d'amener ?

— Juste un petit truc. Il avait quinze grammes d'herbe sur lui.

Bosch fit la grimace. Ça n'était pas grand-chose.

— Il avait aussi six cents dollars en liquide.

Bosch hocha la tête. C'était déjà mieux. Il allait peut-être pouvoir travailler l'angle fric, tout dépendant de la connaissance qu'avait Washburn des dernières lois en vigueur.

— Je vais lui raconter des salades, histoire de voir si je peux l'amener à se compromettre. Je crois que c'est la meilleure approche. L'enfermer dans un truc qui l'obligera à parler pour en sortir.

— OK. Je marche dans la combine, au besoin.

Sur le mur entre les portes des deux salles d'interrogatoire était accrochée une pochette à documents. Bosch y prit un formulaire standard de renoncement aux droits constitutionnels, le plia et le glissa dans la poche intérieure de sa veste.

— Ouvrez-moi, dit-il à Gant. J'y vais le premier.

Gant s'exécutant, Bosch entra dans la salle avec une mine des plus sombres. Washburn était assis à une petite table, les poignets attachés au dos de sa chaise par des liens en plastique. Comme annoncé, l'homme n'était pas grand et portait des vêtements baggy pour tenter de cacher sa petite taille. Sur la table était posé un sachet plastique d'éléments de preuve contenant ce qu'on avait trouvé sur lui au moment de son arrestation. Bosch prit la chaise juste en face de lui. Gant tira la troisième vers la porte et s'y assit comme s'il gardait la sortie. Il n'était qu'à quelques dizaines de centimètres de l'épaule gauche de Bosch.

Celui-ci souleva le sachet et en examina le contenu. Un portefeuille, un téléphone portable, un jeu de clés, la liasse de billets et le sachet en plastique avec les quinze grammes d'herbe à l'intérieur.

— Charles Washburn, lança-t-il. « 2 Small », comme on t'appelle, c'est bien ça ? 2 Small avec *two* comme « deux ». Astucieux. C'est toi qu'as trouvé ça ?

Il leva le nez du sachet pour regarder Washburn, qui garda le silence. Il baissa de nouveau les yeux sur le sachet et hocha la tête.

— Bon alors, on a un gros problème, 2 Small. Et tu sais ce que c'est ?

— Rien à branler.

— Bon d'accord, mais..., tu sais ce que je ne vois pas dans ce sachet ?

— Rien à battre.

— Je ne vois ni pipe ni même papier à rouler. Et t'as une grosse liasse de fric avec l'herbe là-dedans. Tu sais à quoi ça nous mène, tout ça, dis ?

— Ça nous mène à ce que tu m'laisses appeler mon avocat. Et te casse pas l'cul à m'causer parce que j'ai rien à te dire. Apporte-moi le bigo, juste ça, que j'appelle mon mec.

À travers le plastique, Bosch appuya sur le gros bouton du portable, l'écran s'allumant aussitôt. Comme il fallait s'y attendre, l'appareil était protégé par un mot de passe.

— Oops, faut un mot de passe, reprit Bosch en levant le portable pour que Washburn le voie. Donne-le-moi et je t'appelle ton avocat.

— Te donne pas cette peine. Ramène-moi en cellule et je m'servirai du téléphone public à l'intérieur.

— Pourquoi tu veux pas te servir de celui-là ? Je suis sûr que t'y as ton mec en favori, non ?

— Parce que c'est pas le mien et que je sais pas le mot de passe.

Bosch savait que l'appareil contenait sans doute des informations et des listes de contacts qui risquaient de causer encore plus d'ennuis à Washburn. 2 Small n'avait pas d'autre choix que celui de nier en être propriétaire, même si c'était complètement risible.

— Vraiment ? C'est pas un peu bizarre, ça ? Il sort quand même de ta poche… Avec l'herbe et le pognon.

— C'est vous qui me l'avez collé dans la poche. Je veux appeler un avocat.

Bosch hocha la tête et se tourna vers Gant pour lui parler. Il jouait un jeu dangereux avec la Constitution.

— Vous savez ce que ça veut dire, Jordy ?

— Non, dites-moi.

— Ça veut dire que ce type avait de la drogue dans une poche et une liasse de fric dans l'autre. Non, parce que ne pas avoir de pipe, c'est une erreur. Parce que quand on n'a pas sur soi l'instrument propre à consommer, la loi dit qu'il y a « possession en vue de revente ». Et ça, ça nous fait passer au crime caractérisé. Ce que son avocat lui dira très probablement.

— Qu'est-ce que tu racontes, mec ?! s'écria Washburn. Y a même pas vingt grammes là d'dans ! Je vends pas et tu le sais, bordel !

Bosch le regarda.

— C'est à moi que tu parles ? demanda-t-il. Non, parce que tu viens de me dire que tu voulais un avocat et moi, quand on me dit ça, faut que j'la ferme. Tu veux donc me parler maintenant ?

— Tout c'que j'dis, c'est que j'vends que dalle.

— Bon mais… tu veux me parler ?

— Oui, je vais te parler pour arrêter ces conneries.

— Bon, ben, faut faire ça dans les règles.

Bosch sortit le formulaire de renoncement aux droits constitutionnels de la poche de sa veste et le fit signer à Washburn. Il doutait fort que son petit jeu tienne la route si la Cour suprême y regardait de plus près, mais il ne pensait pas non plus qu'on en arriverait là.

— OK, 2 Small, parlons donc, reprit-il. Tout ce que je sais, c'est ce qu'il y a dans ce sachet. Et moi, ça me dit que tu deales et que c'est ça qu'il faudra te mettre comme chef d'accusation.

Il vit Washburn bander les muscles de ses maigres épaules et baisser la tête. Il consulta sa montre.

— Mais t'inquiète pas trop pour ça, 2 Small, enchaîna-t-il. Parce que l'herbe, c'est le cadet de nos soucis. C'est juste quelque chose qui va me permettre de te garder ici, vu qu'un type qui paie pas sa pension alimentaire pour son gamin doit pas avoir assez de fric pour régler une caution de 25 000 dollars.

Il leva de nouveau le sachet d'herbe en l'air et ajouta :

— Ça te retiendra ici pendant que je bosse à l'autre truc que j'ai à régler.

Washburn releva la tête.

— C'est des conneries, oui. Je vais sortir d'ici, moi. Je connais des gens.

— Peut-être, mais les gens ont tendance à disparaître quand il s'agit de cracher au bassinet.

Puis il se tourna vers Gant et lui demanda :

— Vous avez pas remarqué, Jordy ?

— Oh que si ! Les gens, ils semblent tous se volatiliser, surtout quand ils savent qu'y a un frère qu'est en train de tomber. Ils se disent : « Quoi ? Me casser la nénette à payer une caution si le frangin, il va jamais aller ailleurs qu'en taule ? »

Bosch acquiesça d'un signe de tête et se retourna vers Washburn.

— C'est quoi, le truc ? s'écria celui-ci. Pourquoi que tu me cherches, mec ? Qu'est-ce que j'ai fait ?

Bosch fit pianoter ses doigts sur la table.

— Bon alors, que je te dise, 2 Small. Je travaille en centre-ville et c'est pas moi qui me taperais tout le trajet pour venir ici faire suer un type pour 10 grammes de beuh. Parce que moi, c'est les homicides que je travaille. Les cold cases. Tu sais ce que ça veut dire ? Ça veut dire les affaires d'il y a longtemps. Très longtemps. Des fois, jusqu'à y a vingt ans de ça.

Bosch regarda s'il réagissait, mais ne vit aucun changement dans son attitude.

— Comme celle dont on va causer, précisa-t-il.

— Je sais rien de rien sur un homicide. T'as pas la bonne ordure, mec.

— Ah bon ? Vraiment ? C'est pas ce que j'ai entendu dire. Sinon, faut croire qu'y a des gens qui racontent que des conneries sur ton compte.

— C'est juste. Alors laisse-les tomber, ces conneries.

Bosch se radossa à sa chaise comme s'il envisageait de suivre le conseil, mais finit par hocher une fois la tête.

— Non, dit-il, j'peux pas faire ça. J'ai un témoin, Charles. Un témoin auriculaire, en fait… tu sais ce que c'est ?

— Moi, tout c'que j'sais, c'est que tu débloques à mort, répondit Washburn en se détournant.

— J'ai un témoin qui t'a entendu reconnaître ce crime, mec. Elle m'a dit ce que t'avais dit. Tu jouais les gros bras et tu lui as raconté comment t'avais collé c'te salope de Blanche contre le mur avant de la flinguer. Elle m'a dit que t'en étais même sacrément fier parce que ça allait te faire entrer direct chez les Sixties.

Washburn essaya de se lever, mais ses liens l'obligèrent à se rasseoir.

— « Une salope de Blanche » ? répéta-t-il. Mais qu'est-ce que tu racontes, mec ? C'est de Latitia que tu causes ? Elle dit que des conneries. Elle essaie juste de m'faire chier parce que j'l'ai pas payée depuis quatre mois. C'te pute de menteuse dit n'importe quoi.

Bosch posa les coudes sur la table et s'approcha de Washburn.

— Ouais bon, je dis pas le nom de mes informateurs, moi. Mais ce que je peux te dire, c'est que t'as un gros problème. Parce que j'ai un peu vérifié ce qu'on m'a dit et il se trouve qu'en 1992, une Blanche a bien été assassinée dans la ruelle juste derrière chez toi. Et ça, c'est pas des conneries inventées.

Une lueur de reconnaissance brilla dans les yeux de Washburn.

— Tu veux parler de c'te pute de journaliste pendant les émeutes ? Non, mec, ça, tu vas pas me le mettre sur le dos ! Je suis clean et tu peux dire à ton témoin que si elle continue à mentir, va y arriver des bricoles.

— Charles, je suis pas très sûr que ce soit une bonne idée de menacer des témoins devant deux représentants des forces de l'ordre. Parce que si jamais il arrivait quelque chose à Latitia, qu'elle soit témoin ou pas, tu serais la première personne qu'on irait chercher, tu comprends ?

Washburn garda le silence et Bosch poussa les feux.

— En fait, des témoins, j'en ai plus qu'un, Charles. J'ai quelqu'un d'autre du quartier qui m'a dit que t'avais un flingue à l'époque. Un Beretta, en fait, même que c'est justement l'arme qu'a tué cette femme dans la ruelle.

— Ce flingue-là ? Je l'ai trouvé dans ma cour de derrière, mec !

On y était. Washburn venait de reconnaître quelque chose. Mais l'explication était plausible. Elle semblait trop authentique et spontanée pour être inventée. Bosch n'eut d'autre choix que de continuer dans cette direction.

— « Dans ta cour » ? répéta-t-il. Et tu veux que je te croie quand tu me dis l'avoir trouvée dans ta cour ?

— Écoute, mec, j'avais seize ans. Ma mère voulait même pas que je sorte pendant les émeutes. Elle m'avait mis un cadenas sur la porte de ma chambre et y avait des barreaux à ma fenêtre. Elle m'y a collé et m'y a enfermé à clé, mec. T'as qu'à aller vérifier avec elle.

— Et… quand as-tu trouvé ce flingue ?

— Quand tout a été fini, mec. Complètement fini. Je suis sorti derrière et il était là, dans l'herbe quand j'ai tondu la pelouse. Je savais pas d'où il sortait. J'ai même pas su pour ce meurtre avant que ma mère, elle me dise qu'y avait des flics qu'avaient frappé à la porte.

— Et cette arme, t'en as parlé à ta mère ?

— Ben non, putain ! Comme si j'allais y causer d'un flingue ! Et à c'moment-là en plus !

Bosch décocha un regard furtif à Gant par-dessus son épaule. Il n'était plus tout à fait sur son terrain. L'histoire de Washburn avait tout le désespoir et les détails de la vérité. Celui ou celle qui avait abattu Jespersen pouvait très bien avoir jeté l'arme du crime par-dessus la palissade pour s'en débarrasser.

Gant comprit le coup d'œil et se leva. Il tira sa chaise à côté de celle de Bosch. Il jouait au même niveau que lui maintenant.

— Charles, t'as vraiment un gros gros problème, lança-t-il d'un ton qui disait bien tout le sérieux de la situation. Tu te doutes bien qu'on en sait plus là-dessus que tu pourras jamais en savoir. Mais tu peux encore te sortir de ce trou si t'arrêtes de nous raconter des salades. Et si tu mens, on le saura tout de suite.

— D'accord, dit Washburn, soudain docile. Faut que je dise quoi ?

— Faut que tu nous dises ce que t'as fait de cette arme y a vingt ans de ça.

— Je l'ai donnée. Au début, je l'ai cachée et après, je l'ai donnée.

— À qui ?

— À un type que je connaissais, mais il est mort maintenant.

— Je ne vais pas te le redemander, Charles. À qui ?

— Il s'appelait Trumond, mais j'ai jamais su si c'était son vrai nom ou pas. Dehors, on l'appelait Tru Story.

— C'est un surnom ? C'était quoi, son nom de famille ?

Gant appliquait la technique d'interrogatoire standard qui consiste à poser des questions dont on connaît déjà la réponse. Cela permet d'évaluer la sincérité du sujet et donne même parfois un avantage stratégique lorsque ce dernier pense que celui qui l'interroge en sait moins qu'il ne s'imagine.

— Je sais pas, mec, reprit Washburn. Mais il est mort maintenant. Il s'est fait buter y a quelques années de ça.

— Qui l'a buté ?

— Je sais pas. Il était de la rue. Quelqu'un a dû l'abattre, tu vois ? Ça arrive.

Gant se radossa au dossier de sa chaise, signal que Bosch devait reprendre la main s'il le désirait.

Il le fit.

— Parle-moi de ce flingue, dit-il.

— C'était comme tu dis : un Beretta. Noir.

— Où exactement l'as-tu trouvé dans ta cour ?

— Je sais pas, moi, près des balançoires. Il était juste là, dans l'herbe, mec. Je l'avais pas vu et quand je suis passé dessus avec la tondeuse, ça y a foutu une grosse rayure en travers.

— Où ça ?

— Juste en bas, sur le côté du canon.

Bosch savait que cette rayure pourrait identifier l'arme si jamais elle était retrouvée. Plus important, elle permettrait de confirmer l'histoire de Washburn.

— Il marchait encore ?

— Oh oui, qu'il marchait ! Il marchait super. J'ai tiré tout de suite avec et j'ai collé une balle dans un des piquets de la palissade. Même que ça m'a surpris : j'avais à peine appuyé sur la détente.

— Ta mère a entendu le coup de feu ?

— Oui, elle est sortie, mais j'avais déjà mis le flingue dans mon pantalon sous ma chemise. J'y ai dit que c'était un raté de la tondeuse.

Bosch se posa des questions sur la balle dans le poteau. Si elle y était encore, cela ne ferait que corroborer encore plus son histoire. Il passa à autre chose.

— Bon d'accord, dit-il. Tu nous dis donc que ta mère t'a enfermé à clé dans ta chambre pendant les émeutes, c'est ça ?

— C'est ça.

— OK, alors quand as-tu trouvé le Beretta ? Les émeutes ont pris fin en gros au bout de trois jours. La nuit du 1er mai a été la dernière. Tu te rappelles quand tu as trouvé ce flingue ?

Washburn hocha la tête comme si tout ça l'agaçait.

— Y a bien trop longtemps, mec. Je peux pas me rappeler le jour. Je me rappelle que j'ai trouvé le flingue et c'est tout.

— Pourquoi l'as-tu donné à Tru Story ?

— Parce que c'était le boss de la rue. C'est pour ça que j'y ai filé.

— Tu veux dire que c'était un boss des Rolling Sixties Crips, correct ?

— Oui, cor-rect !

Prononcé comme un Blanc, pour se moquer. Il était clair qu'il voulait parler à Gant et pas du tout à Bosch. Celui-ci se tourna vers Gant, qui reprit le commandement des opérations.

— T'as dit Trumond. C'est bien Trumont avec un T que tu voulais dire, pas vrai ? Trumont Story ?

— Faut croire. Je le connaissais pas si bien que ça.

— Alors, pourquoi lui as-tu passé le flingue ?

— Parce que j'avais envie de le connaître. Je voulais monter dans la hiérarchie, tu vois ?

— Et t'es monté ?

— Pas vraiment. Je me suis fait serrer et j'ai été envoyé en prison pour délinquants juvéniles là-haut à Sylmar. J'y suis resté presque deux ans. Après ça, j'avais comme qui dirait loupé ma chance.

Un des plus grands centres de détention pour délinquants juvéniles se trouvait effectivement à Sylmar, dans les banlieues nord de la San Fernando Valley. Les tribunaux pour enfants envoyaient souvent les jeunes criminels dans des centres très éloignés de leurs quartiers de résidence dans l'espoir de briser les liens qu'ils avaient avec les gangs.

— As-tu jamais revu cette arme ? reprit Gant.

— Nan, jamais.

— Et Tru Story ? demanda Bosch. Tu l'as revu ?

— Je le voyais dans la rue, mais on n'a jamais été ensemble. On se parlait jamais.

Bosch attendit un peu de voir s'il allait ajouter quelque chose, mais il n'en fit rien.

— Bon, 2 Small, bouge pas.

Il tapa sur l'épaule de Gant en se levant. Les deux inspecteurs quittèrent la salle d'interrogatoire, fermèrent la porte et se mirent à discuter dehors. Gant haussa les épaules et parla le premier.

— Ça se tient, dit-il.

Bosch acquiesça à contrecœur. Ce que racontait Washburn avait tous les accents de la vérité. Mais ce n'étaient pas les accents qui comptaient. Washburn avait reconnu avoir trouvé une arme dans sa cour. C'était très probablement celle que cherchait Bosch, mais il n'y avait rien pour le prouver, de même qu'il n'y avait rien pour prouver que l'implication de 2 Small Washburn dans le meurtre d'Anneke Jespersen allait plus loin que ce qu'il venait de reconnaître.

— Qu'est-ce que vous voulez faire de ce mec ? lui demanda Gant.

— J'en ai fini avec lui. Coffrez-le pour le défaut de pension et pour l'herbe, mais faites-lui bien savoir que ce n'est ni Latitia ni personne d'autre qui nous a parlé.

— Ce sera fait. Désolé que ça n'ait pas marché, Harry.

— Ouais, je me disais...

— Quoi ?

— Pour Trumont Story... Et s'il ne s'était pas fait buter avec son arme ?

Gant se gratta le menton.

— Ça remonte à presque trois ans.

— Oui, je sais. C'est pas gagné. Mais y a un hiatus de cinq ans là-dedans, hiatus pendant lequel Story était à Pelican Bay et où personne ne s'est servi de l'arme. Elle est restée cachée.

Gant acquiesça d'un hochement de tête.

— Il habitait dans la 73e Rue. Il y a environ un an de ça, j'ai eu l'occasion de me trouver dans ce quartier pour un truc de relations publiques qu'on travaillait. J'ai frappé à la porte et sa petite mama y habitait encore.

Bosch acquiesça à son tour.

— L'équipe qui a hérité de ce meurtre... vous savez s'ils ont jamais vérifié cette maison ?

Gant fit non de la tête.

— Non, je ne sais pas, Harry, mais je dirais que ç'a pas dû être très sérieux. Pas sans mandat, je veux dire. Mais je peux me renseigner.

Bosch acquiesça et repartit vers la porte de la salle des inspecteurs.

— Faites-le-moi savoir, dit-il. S'ils n'ont pas tout vérifié, peut-être que j'irai y faire un tour.

— Ça pourrait valoir le coup. Mais faut pas oublier que la petite mama de Story, c'était une fille de gang super dure. Elle pourrait même être tout en haut de la pyramide si elle en avait. C'est une dure.

Bosch réfléchit un instant.

— On pourrait peut-être faire en sorte que ça nous serve, dit-il. Je ne sais pas si on va en avoir assez pour les papelards.

C'était de la nécessité d'avoir une cause probable afin d'obtenir un mandat de perquisition pour l'ancienne maison de Trumont Story trois ans après sa mort qu'il parlait. La meilleure façon d'y entrer était d'obtenir un mandat signé par un juge. Ou d'y être invité. Et en jouant le coup comme il faut, il arrivait que l'invitation la plus improbable soit offerte par l'individu le plus invraisemblable.

— Je vais travailler un scénario, Harry, dit Gant.

— OK, tenez-moi au courant.

# 10

Chu travaillait sur Word à l'ordinateur lorsque Bosch réintégra la salle des inspecteurs.

— C'est quoi, ça ? demanda-t-il.

— La lettre pour la conditionnelle de Clancy.

Bosch acquiesça d'un signe de tête. Il était content que Chu s'en soit chargé. La police était toujours avisée lorsqu'un assassin qu'elle avait réussi à faire condamner présentait une demande de libération conditionnelle. Ce n'était pas obligatoire, mais les inspecteurs qui avaient travaillé l'affaire étaient invités à envoyer des avis négatifs ou positifs au bureau des libérations. Leur charge de travail les empêchait souvent de le faire, mais Bosch insistait beaucoup sur ce point. Il aimait écrire des lettres où la brutalité du meurtre était décrite en détail, son espoir étant que l'horreur du crime aide à faire pencher le Bureau des conditionnelles vers le refus de libération. Il essayait de transmettre cette habitude à son coéquipier et lui avait confié la tâche de montrer qu'en poignardant sa victime Clancy avait commis un crime à caractère sexuel particulièrement odieux.

— Je devrais pouvoir te donner quelque chose à lire demain, dit Chu.

— Parfait. As-tu passé les noms que je t'ai donnés à l'ordinateur ?

— Oui, mais y a pas grand-chose. Jimenez est clean et Banks n'a qu'une condamnation pour conduite en état d'ivresse à son actif.

— Tu es sûr ?

— C'est tout ce que j'ai trouvé, Harry. Désolé.

Déçu, Bosch tira son fauteuil à lui et s'assit à son bureau. Il ne s'attendait certes pas à ce que le mystère Alex White soit résolu sur-le-champ, mais il espérait avoir plus qu'une condamnation pour conduite en état d'ivresse. Il voulait quelque chose à se mettre sous la dent.

— Et merci quand même, reprit Chu.

Bosch se tourna vers lui, sa déception se muant en agacement.

— Écoute, dit-il, si tu veux qu'on te remercie chaque fois que tu te contentes de faire ton boulot, tu t'es gouré de carrière.

Chu ne réagit pas. Bosch alluma son ordinateur et tomba sur un mail de Mikkel Bonn du *Berlingske Tidende.* Il était arrivé presque une heure plus tôt.

*Inspecteur Bosch : J'ai enquêté plus à fond. Jannik Frej était le rédacteur en chef d'Anneke Jespersen parce qu'il était responsable des projets free-lance. M. Frej n'a pas parlé directement aux reporters et aux enquêteurs de Los Angeles parce que sa connaissance de l'anglais n'était pas à la hauteur. C'est Arne*

*Haagan qui leur a parlé parce que sa connaissance de l'anglais était très bonne et qu'il était le rédacteur en chef du journal.*

*J'ai établi le contact avec M. Frej, mais son anglais n'est pas bon. Je vous offre mes services d'intermédiaire si vous avez des questions à lui poser. Si ça peut vous aider, je serai heureux de le faire. Faites-moi seulement savoir votre réponse.*

Bosch réfléchit à la question. Il savait que derrière l'offre d'aide apparemment innocente de Bonn se cachait un sous-entendu de renvoi d'ascenseur. Bonn était journaliste et donc toujours à la recherche d'un sujet. Sans compter qu'à se servir de lui, Bosch lui donnerait des infos qui risquaient de revêtir une importance vitale pour l'enquête. Se retrouver dans cette position n'était pas agréable, mais il sentait bien qu'il y avait besoin de ne pas perdre son élan. Il se mit à taper sa réponse.

*Monsieur Bonn, Je suis prêt à accepter votre offre si vous me promettez que les renseignements que M. Frej me fournira resteront confidentiels jusqu'à ce que je vous autorise à les révéler dans un article. Si cela vous agrée, voici ce que j'aimerais savoir :*

*Savez-vous si Anneke Jespersen allait aux États-Unis pour des recherches sur un sujet particulier ?*

*Si oui, lequel ? Que faisait-elle ici ?*

*Que pouvez-vous me dire des endroits où elle voulait aller ? Elle s'est rendue à Atlanta et à San Francisco avant de venir à Los Angeles. Pourquoi ?*

*Savez-vous si elle s'est rendue dans d'autres régions des États-Unis ?*

*Avant de venir aux États-Unis, elle est allée à Stuttgart et y est descendue dans un hôtel proche de la base américaine. Savez-vous pourquoi ?*

*Je pense que cela ferait un bon commencement et j'apprécierais beaucoup tous les renseignements que vous pourriez obtenir et me donner sur le voyage d'Anneke aux États-Unis. Je vous remercie de votre aide et, une fois encore, vous prie de garder ces renseignements confidentiels.*

Bosch relut son mail avant de l'envoyer. Puis il cliqua sur la touche *Envoi* et regretta aussitôt d'impliquer ainsi Bonn dans l'enquête. Bonn… Un journaliste qu'il n'avait jamais rencontré et avec lequel il ne s'était entretenu qu'une fois.

Il se détourna de son écran et consulta la pendule. Il était presque 16 heures, soit environ 19 heures à Tampa. Il ouvrit le livre du meurtre et trouva le numéro de téléphone de Gary Harrod qu'il avait noté sur le rabat. Maintenant à la retraite, celui-ci avait dirigé l'enquête sur l'affaire Jespersen pour le compte du Détachement spécial en 1992. Bosch lui avait parlé lorsqu'il avait rouvert le dossier. À l'époque, il n'y avait pas grand-chose à demander, mais la situation avait changé.

Il ne savait pas trop si le numéro qu'il avait était celui de son portable ou de son fixe chez lui ou à son bureau[1]. Harrod était encore jeune lorsqu'il avait pris sa retraite

1. Les portables américains n'ont pas d'indicatif particulier.

au bout de vingt ans de service. Il avait alors déménagé en Floride, d'où sa femme était originaire, et dirigeait maintenant une agence immobilière florissante.

— Gary à l'appareil.

— Ah, heu… Gary ? c'est Harry Bosch à Los Angeles. Vous vous rappelez qu'on a parlé de l'affaire Jespersen il y a un mois de ça ?

— Bien sûr, Bosch. Évidemment.

— Vous avez deux ou trois minutes ou vous êtes en train de dîner ?

— On ne dînera pas avant une demi-heure. D'ici là, je suis tout à vous. Ne me dites pas que vous avez déjà résolu l'affaire Blanche-Neige !

Lors de leur premier entretien téléphonique, Bosch lui avait dit que c'était son coéquipier qui lui avait donné ce surnom le soir du meurtre.

— Pas tout à fait, non. Je suis toujours à chercher des trucs. Mais deux ou trois choses ont refait surface et j'aimerais bien vous poser des questions les concernant.

— Allez-y. Balancez la sauce.

— Bien, le premier, c'est le journal pour lequel elle travaillait. Est-ce vous qui avez pris contact avec les gens au Danemark ?

S'ensuivit une longue pause tandis qu'Harold sondait ses souvenirs de l'affaire. Bosch n'avait jamais travaillé directement avec lui, mais avait entendu parler de lui à l'époque où il était dans la police. Côté enquêtes, Harrod jouissait d'une solide réputation. C'était la raison pour laquelle Bosch l'avait choisi parmi tous ceux qui avaient eu à voir avec l'affaire à ses tout débuts. Il savait qu'Harrod l'aiderait s'il le pouvait et qu'il ne garderait aucun renseignement pour lui.

Lorsqu'il s'agissait d'un cold case, Bosch se donnait toujours la peine d'entrer en contact avec les premiers inspecteurs ayant enquêté sur l'affaire. Il était surprenant de voir combien d'entre eux, encore pleins de fierté professionnelle, renâclaient à aider quiconque tentait de résoudre une affaire qui les avait tenus en échec.

Harrod n'était pas de ceux-là. Lors de leur premier entretien, il lui avait tout dit de la culpabilité qu'il avait éprouvée de ne pouvoir résoudre non seulement l'affaire Jespersen, mais nombre d'autres meurtres liés aux émeutes. À l'entendre, le Détachement spécial avait croulé sous trop d'affaires pour lesquelles il n'y avait pas assez d'éléments de preuve permettant de poursuivre l'enquête. Comme l'affaire Jespersen, la plupart des enquêtes du Détachement partaient d'analyses de scènes de crime incomplètes, voire quasi inexistantes. Et ce manque de preuves de médecine légale était paralysant.

« Dans les trois quarts des cas, lui avait-il dit, on ne savait pas par où commencer. On fonçait partout dans le noir. Alors on montait des panneaux et on offrait des récompenses, et c'est essentiellement à partir de ça qu'on travaillait. Mais on ne récoltait pas grand-chose et on finissait par ne rien découvrir de neuf. Je ne me rappelle aucune affaire qu'on aurait résolue. C'était incroyablement frustrant. C'est une des raisons pour lesquelles j'ai rendu mon tablier au bout de vingt ans. Il fallait que je m'éloigne de L.A. »

Bosch ne pouvait s'empêcher de penser que la ville et sa police y avaient perdu un homme de valeur. Il espéra qu'Harrod trouve quelque consolation à le voir résoudre l'affaire.

— Je me rappelle avoir parlé avec quelqu'un de là-bas, reprit Harrod. Ce n'était pas son patron direct, parce que celui-ci ne parlait pas anglais. C'était donc plutôt un genre de superviseur et il ne m'a donné que des renseignements d'ordre général. Je me rappelle qu'on avait un flic en tenue de Devonshire qui parlait la langue… le danois… et on s'est servi de lui pour passer quelques coups de fil là-bas.

Voilà qui était nouveau. Dans le livre du meurtre, Bosch n'avait vu aucun procès-verbal mentionnant un quelconque coup de téléphone passé à quelqu'un d'autre qu'Arne Haagan, le rédacteur en chef du journal.

— Qui a été interrogé, vous vous en souvenez ?

— Je crois que c'était juste d'autres membres du personnel du journal, et des membres de leurs familles peut-être aussi.

— Son frère ?

— Peut-être, mais je ne m'en souviens pas, Harry. Ça remonte à vingt ans et je vivais une autre vie à l'époque.

— Je comprends. Vous rappelez-vous qui était le flic de la division de Devonshire dont vous vous êtes servis pour passer ces appels ?

— C'est pas dans le dossier ?

— Non, y a rien sur des coups de fil en danois. C'était juste un gars de la patrouille ?

— Oui, un type qui était né là-bas, mais qui avait grandi ici et parlait la langue. Je ne me rappelle plus son nom. C'est le service du personnel qui nous l'avait trouvé. Mais écoutez… s'il n'y a rien au dossier, c'est que ça n'a pas mené à grand-chose, Harry. Sans ça, je l'y aurais mis.

Bosch acquiesça. Il savait qu'Harrod avait raison. Mais ça l'agaçait toujours quand il entendait parler d'une mesure qui n'avait pas été consignée dans le rapport officiel, à savoir le livre du meurtre.

— OK, Gary, dit-il, je vous laisse. Je voulais juste vérifier ça avec vous.

— Vous êtes sûr ? C'est tout ce que vous vouliez ? Depuis que vous m'avez appelé, je n'arrête pas de repenser à cette affaire. À celle-là et à une autre qui me reste en travers de la gorge, vous voyez.

— Une autre ? Laquelle ? Je pourrais peut-être y jeter un coup d'œil si personne ne l'a encore fait !

Harrod marqua une deuxième pause tandis que ses souvenirs passaient de la première à la deuxième affaire.

— Je ne me rappelle plus le nom, reprit-il. C'était un gars de là-haut, à Pacoima. Il était originaire de l'Utah et était descendu dans un motel de merde. Il faisait partie d'une équipe d'ouvriers du bâtiment qui se baladaient dans tout l'ouest du pays pour construire des supérettes. Il était carreleur, ça, je m'en souviens.

— Qu'est-ce qui s'est passé ?

— On ne l'a jamais su. Il a été retrouvé tué d'une balle dans la tête en plein milieu de la rue, à quelques dizaines de mètres de son motel. Je me souviens que la télé était allumée dans sa chambre. Il devait la regarder. Vous savez bien… avec la ville qui tombait en morceaux comme ça… Toujours est-il que pour une raison ou pour une autre, il est allé voir dehors. C'est même ça qui m'a toujours tracassé dans cette affaire.

— Quoi ? Qu'il soit sorti pour aller voir ?

— Oui, qu'il soit sorti. Pourquoi ? La ville était en feu. On ne respectait plus aucune règle, c'était l'anarchie, rien d'autre, et il aurait quitté un lieu sûr pour aller voir ? Pour ce qu'on en sait, un type est passé devant lui en voiture et l'a flingué. Pas de témoins, pas de mobile, pas d'éléments de preuve. J'étais un gros perdant le jour où j'ai hérité de l'affaire et je l'ai su tout de suite. Je me rappelle avoir parlé avec ses parents au téléphone. Ils habitaient à Salt Lake City. Ils n'arrivaient pas à comprendre comment ç'avait pu arriver à leur fils. À leurs yeux, c'était comme s'il s'était rendu sur une autre planète en allant à L.A. Ça les dépassait.

— Eh ouais, dit Bosch.

Il n'y avait rien d'autre à dire.

— Bref, enchaîna Harrod en évacuant ce souvenir. Vaudrait mieux que j'aille faire un brin de toilette. Ce soir, ma femme me fait des pâtes.

— Programme sympa, Gary ! Merci pour le coup de main.

— Quel coup de main ?

— Vous m'avez aidé. Faites-moi savoir s'il vous revient autre chose.

— Entendu.

Bosch raccrocha et tenta de voir s'il connaissait quelqu'un qui aurait travaillé à Devonshire vingt ans plus tôt. À l'époque, c'était le secteur le plus calme, alors même que, géographiquement parlant, c'était le plus étendu de L.A. – il couvrait tout le nord-ouest de la ville dans la San Fernando Valley. Cette division avait droit au surnom de Club Dev, parce que le commissariat y était tout neuf et la charge de travail plus que légère.

Bosch se rendit alors compte que Larry Gandle, un ancien lieutenant de l'unité des Affaires non résolues, avait passé un certain temps à Devonshire dans les années 90 et savait peut-être qui était cet officier de la patrouille qui parlait danois. Gandle était maintenant le patron des Vols et Homicides.

Son appel fut transféré dans l'instant. Bosch expliqua et ce qu'il cherchait et qui il cherchait, Gandle lui donnant aussitôt la mauvaise nouvelle.

— Oui, c'est de Magnus Vestergaard que tu parles, mais ça fait maintenant plus de dix ans qu'il est mort. Accident de moto.

— Merde.

— Pourquoi avais-tu besoin de lui ?

— Il avait traduit des trucs en danois dans une affaire à laquelle je travaille. Je voulais voir s'il se rappelait quelque chose qui n'aurait pas été versé au dossier.

— Je suis désolé, Harry.

— Oui… moi aussi.

*

* *

Il venait à peine de raccrocher et avait encore le téléphone à la main lorsque celui-ci sonna. O'Toole.

— Inspecteur, pouvez-vous passer à mon bureau ?

— Bien sûr.

Bosch éteignit son ordinateur et se leva. Se faire appeler au bureau d'O'Toole n'était pas bon signe. Il sentit des regards le suivre à travers toute la salle tandis qu'il rejoignait le bureau d'angle. La lumière y était forte. Les fenêtres à jalousies donnant sur la salle étaient ouvertes, de même que celles avec vue sur le Los Angeles Times Building. Le lieutenant précédent les tenait toujours fermées de peur que des journalistes ne l'épient.

— Qu'y a-t-il, lieute ? demanda Bosch.

— J'ai quelque chose dont j'aimerais que vous vous occupiez.

— Que voulez-vous dire ?

— Une affaire. J'ai reçu un appel d'un analyste, un certain Pran, du Death Squad[1]. Il a relié une affaire de 2006 à une autre de 1999. Je veux que vous vous en occupiez. Ça sent bon. Tenez, c'est sa ligne directe.

O'Toole lui tendit un Post-it avec un numéro de téléphone griffonné dessus. « Death Squad » était l'acronyme informel de la toute nouvelle Data Evaluation and Theory Unit[2]. La synthèse de données était une nouvelle forme d'enquête pour les cold cases.

Les trois années précédentes avaient vu le Death Squad numériser les anciens livres de meurtre conservés aux Archives, créant ainsi une énorme base de données aisément accessibles et permettant d'établir des comparaisons dans des affaires non résolues. Suspects, témoins, armes, lieux, éléments de langage, en bloc et en détail, tous les éléments d'enquêtes et d'analyses de scènes de crime ne cessaient d'être brassés par l'ordinateur IBM gros comme une cabine téléphonique de

1. Escadron de la mort.
2. Unité d'évaluation et de théorisation des données.

l'unité. Ainsi était née une manière entièrement nouvelle d'aborder les cold cases.

Bosch ne tendit pas la main pour prendre le Post-it, mais sa curiosité l'emporta.

— C'est quoi, le lien entre ces affaires ? demanda-t-il.

— Un témoin. Il se trouve qu'il a vu le tireur s'enfuir. Deux occurrences, une dans la Valley, l'autre en centre-ville, pas de lien apparent, mais c'est le même témoin dans les deux cas. Moi, ça me dit qu'il faut voir ce témoin sous un jour complètement différent. Notez ce numéro.

Bosch n'en fit rien.

— Qu'est-ce qui se passe, lieutenant ? Enfin ça avance dans l'affaire Jespersen et maintenant, vous me donnez ça. Pourquoi ?

— Hier, vous m'avez dit que vous étiez au point mort.

— Je n'ai pas dit ça. Je vous ai dit qu'il n'y avait pas d'ARA dans cette affaire.

Brusquement, il comprit ce qui se jouait. Quelque chose dans ce que Jordy Gant avait dit avait un lien avec ce qu'O'Toole essayait de faire. En plus, il savait que l'après-midi précédent, celui-ci avait participé à la réunion hebdomadaire du haut commandement au dixième étage. Il pivota et se dirigea vers la sortie.

— Ne partez pas, Harry. Où allez-vous ?

Bosch lui répondit sans se retourner.

— Filez ça à Jackson. Il a besoin d'une affaire.

— C'est à vous que je la donne, Harry. Hé mais !

Bosch prit lentement l'allée centrale et franchit la porte pour rejoindre les ascenseurs. O'Toole ne le suivit pas, ce qui était plutôt une bonne nouvelle. Les deux choses pour lesquelles Bosch avait le moins de patience étaient la basse politique et la bureaucratie. Et il pensait qu'O'Toole faisait dans les deux – quoique pas nécessairement par choix personnel.

Il prit l'ascenseur jusqu'au dixième et, la porte étant ouverte, entra dans les bureaux du chef de police. Il y avait quatre tables dans l'antichambre. Des policiers en tenue étaient assis derrière trois d'entre elles. Derrière la quatrième se tenait Alta Rose, le civil probablement le plus puissant à travailler dans la police. Cela faisait presque trois décennies que, mi-pitbull mi-ange de la fraternité Sigma Chi, elle gardait la porte du patron. Toute personne ne voyant en elle qu'une simple secrétaire se trompait lourdement. C'était elle qui tenait l'emploi du temps du chef et, plutôt deux fois qu'une, lui disait où aller et à quelle heure.

Bosch avait été convoqué suffisamment souvent au fil des ans pour que Rose le reconnaisse aussitôt. Elle lui sourit doucement tandis qu'il s'approchait d'elle.

— Inspecteur Bosch, dit-elle, comment allez-vous ?

— Ça va, madame Rose. Comment ça se passe dans les hauteurs ?

— On ne peut mieux, je crois. Je suis désolée, mais je ne vous vois pas dans les rendez-vous du patron. Je me serais trompée ?

— Non, madame Rose, vous ne vous êtes pas trompée. Je voulais juste voir si Marty… enfin, je veux dire : le chef… pouvait m'accorder cinq minutes.

Elle baissa furtivement les yeux sur son standard. Une des touches était rouge.

— Oh, mince, dit-elle, il est au téléphone.

Mais Bosch savait que cette touche était toujours allumée pour permettre à Alta Rose de renvoyer quelqu'un si nécessaire. Kiz Rider, l'ancienne coéquipière d'Harry qui avait travaillé un temps à ce même poste, lui avait révélé le secret.

— Il a aussi un rendez-vous ce soir et il va devoir partir dès que pos…

— Trois minutes, madame Rose. Demandez-les-lui, juste ça. À mon avis, il est même à peu près sûrement en train de m'attendre.

Alta Rose fronça les sourcils, mais se leva de son bureau et disparut derrière la grande porte du sanctuaire. Bosch attendit debout.

Le chef de police Martin Maycock sortait du rang. Vingt-cinq ans plus tôt, il était inspecteur aux Vols et Homicides. Tout comme Bosch. Ils n'avaient jamais été coéquipiers, mais ils avaient travaillé ensemble dans des affaires confiées à des détachements spéciaux, la plus notable étant celle du Dollmaker[1]. Celle-ci n'avait pris fin que lorsque Bosch avait abattu le tristement célèbre tueur en série dans son antre d'assassin de Silver Lake. Maycock était beau, plus que compétent et avait un nom dont on se souvenait facilement, quoique avec embarras[2]. La célébrité et l'attention des médias que lui avaient values ces grosses affaires l'avaient aidé à monter dans la structure de commandement, tout cela culminant avec

1. Le Faiseur de poupées. Cf. *La Blonde en béton*, du même auteur.

2. Marty MaBite.

sa nomination au poste de chef de police par la commission municipale.

Les policiers de base s'étaient d'abord réjouis qu'un des leurs monte ainsi au dixième étage. Mais trois ans plus tard la lune de miel avait pris fin. Maycock présidait aux destinées d'une police rendue infirme par le gel des embauches, une réduction dévastatrice du budget et les scandales divers et variés qui éclataient tous les deux ou trois mois. La criminalité avait dégringolé, mais cela ne lui valait plus aucun crédit ou force politique. Pire encore, les flics de base commençaient à voir en lui un politicien plus désireux de passer aux nouvelles télévisées de 18 heures que de se pointer aux appels ou sur les lieux où un des leurs avait été abattu. Un de ses anciens surnoms – Marty MyCock – avait refait surface dans les vestiaires, parkings et bars où les flics se retrouvaient en et hors service.

Bosch avait longtemps gardé la foi, mais, l'année précédente, il avait sans le vouloir aidé le chef à gagner une bataille politique très périlleuse contre un conseiller municipal qui ne cessait de critiquer la police. C'était un coup monté dans lequel Kiz Rider s'était servie de Bosch. Elle y avait gagné une promotion – capitaine, elle dirigeait maintenant la division de la West Valley. Mais depuis, Bosch ne lui parlait plus, pas plus qu'il ne parlait au chef[1].

Alta Rose revint du saint des saints et lui tint la porte.

— Le chef vous accorde cinq minutes, inspecteur Bosch, dit-elle.

---

1. Cf. *Ceux qui tombent*, publié dans cette même collection.

— Merci, madame Rose.

Bosch entra et trouva Maycock assis derrière un grand bureau envahi de souvenirs et autres bibelots de la police et du monde du sport. La pièce était vaste et comprenait un grand balcon privé et une salle de réunion équipée d'une table de trois mètres cinquante de long, le tout avec vue panoramique sur le Civic Center.

— Harry Bosch ! Je me disais bien que j'aurais de tes nouvelles aujourd'hui !

Ils se serrèrent la main. Bosch resta debout devant le grand et large bureau. Il ne pouvait nier que son ancien collègue lui plaisait. Mais il n'aimait ni ce qu'il faisait ni ce qu'il était devenu.

— Alors pourquoi se servir d'O'Toole ? Pourquoi ne m'as-tu pas appelé, tout simplement ? Tu m'as bien appelé l'année dernière pour l'affaire Irving.

— C'est vrai, mais c'était devenu crade. Et maintenant, j'ai pris O'Toole et ça recommence.

— Qu'est-ce que tu veux, Marty ?

— Il faut vraiment que je te le dise ?

— Elle a été exécutée, Marty. Collée contre un mur et flinguée dans l'œil. Et parce qu'elle est blanche, tu ne veux pas que je résolve l'affaire ?

— C'est pas ça. Bien sûr que je veux que tu trouves la solution. Mais la situation est délicate. S'il apparaît gros comme une maison que le seul meurtre lié aux émeutes qu'on a résolu à l'occasion de ce vingtième anniversaire est celui d'une Blanche assassinée par un membre de gang, on va au-devant de très grosses emmerdes. Ça fait vingt ans, Harry, mais on n'a pas beaucoup progressé.

On ne sait jamais ce qui pourrait remettre le feu aux poudres.

Bosch se détourna et regarda City Hall par la baie vitrée.

— C'est de la com', ça, dit-il. Moi, c'est de meurtre que je parle. Qu'est-ce qui est advenu de « tout le monde compte, quelle que soit ou ait été la victime » ? Cela te rappelle-t-il même seulement quelque chose de l'époque où on travaillait pour l'Homicide Special ?

— Bien sûr que oui, Harry, et ça tient toujours. Je ne te demande pas de laisser tomber. Seulement de repousser un peu. D'attendre un mois, au moins jusqu'au 1er du mois prochain. Et là, tu me résous l'affaire et sans faire de bruit. On le dira à la famille et on n'ira pas plus loin. Avec un peu de chance, le suspect sera mort et on n'aura pas à s'inquiéter d'un procès. En attendant, O'Toole m'a dit qu'il avait un gros indice en provenance du Death Squad et que tu pouvais y aller. Et si ça nous apportait le genre d'attention qu'on cherche, hein ?

Bosch fit non de la tête.

— Question poursuivre, j'ai déjà une affaire.

Maycock commençait à perdre patience. Naturellement rubicond, il devenait écarlate.

— Mets-la de côté et fonce avec l'indice.

— O'Toole t'a-t-il dit qu'en résolvant cette affaire-là, je pouvais en résoudre cinq ou six autres ?

Maycock acquiesça, mais écarta la nouvelle d'un geste de la main.

— Oui, je sais, tous des membres de gang et aucun pendant les émeutes.

— C'était ton idée de reprendre ces affaires, lui fit remarquer Bosch.

— Comment aurais-je pu deviner que tu serais le seul à obtenir des résultats et que ça serait justement pour Blanche-Neige ? Putain, Harry, rien que ce nom… Tiens, quoi qu'il arrive, arrête de l'appeler comme ça.

Bosch fit quelques pas dans la pièce. Il trouva un angle selon lequel la flèche de City Hall se reflétait en double dans la vitre de l'aile nord du Public Administration Building. Meurtres tout frais ou cold cases, la traque des assassins devait être implacable. C'était la seule façon de faire, et la seule qu'il connaissait. Mais quand les considérations sociales ou politiciennes s'en mêlaient, sa patience trouvait toujours ses limites.

— Mais bordel, Marty ! s'écria-t-il.

— Je sais ce que tu ressens, lui renvoya celui-ci.

Bosch finit par se retourner vers lui.

— Non, Marty, dit-il. Plus maintenant.

— Tu es libre de tes opinions.

— Mais pas de travailler à mon affaire.

— Encore une fois, ce n'est pas ce que je dis. Tu transformes toujours ce que…

— C'est trop tard, Marty. Ça va éclater.

— Comment ça ?

— J'avais besoin de renseignements sur ma victime. J'ai donc appelé le journal pour lequel elle travaillait et il y a eu échange de renseignements. Maintenant, je travaille avec un journaliste. Si je laisse tomber maintenant, il saura pourquoi et ça fera encore plus de bruit que lorsque j'aurai la solution.

— Espèce de fils de pute ! Quel journal ? En Suède ?

— Non, au Danemark. Elle était danoise. Mais ne va pas t'imaginer que ça va s'en tenir à ce pays. Les médias, c'est mondial maintenant. Ça éclatera peut-être là-bas, mais ça finira par revenir ici par ricochet. Et là, faudra que tu expliques pourquoi t'as mis fin à l'enquête.

Maycock s'empara d'une balle de base-ball qui trônait sur son bureau et commença à la travailler avec les doigts tel le lanceur qui prépare une balle neuve.

— Tu peux y aller, dit-il.

— OK. Et… ?

— Et fous-moi le camp d'ici, juste ça. On a fini.

Bosch marqua une pause, puis se dirigea vers la sortie.

— Je ferai attention aux problèmes de com' au fur et à mesure, dit-il.

L'offre était maigre.

— Eh bien voilà. Faites donc, inspecteur, lui renvoya le chef.

En quittant le bureau, Bosch remercia Alta Rose de l'avoir laissé entrer.

# 11

Il était 18 heures lorsque Bosch frappa à la porte de la maison de 73e Place. En temps normal, les perquisitions s'effectuent tôt le matin de façon à attirer le moins d'attention possible dans le quartier. Les gens sont au travail, à l'école, ou font la grasse matinée.

Mais cette fois, ce n'était pas l'idée. Bosch n'avait pas envie d'attendre. L'affaire avançait et il ne voulait pas qu'elle cale.

Il avait frappé trois coups à la porte lorsque celle-ci lui fut ouverte par une petite femme en tenue de travail avec un bandana coloré autour de la tête. Des tatouages lui faisaient comme une écharpe autour du cou, jusqu'aux mâchoires. Elle se tenait derrière un portail de sécurité semblable à ceux qui équipaient la majorité des maisons du quartier.

Bosch resta immobile au beau milieu du perron. Cela faisait partie du plan. Derrière lui se tenaient deux officiers blancs du Gang Enforcement Detail[1].

---

1. Équivalent de notre Anti-Gang.

Jordy Gant et David Chu s'étaient positionnés plus loin derrière dans le jardin et légèrement à gauche. Bosch voulait enfoncer dans le crâne de cette femme qu'elle devait s'attendre à une intrusion de première grandeur – c'étaient des officiers de police blancs qui allaient fouiller sa maison.

— Gail Briscoe ? lança-t-il. Inspecteur Bosch, police de Los Angeles. J'ai ici un document qui me donne accès à votre domicile aux fins de perquisition.

— Pour y trouver quoi ?

— Le document précise que nous cherchons un Beretta modèle 92 qui aurait été en la possession d'un Trumont Story, qui a résidé ici jusqu'à sa mort le 1er décembre 2009.

Il lui tendit la pièce, mais elle ne put l'attraper à cause de la grille de sécurité. C'était exactement ce qu'il espérait.

Elle passa en mode indignation complète.

— Vous vous foutez de moi, ou quoi ? s'écria-t-elle. Il est pas question que vous entriez fouiller chez moi. C'est chez moi, ici, bande d'enculés !

— Madame, lui renvoya calmement Bosch, vous êtes bien Gail Briscoe ?

— Oui, c'est moi, et c'est ma maison, bordel !

— Pourriez-vous ouvrir cette porte afin de lire ce document, s'il vous plaît ? Il est entièrement exécutable avec ou sans votre coopération.

— J'ai pas envie de lire vos merdes. Je connais mes droits et vous pouvez pas me montrer juste un bout de papier et croire que je vais vous ouvrir.

— Madame, vous…

— Harry, je peux parler à cette dame ?

C'était Gant qui montait les marches pile au bon moment et exactement comme prévu dans le plan qu'ils avaient concocté.

— Bien sûr, vas-y, fais-toi plaisir, lui rétorqua Bosch d'un ton bourru, comme s'il était encore plus agacé par son intrusion que par le refus de Briscoe.

Il recula pour laisser monter Gant.

— Elle a cinq minutes pour ouvrir, sinon on lui met les bracelets et on la colle dans une voiture pendant que nous, on entre. J'appelle les renforts tout de suite.

Il sortit son portable de sa poche et gagna la pelouse maigrichonne pour que Briscoe le voie passer son appel.

Gant se mit à lui parler d'une voix grave genre Louis Gossett Junior[1] pour essayer de décrocher la timbale en douceur.

— Momma, dit-il, vous vous souvenez de moi ? Je suis passé ici y a quelques mois de ça. Aujourd'hui, on m'a amené pour essayer que ça reste calme, mais y aura pas moyen de les arrêter. Ils vont entrer et fouiller dans tous vos trucs. Ils vont tout ouvrir, foutre le nez dans vos machins intimes et trouver tout ce que d'autres ont pu mettre ici. C'est ça que vous voulez ?

— C'est des conneries ! Tru, il est mort, ça va faire trois ans de ça et c'est maintenant qu'ils débarquent ? Ils ont même pas résolu son meurtre et v'là qu'ils me collent un mandat de perquise sous le nez ?

---

1. Célèbre acteur américain récompensé par un Oscar pour son rôle dans *Officier et gentleman*.

— Je sais, Momma, je sais, mais faut que vous pensiez à vous dans tout ça. Vous avez quand même pas envie que ces gars vous démolissent votre maison, si ? Où il est, le flingue ? On sait que Tru, il l'avait. Vous nous le donnez, juste ça, et ces mecs vous foutent la paix.

Bosch mit fin à son faux appel et rejoignit la maison.

— Bon, c'est fini, Jordy, dit-il. Les renforts arrivent et c'est l'heure.

Gant l'arrêta d'un signe de la main.

— Une seconde, inspecteur ! lâcha-t-il. On n'a pas fini de causer, nous.

Il regarda Briscoe et essaya une dernière fois.

— Parce que nous, on cause, pas vrai ? Parce que vous voulez éviter tout ce bazar, pas vrai ? Vous avez pas envie que vos voisins, y voient ça… qu'ils vous voient menottée dans une voiture de flics, pas vrai ?

Il se tut un instant et, Bosch l'imitant, tout le monde attendit.

— Seulement vous, dit enfin Briscoe en montrant Gant du doigt à travers la grille.

— Super. Vous m'y conduisez ?

Elle déverrouilla la grille de sécurité et la poussa vers lui.

— Y a que vous qui entrez.

Gant se tourna vers Bosch et lui adressa un clin d'œil : il était dans la place. Il franchit le seuil, Briscoe refermant aussitôt la grille derrière lui et la reverrouillant.

Bosch n'apprécia guère ce dernier développement. Il remonta les marches et regarda entre les barreaux. Briscoe conduisait Gant le long d'un couloir menant à l'arrière de la maison. Pour la première fois, il remarqua un garçonnet d'environ neuf, dix ans qui jouait à un jeu vidéo, assis sur un canapé.

— Jordy ! lança-t-il. Ça va ?

Gant regarda par-dessus son épaule tandis que Bosch posait les mains sur la poignée du portail de sécurité et se mettait à la secouer pour lui rappeler qu'il était, lui, enfermé à l'intérieur et que ses renforts étaient, eux, enfermés dehors.

— C'est cool, lui répondit Gant en criant. Momma va nous filer le flingue. Elle a pas envie que vous autres, petits Blancs, vous lui bousilliez sa maison.

Et il disparut en souriant. Bosch resta près de la porte et se pencha, à l'affût de tout ce qui pourrait annoncer un problème. Il glissa son faux mandat de perquisition – copié sur un vieux – dans la poche intérieure de sa veste pour pouvoir s'en servir un autre jour.

Il attendit cinq minutes et n'entendit que les *bip bip* électroniques du jeu du gamin. Il se dit que ce devait être le fils de Trumont Story.

— Hé, Jordy ! cria-t-il enfin.

Le jeune garçon ne leva pas le nez de son jeu. Pas de réponse.

— Jordy ?

Toujours pas de réponse. Il essaya la poignée de la porte alors même que cette dernière était fermée et qu'il le savait. Il se tourna vers les deux flics du GED et leur fit signe de gagner l'arrière de la maison pour voir s'il s'y trouvait une porte ouverte. Chu sauta sur la marche du haut.

C'est alors que Bosch vit Gant reparaître à l'entrée du couloir. Il était tout sourire et tenait un grand sachet Ziploc avec un pistolet noir à l'intérieur.

— Je l'ai, Harry ! Pas de problème.

Bosch dit à Chu de récupérer les deux flics du GED et s'autorisa enfin, au bout de dix minutes, à souffler. On n'aurait pas pu faire mieux. Jamais O'Toole ne lui aurait permis de faire une demande de mandat de perquisition. Il n'y avait tout simplement pas assez de causes probables pour qu'un juge l'autorise trois ans après la mort du suspect. Le coup du mandat bidon était donc la meilleure façon de s'y prendre. Et le scénario qu'avait concocté Gant avait fonctionné à merveille. Briscoe leur avait donné l'arme de son plein gré et sans qu'ils aient à fouiller la maison de manière illégale.

Gant approchait de la porte lorsque Bosch s'aperçut que le Ziploc était mouillé.

— Réservoir de la chasse d'eau ?

L'endroit était évident. C'était une des cinq cachettes préférées des criminels. Tous avaient regardé *Le Parrain* à un moment ou à un autre de leur apprentissage de la vie.

— Non. Le bac de vidange sous la machine à laver.

Bosch hocha la tête. Ça ne faisait même pas partie des vingt-cinq premières cachettes. Briscoe passa devant Gant et déverrouilla le portail de sécurité. Bosch l'ouvrit pour laisser passer ce dernier.

— Merci d'avoir coopéré avec nous, madame Briscoe, dit-il.

— Foutez-moi le camp de ma propriété tout de suite et ne revenez plus jamais, bordel ! s'écria-t-elle.

— Oui, madame. Avec plaisir.

Bosch fit semblant de la saluer et suivit Gant qui descendait les marches. Gant lui tendit le sachet, Harry vérifiant l'arme en avançant. Après toutes ces années, le sachet en plastique était couvert de rayures et de moisissures noires, mais Bosch vit tout de suite que c'était bien un Beretta 92 qui se trouvait à l'intérieur.

Une fois devant le coffre de sa voiture, il enfila une paire de gants en latex et sortit l'arme du sachet de façon à l'examiner plus à fond. Il remarqua tout de suite une rayure profonde le long du canon et de la carcasse et nota aussi qu'on l'avait dissimulée sous de la peinture ou du marqueur. Il semblait bien que ce soit l'arme que Charles 2 Small Washburn disait avoir trouvée dans son jardin après le meurtre de Jespersen.

Bosch vérifia ensuite le numéro de série porté sur le côté gauche de l'arme. Mais il semblait avoir disparu. En tenant le Beretta plus près et en le mettant bien dans la lumière, il découvrit vite l'endroit où le métal avait été rayé par des marques de grattage. Il douta que ces marques aient été causées par la lame de la tondeuse à gazon. Cela ressemblait plutôt au résultat d'efforts soutenus déployés par quelqu'un qui avait voulu oblitérer le numéro. Plus il les regardait et plus il en était convaincu. C'était bien de manière délibérée que Trumont Story ou celui qui était en possession de l'arme avant lui avait effacé le numéro de série.

— C'est le flingue ? demanda Gant.

— On dirait bien.

— Vous voyez le numéro de série ?

— Non, il a disparu.

Bosch éjecta le chargeur encore plein et la balle engagée dans la chambre. Puis il transféra l'arme dans un sachet à éléments de preuve en plastique. La balistique allait devoir confirmer le lien entre l'arme et le meurtre de Jespersen et ceux qui avaient suivi, mais Bosch était sûr de tenir la première pièce à conviction tangible depuis vingt ans que le dossier était ouvert. Cela ne le rapprochait pas nécessairement du type qui avait assassiné Anneke Jespersen, mais c'était déjà quelque chose. Un point de départ.

— Je vous ai dit à tous de décamper ! cria Briscoe derrière son portail de sécurité. Laissez-moi tranquille ou je vous traîne les fesses devant les tribunaux pour harcèlement. Qu'est-ce que vous diriez de vous rendre utiles et de trouver qui l'a tué, le Tru Story, hein ?

Bosch déposa l'arme dans une boîte en carton ouverte qu'il gardait dans son coffre, referma ce dernier d'un coup sec et regarda Briscoe par-dessus le toit de sa voiture. Et tint sa langue en faisant le tour du véhicule pour gagner la portière côté conducteur.

*

* *

Ils avaient de la chance. Charles Washburn n'avait non seulement pas réussi à se faire libérer sous caution, mais il devait encore être transféré d'une cellule du commissariat de la 77e Rue à la prison du centre-ville. Il avait été extrait de sa cellule, renvoyé à la salle d'interrogatoire du Bureau des inspecteurs et y attendait encore lorsque Bosch, Chu et Gant arrivèrent.

— Quoi ? C'est aux Trois Stooges[1] qu'on a droit maintenant ? s'écria-t-il. Vous avez besoin de vous mettre à trois pour me faire sortir ?

— Nan, on est pas là pour te faire sortir, Charlie, lui renvoya Gant. On est là pour te rendre justice.

— Ah bon ? Comment ça s'fait ?

Bosch tira une chaise, s'assit en face de lui et posa une boîte en carton fermée sur la table, Gant et Chu restant debout dans la pièce minuscule.

— On a un marché à te proposer, reprit Gant. Tu nous conduis à la maison où t'as grandi et tu nous montres où t'as collé ta balle dans le poteau et on verra ce qu'on peut faire pour laisser tomber quelques charges que tu t'es collées sur le dos. Tu sais bien… le coup du témoin qui coopère. Un prêté pour un rendu.

— Quoi ? Maintenant ? Il fait noir dehors, mec.

— On a des lampes torches, 2 Small, dit Bosch.

— J'suis pas un témoin qui coopère, mec, et vous pouvez vous garder votre merde de prêté pour un rendu pour vous. J'vous ai seulement dit pour Story parce qu'il est mort. Vous pouvez me ramener en cellule.

Il commença à se lever, mais Gant lui posa une main sur l'épaule d'une manière qui certes était amicale, mais qui le rassit sur sa chaise.

— Nan, il est pas question que tu coopères contre quiconque. C'est pas ça du tout. Tu vas juste nous conduire à la balle. C'est tout ce qu'on demande.

— C'est tout ? répéta 2 Small en regardant la boîte sur la table.

1. Troupe comique américaine du milieu du XX^e^ siècle.

Gant jeta un coup d'œil à Bosch, qui prit le relais.

— On veut aussi que tu regardes deux ou trois flingues qu'on a récupérés et que tu nous dises si tu peux identifier celui que t'as trouvé y a vingt ans de ça. Celui que t'as filé à Trumont Story.

Bosch se pencha et ouvrit la boîte. Ils y avaient mis deux pistolets 9 mm déchargés dans des sachets à éléments de preuve, en plus de celui que leur avait donné Gail Briscoe. Bosch les sortit, les plaça sur la table et posa la boîte par terre. Gant ôta les menottes de Washburn pour qu'il puisse les prendre un par un et les examiner sans les sortir du sachet en plastique.

2 Small étudia le Beretta retrouvé chez Trumont Story en dernier. Il le regarda des deux côtés et hocha la tête.

— Celui-là, dit-il.

— T'es sûr ? lui demanda Bosch.

Washburn passa un doigt sur le côté gauche de l'arme.

— Oui, je crois. Sauf qu'ils ont arrangé la rayure. Mais je la sens encore. C'est la lame de la tondeuse.

— Croire suffit pas. Est-ce que c'est l'arme que tu as trouvée, oui ou non ?

— Oui, mec, c'est bien elle.

Bosch la lui reprit et étira fort le plastique sur la carcasse du Beretta à l'endroit où le numéro de série aurait dû apparaître.

— Regarde là. C'était bien comme ça quand tu l'as trouvée ?

— Là où ?

— Joue pas au con, Charles. Le numéro de série a disparu. Est-ce que c'était déjà le cas quand tu as trouvé l'arme ?

— Vous voulez dire pour les marques de grattage ? Ben oui, faut croire. C'est la tondeuse qu'a fait ça.

— Non, c'est pas une tondeuse à gazon qu'a fait ça, Charles. Ça, ç'a été fait à la lime. Et tu nous certifies donc que ce Beretta était déjà comme ça quand tu l'as trouvé ?

— Mec, j'peux être sûr de rien après vingt ans ! Qu'est-ce que vous m'voulez ? Je m'en souviens pas !

Bosch commençait à en avoir assez de son pas de deux.

— C'est toi qu'as fait ça, Charles ? Pour que ce flingue soit encore plus précieux pour un type comme Tru Story ?

— Non, mec, j'ai pas fait ça.

— Bon alors, tu me dis combien de flingues tu as trouvés dans ta vie, hein ?

— Rien que celui-là.

— OK, et dès que tu l'as trouvé, tu as su qu'il avait de la valeur, pas vrai ? Tu as compris que tu pouvais le filer au boss de la rue et que ça te vaudrait quelque chose en retour. Comme de t'accepter dans le club, pas vrai ? Alors arrête de tourner autour du pot en me racontant que tu te souviens plus. Si le numéro de série n'était plus là quand tu l'as trouvé, tu l'aurais dit à Trumont Story, parce que tu savais que pour lui, c'était un plus. Alors, c'est quoi, Charles ?

— Oui, mec, le numéro était plus là. D'accord ? Il était plus là. Y avait plus de numéro de série quand j'ai trouvé ce Beretta et c'est ce que j'ai dit à Tru et maintenant, tu dégages de mon espace !

Bosch se rendit compte qu'il s'était penché en travers de la table et avait envahi ce que Washburn considérait comme son espace privé. Il se redressa.

— OK, Charles, merci, dit-il.

L'aveu était de taille, il confirmait quelque chose sur la manière dont l'assassin de Jespersen avait perpétré son crime. Bosch se creusait depuis longtemps la cervelle pour savoir pourquoi le tueur avait jeté son arme par-dessus la palissade. S'était-il produit quelque chose dans la ruelle qui l'y avait obligé ? La détonation avait-elle attiré des gens ? Que l'assassin se soit servi d'une arme qu'il pensait intraçable cadrait mieux avec la situation. Le numéro de série étant effacé, il s'était sans doute dit que la seule façon d'être relié au meurtre serait d'être pris avec l'arme sur lui. Et la meilleure façon de l'éviter était bien de la larguer aussi vite que possible. Voilà qui expliquait pourquoi le Beretta avait été jeté par-dessus la palissade.

Comprendre la séquence des événements dans un crime était essentiel aux yeux de Bosch.

— Bon alors, vous allez laisser tomber les charges et autres merdes contre moi ? demanda Washburn.

Bosch s'arracha à ses pensées et le regarda.

— Non, pas encore. On veut toujours trouver cette balle.

— Pourquoi vous avez besoin de ça ? Vous avez l'arme maintenant.

— Parce que ça va aider à comprendre le déroulement de l'histoire. Les jurés aiment beaucoup les détails. En route.

Bosch se leva et remit les trois armes dans la boîte en carton. Gant sortit les menottes et fit signe à Washburn de se lever. Washburn resta assis sur sa chaise et continua de protester.

— Je t'ai dit où elle était, mec. Vous avez pas besoin de moi.

— Que je te dise, Charles : tu promets de coopérer avec nous là-bas et nous, on n'a pas à t'y emmener menotté. Et on fera tout ce qu'il faut pour que toi et ton ex, vous n'ayez pas à vous voir. Ça marche ?

Washburn regarda Bosch et hocha la tête en signe d'assentiment. Harry remarqua le changement. Le petit homme craignait que son fils ne le voie menotté.

— Mais si tu joues au lapin qui détale, précisa Gant, je te promets de te chercher partout et ça sera pas bon pour tes fesses quand je t'aurai retrouvé. Et maintenant, allons-y.

Cette fois, il l'aida à se lever de son siège.

*

* *

Une demi-heure plus tard, Bosch et Chu se retrouvaient avec Washburn dans le jardin de sa maison d'enfance. Gant s'était posté devant l'édifice et surveillait l'ex de Washburn pour s'assurer que sa colère ne se traduise pas en agression sur la personne du père de son enfant.

Il ne fallut pas longtemps à Washburn pour leur montrer le poteau où il avait logé une balle vingt ans plus tôt. La marque de pénétration était encore visible, surtout dans la lumière de leurs torches. Le trou avait percé l'isolant appliqué sur le bois, l'eau y faisant alors ses dégâts. Chu commença par en prendre une photo avec son téléphone portable, Bosch tenant une carte de visite professionnelle juste à côté du point d'entrée du projectile afin de donner une idée de l'échelle. Puis il ouvrit la lame de son canif et, en creusant dans le bois mou et pourrissant, eut tôt fait d'en ôter la balle en plomb. Il la fit rouler entre ses doigts pour la nettoyer et la tint en l'air. C'était la balle qui s'était trouvée dans le canon du Beretta avant celle qui avait tué Anneke Jespersen.

Bosch la laissa tomber dans un petit sachet à éléments de preuve que Chu lui tenait ouvert.

— Bon alors, je suis libre ? demanda Washburn, ses regards se portant anxieusement vers la porte arrière de la maison.

— Pas tout à fait encore, répondit Bosch. Il faut qu'on retourne au 77e et qu'on fasse un peu de paperasse.

— Vous m'avez dit que si je vous filais un coup de main, vous laisseriez tomber les charges. Le témoin qui coopère et tout le bazar…

— Tu as bien coopéré, Charles, et on apprécie. Mais on n'a jamais dit qu'on allait laisser tomber toutes les charges. On t'a dit : tu nous aides et nous, on t'aide. Alors on va retourner là-bas et je vais passer quelques coups de fil pour améliorer ta situation. Je suis sûr que ça posera pas de problèmes pour la drogue. Mais pour la pension alimentaire, va quand même falloir que tu t'en occupes. T'as un mandat d'amener signé par un juge. Il va falloir que tu passes devant lui pour régler ça.

— C'était une nana, ce juge, et comment que j'vais régler ça si qu'ils me collent en taule ?

Bosch se tourna pile devant Washburn et écarta les jambes. Si Washburn devait filer, c'était maintenant. Chu remarqua le geste et changea lui aussi de position.

— Eh bien ça, dit Bosch, c'est peut-être une question que tu devras poser à ton avocat.

— Mon avocat, y vaut rien. J'l'ai même pas encore vu.

— Ben, peut-être que tu devrais commencer par en prendre un autre. Allez, on y va.

Ils retraversaient le jardin pour regagner le portail cassé lorsque le visage d'un garçonnet apparut derrière le rideau d'une des fenêtres arrière de la maison. Washburn leva la main et mit les deux pouces en l'air pour lui montrer que tout allait bien.

*

* *

Lorsque enfin ils quittèrent le commissariat de la 77e Rue après y avoir laissé Washburn en cellule, Bosch comprit qu'il était trop tard pour aller porter directement la balle et l'arme récupérées au Regional Crime Lab de l'université d'État de Californie. Chu et lui repartirent donc vers le PAB et les mirent au coffre réservé aux éléments de preuve de l'unité des Affaires non résolues.

Avant de rentrer chez lui, Bosch vérifia ses messages et vit un Post-it collé au dossier de son fauteuil. Il sut qu'il émanait du lieutenant O'Toole avant même de l'avoir lu. C'était un de ses moyens de communication préférés. Le message disait seulement : *Besoin de vous parler.*

— On dirait que tu vas avoir droit à un face-à-face avec l'O'Fool[1] dès demain matin, dit Chu.

— Oui, j'en meurs d'impatience.

Il fit une boule du message et la jeta à la poubelle. Il n'allait pas se presser d'aller voir O'Toole le lendemain matin. Il avait autre chose à faire.

1. O'l'Imbécile.

## 12

Ils travaillèrent en équipe. Madeline passa la commande en ligne, Bosch faisant un crochet par Franklin Avenue pour la prendre chez Birds. Les plats étaient encore chauds lorsqu'il arriva chez lui. Ils ouvrirent les emballages et les firent glisser en travers de la table lorsque l'un et l'autre s'aperçurent qu'ils avaient pris celui de l'autre. Ils avaient tous les deux opté pour le poulet rôti spécial maison, mais Bosch avait choisi la garniture coleslaw/haricots cuits au four avec sauce barbecue, sa fille préférant un double mac cheese avec sauce aigre-douce version malaise. Le pain lavash était emballé dans du papier alu, un troisième et plus petit récipient contenant les cornichons frits qu'ils avaient décidé de se partager.

C'était délicieux. Pas aussi bon que lorsqu'on dégustait ça chez Birds même, mais ça s'en approchait sérieusement. Ils mangèrent l'un en face de l'autre, mais ne se dirent pas grand-chose. Bosch était envahi de pensées sur l'affaire et la manière dont il allait pouvoir faire avancer les choses avec l'arme qu'il venait de récupérer. Sa fille, elle, lisait un livre en mangeant. Bosch ne s'en plaignit pas : pour lui, lire en mangeant était mille fois mieux qu'envoyer des SMS ou aller sur Facebook comme elle le faisait d'habitude.

Bosch était un inspecteur impatient. À ses yeux, rien ne comptait plus que l'élan dans la résolution d'une affaire : le trouver, le conserver et s'empêcher d'en être distrait. Il savait qu'il pouvait confier le Beretta à l'unité des Armes à feu aux fins d'analyse et, qui sait, de restauration du numéro de série, mais il était plus que probable qu'il n'entendrait plus parler de rien pendant des semaines, voire des mois. Il devait trouver un moyen d'éviter ça, de contourner les obstacles bureaucratiques et ceux dus aux charges de travail trop importantes. Au bout d'un moment, il pensa avoir un plan jouable.

Il ne lui fallut pas longtemps pour finir son poulet. Il regarda de l'autre côté de la table et vit qu'avec de la chance il pourrait peut-être encore avoir un peu de mac and cheese.

— Tu veux le reste de tes cornichons frits ? demanda-t-il à sa fille.

— Non, tu peux les prendre, lui répondit-elle.

Il n'en fit qu'une bouchée. Et regarda le livre qu'elle lisait. C'était un de ceux qu'il fallait lire pour le cours de littérature anglaise. Elle arrivait au bout. Il ne lui restait probablement plus que quelques chapitres à lire.

— Je ne t'ai jamais vue sauter sur un livre comme ça, dit-il. Tu vas le finir ce soir ?

— On n'est pas censés lire le dernier chapitre ce soir, mais y a pas moyen que j'arrête. C'est triste.

— Tu veux dire que le type meurt à la fin ?

— Non… ce que je veux dire, c'est que je ne sais pas encore. Je ne pense pas. En fait, je suis triste parce que je suis presque au bout.

Bosch acquiesça. Il n'était pas un grand lecteur, mais il comprit ce qu'elle voulait dire. Il se rappela avoir éprouvé le même sentiment en arrivant à la fin de *Straight Life*[1], probablement le dernier livre que, de fait, il avait lu de bout en bout.

Elle reposa le sien pour finir son repas. Bosch comprit alors qu'il ne resterait pas de mac and cheese pour lui.

— Tu sais que tu me fais penser à lui ? dit-elle.

— Vraiment ? Au gamin du livre ?

— M. Moll nous a dit que ça parlait de l'innocence. Il veut rattraper les petits enfants avant qu'ils tombent de la falaise. C'est la métaphore de la perte de l'innocence. Il connaît les réalités du monde véritable et veut empêcher les enfants innocents d'avoir à y faire face.

M. Moll était son professeur. Maddie avait dit à son père que lorsqu'il donnait des tests en classe, il montait sur son bureau afin de voir les élèves de haut et leur interdire toute possibilité de tricher. Les élèves l'appelaient *The Catcher on the Desk*[2].

Bosch ne sut quoi lui répondre, car il n'avait pas lu le livre. Il avait grandi dans des foyers de jeunes avec de temps en temps des séjours dans des familles d'accueil. Dieu sait pourquoi, il n'avait jamais été obligé de lire ce

---

1. *Straight Life ou la vie d'Art Pepper.*

2. « L'attrapeur sur le bureau », allusion au *Catcher in the Rye* (*L'Attrape-Cœurs*) de Salinger.

livre. L'aurait-il été qu'il n'en aurait probablement rien fait. Il n'était pas bon élève.

— Eh bien, dit-il, j'ai l'impression d'entrer en scène après qu'ils ont sauté le pas, tu ne crois pas ? J'enquête sur des meurtres, moi.

— Non, lui renvoya-t-elle, c'est ce qui fait que tu as envie de le faire. On t'a volé des trucs très tôt dans ta vie. À mon avis, c'est ce qui t'a donné envie d'être policier.

Il se tut. Sa fille était très perspicace et chaque fois qu'elle tapait juste à son sujet, il se sentait mi-fier, mi-embarrassé. Il savait aussi que pour ce qui était d'avoir été volée tôt dans sa vie, elle était dans le même bateau que lui. Elle lui avait aussi dit qu'elle voulait faire ce qu'il faisait. Il en était tout à la fois honoré et effrayé. En secret, il espérait que quelque chose – peu importe ce que ce serait : chevaux, garçons, musique – l'intéresserait suffisamment pour la faire changer de projet.

Jusqu'alors rien de tel ne s'était produit. Il faisait donc tout ce qu'il pouvait pour l'aider à se préparer à la mission qui l'attendait.

Maddie nettoya son plateau, sur lequel il ne restait plus que des os de poulet. C'était une enfant très énergique et l'époque où il pouvait espérer finir son assiette était maintenant loin derrière. Il ramassa tous les déchets et les jeta à la poubelle. Puis il ouvrit le réfrigérateur et y prit une bouteille de Fat Tire qui restait de son anniversaire.

En ressortant de la cuisine, il vit que Maddie s'était installée sur le canapé avec son livre.

— Hé, dit-il, il faut que je me lève super tôt demain matin. Tu pourras te lever toute seule et te préparer ton casse-croûte de midi ?

— Évidemment.

— Qu'est-ce que tu vas prendre ?

— Comme d'habitude. Des nouilles ramen. Et je prendrai un yaourt au distributeur.

Des nouilles et du lait fermenté. Jamais il n'aurait pu avaler des trucs pareils pour déjeuner.

— Comment ça va côté argent pour les distributeurs ?

— Ça ira jusqu'à la fin de la semaine.

— Et le garçon qui t'embêtait parce que tu ne te maquilles pas encore ?

— Je l'évite. C'est rien, papa, et ce n'est pas « pas encore ». Je ne me maquillerai jamais.

— Excuse-moi. C'est ce que je voulais dire.

Il attendit, mais la discussion s'arrêta là. Il se demanda si en lui disant que ce que ce garçon lui faisait « n'était rien », elle ne voulait pas lui faire entendre le contraire. Il eut envie qu'elle lève le nez de son livre, mais elle était déjà arrivée au dernier chapitre. Il laissa filer.

Il emporta sa bière sur la terrasse pour contempler la ville. L'air était froid et clair. Il rendait les lumières dans le canyon et jusqu'en bas sur l'autoroute plus nettes et plus brillantes. Le froid qui se glissait en lui et y restait lui fit penser à ce qu'il avait perdu au fil des ans.

Il se retourna et regarda par la baie vitrée sa fille assise sur le canapé. Il la regarda jusqu'à ce qu'elle finisse son livre. Il la regarda pleurer quand elle tourna la dernière page.

# 13

Ce jeudi-là, Bosch arriva sur le parking du Regional Crime Lab avant 6 heures. Les premières lueurs de l'aube commençaient juste à déteindre dans le ciel à l'est de la ville. À cette heure matinale, le campus de l'université de Californie où se trouvait le bâtiment était calme. Il choisit une place d'où il pourrait voir tous les techniciens au fur et à mesure qu'ils se gareraient avant de gagner l'immeuble. Puis il sirota son café et attendit.

À 6 h 25 il vit enfin la personne qu'il voulait. Il laissa son café, descendit de voiture avec le paquet contenant l'arme sous le bras, zigzagua entre les véhicules et traversa nombre d'allées pour couper la route à sa proie. Il l'atteignit avant qu'elle n'arrive à l'entrée du bâtiment en pierre et verre.

— Pistol Pete ! lança-t-il. Juste le mec sur qui j'espérais tomber. Et en plus, je monte au quatrième moi aussi.

Arrivé à la porte, il l'ouvrit et la tint à Pete Sargent, un des vétérans du laboratoire de l'unité d'analyse des Armes à feu. Ils avaient travaillé sur plusieurs affaires ensemble.

Sargent se servit d'une carte magnétique pour franchir le portail électronique. Bosch, lui, tint haut son badge pour que l'officier de sécurité derrière le bureau le laisse entrer, et suivit Sargent jusqu'à l'ascenseur.

— Quoi de neuf, Harry ? J'ai comme l'impression que tu m'attendais là-bas dehors.

Bosch lui renvoya un sourire à la « ah-zut-alors-t'as -tout-compris », et acquiesça.

— Oui, dit-il, faut croire que oui. Parce que c'est toi que je veux pour ce truc. C'est Pistol Pete qu'il me faut.

C'était le *L.A. Times* qui lui avait donné ce sobriquet quelques années plus tôt dans le titre d'un article où le journaliste disait le travail infatigable qu'il avait effectué pour trouver le lien entre un Kahr P9 et des projectiles provenant de quatre homicides apparemment sans rapport. Il avait ainsi fourni le témoignage clé dans les poursuites judiciaires fructueuses lancées contre un tueur de la Mafia.

— C'est quoi l'histoire ? reprit Sargent.

— Un meurtre qui remonte à vingt ans. Hier, on a enfin retrouvé ce qui, nous en sommes pratiquement sûrs, est l'arme du crime. J'ai besoin d'avoir la correspondance avec la balle, mais j'ai aussi besoin de voir si on pourrait pas récupérer le numéro de série. C'est la clé de tout le bazar. On le récupère et ça nous conduit droit au suspect, à mon avis. Et on résout l'affaire.

— C'est aussi simple que ça, hein ?

Il tendit la main pour prendre le paquet alors que les portes de l'ascenseur s'ouvraient au quatrième.

— Bon, oui, on sait tous les deux que rien n'est aussi simple. Mais on est dans la bonne dynamique dans cette affaire et j'ai pas envie que ça ralentisse.

— Limé ou cramé à l'acide, ce numéro ?

Ils descendaient déjà le couloir conduisant à la double porte de l'unité des Armes à feu.

— J'ai l'impression qu'il a été passé à la lime. Mais tu pourras quand même le récupérer, non ?

— Des fois on peut… au moins partiellement. Mais tu sais quand même que ça demande quatre heures de boulot, non ? Une demi-journée. Et tu sais aussi qu'on est censés prendre les affaires dans l'ordre. L'attente actuelle est de cinq semaines et on peut pas passer devant tout le monde.

Bosch s'était préparé à cette réponse.

— Je ne te demande pas de couper la file. Je me demandais juste si tu pourrais pas y jeter un coup d'œil à la pause de midi et si ç'a l'air bon, tu y colles ton mélange magique et tu regardes à la fin de la journée histoire de voir ce que t'as récolté. Quatre heures mais pas une seconde de prise sur ton temps de travail ordinaire. (Et d'écarter les bras comme s'il expliquait quelque chose de si simple que c'en était beau.) La file d'attente est strictement respectée et personne n'est furieux.

Sargent sourit en levant la main pour entrer le numéro dans le pavé numérique à la porte de l'unité. Il tapa 1-8-5-2, l'année où la société Smith & Wesson avait été fondée.

Et poussa la porte.

— Je sais pas, Harry, reprit-il. On a juste cinquante minutes pour la pause et faut que je sorte. J'apporte pas mon casse-croûte comme les autres.

— C'est justement à cause de ça que tu vas me dire ce que tu veux manger à midi pour que je puisse être de retour avec à 11 h 15.

— T'es sérieux ?

— Je le suis.

Sargent le conduisit à un poste de travail qui en gros se réduisait à un tabouret rembourré et une table haute couverte de canons et de morceaux d'armes, sans compter plusieurs sachets à éléments de preuve contenant des projectiles ou des armes de poing. Collé au mur au-dessus de la table se trouvait le titre de l'article du *Times* :

*« Pistol Pete » apporte la victoire*
*dans les poursuites engagées*
*contre le tueur présumé de la Mafia.*

Sargent déposa le paquet bien au centre de la table, Harry y voyant aussitôt un bon signe. Il regarda autour de lui pour être sûr que personne ne le voyait travailler Sargent au corps. Pour l'instant, il n'y avait qu'eux dans la salle.

— Alors, qu'est-ce que t'en penses ? reprit-il. Je parie que depuis que vous avez emménagé ici, tu n'as plus jamais avalé un steak de chez Giamela.

Sargent hocha la tête d'un air pensif. Le labo régional n'existait que depuis quelques années et fusionnait ceux du LAPD et du Bureau du shérif du comté de Los

Angeles. Avant, l'unité des Armes à feu du LAPD se trouvait au commissariat de Northeast, près d'Atwater. Pour déjeuner, il y avait une boutique de sandwichs appelée « Chez Giamela ». Bosch et son associé du moment s'y arrêtaient tout le temps, jusqu'à y organiser des « expéditions armement » aux alentours de midi et emporter souvent leurs commandes au parc du Souvenir de Forest Lawn pour les manger. Bosch avait même eu un collègue qui, fanatique de base-ball, insistait sans arrêt pour aller jeter un coup d'œil à la tombe de Casey Stengel. Si elle n'était pas désherbée comme il faut, il en avertissait personnellement les gardiens du cimetière.

— Tu sais ce qui me manque ? reprit Sargent. Leur sandwich aux boulettes de viande. La sauce… ah… ça déménageait sérieux !

— Un sandwich aux boulettes de viande, un ! lança Bosch. Avec du fromage dessus ?

— Non, pas de fromage. Mais… tu pourrais me mettre la sauce à part dans une coupelle ? Comme ça, le sandwich sera pas tout mou.

— Bien vu. Je te retrouve à 11 h 15.

Son marché conclu, Bosch se retourna pour quitter la salle avant que quelque chose fasse changer d'idée à Sargent.

— Holà, attends un peu, Harry ! ajouta vite ce dernier. Et la correspondance balistique, hein ? T'as aussi besoin de ça, non ?

Pas moyen de savoir si Sargent cherchait à se faire payer un deuxième sandwich.

— Bien sûr, mais c'est le numéro de série que je veux en premier, parce que je pourrai commencer à travailler avec pendant que la balistique fera le reste du boulot. En plus, je suis assez sûr qu'on a déjà une correspondance avec ça. J'ai un témoin qui a identifié l'arme.

Sargent acquiesçant d'un signe de tête, Bosch repartit vers la porte.

— À plus, Pistol Pete ! dit-il.

*

* *

À peine arrivé à son bureau, Bosch alluma son ordinateur. Chez lui, il avait mis son réveil à 4 heures du matin pour vérifier s'il avait un mail du Danemark, mais il n'avait rien reçu. Là, il découvrit un message de Mikkel Bonn, le journaliste avec lequel il s'était entretenu.

*Inspecteur Bosch, J'ai parlé avec Jannik Frej et j'ai vos réponses en gras à vos questions. Savez-vous si Anneke Jespersen allait aux États-Unis pour des recherches sur un sujet particulier ? Si oui, lequel ? Que faisait-elle ici ?*

***Frej dit qu'elle travaillait sur des crimes de guerre pendant l'opération Tempête du désert, mais il était dans sa pratique de ne pas révéler complètement ses sujets avant d'être sûre. Frej ne sait pas exactement qui elle voyait ni où elle allait aux États-Unis. Le dernier message qu'il a reçu d'elle était qu'elle allait à L.A. pour le sujet et qu'elle ferait un reportage sur les émeutes si le*** **BT** ***la payait séparément. J'ai posé beaucoup de questions sur ce point et Frej insiste qu'elle lui avait dit qu'elle allait déjà à L.A. pour***

***l'article sur les crimes de la guerre, mais qu'elle ferait reportage sur les émeutes si le journal la paierait. Cela vous aide-t-il ?***

*Que pouvez-vous me dire des endroits où elle voulait aller ? Elle s'est rendue à Atlanta et à San Francisco avant de venir à Los Angeles. Pourquoi ? Savez-vous si elle s'est rendue dans d'autres régions des États-Unis ?*

***Frej a pas réponses là.***

*Avant de venir aux États-Unis, elle est allée à Stuttgart et y est descendue dans un hôtel proche de la base américaine. Savez-vous pourquoi ?*

***C'était le début du sujet, mais Frej ne sait pas qui Anneke est allée voir. Il croit qu'il pouvait y avoir une équipe d'enquête sur des crimes de guerre à la base militaire là-bas.***

Le mail ne semblait guère l'aider. Bosch se radossa nerveusement à son siège et regarda fixement son écran. Les barrières de la distance et de la langue étaient frustrantes. Les réponses de Frej étaient alléchantes, mais incomplètes. Il allait devoir rédiger un mail conduisant à plus d'informations. Il se mit à écrire.

*Monsieur Bonn, merci pour tout. Est-ce que je pourrais parler directement avec Jannik Frej ? Parle-t-il même un peu anglais ? L'enquête démarre bien et cette partie-là avance trop lentement – il faut une journée entière pour recevoir des réponses à mes questions. Si je ne peux pas lui parler directement, pourrions-nous organiser une téléconférence de façon que vous puissiez traduire ? S'il vous plaît, répondez aussi vite que*

Le téléphone sonnant sur son bureau, il décrocha sans lâcher des yeux l'écran de son ordinateur.

— Bosch, dit-il.

— Lieutenant O'Toole.

Bosch se retourna vers le bureau en coin. Par les jalousies ouvertes, il vit qu'O'Toole était à son bureau et le fixait.

— Quoi de neuf, lieute ?

— Vous n'avez pas vu mon mot vous disant que j'avais besoin de vous voir immédiatement ?

— Si, je l'ai eu hier soir, mais vous étiez déjà parti. Et aujourd'hui, je ne m'étais pas rendu compte que vous étiez déjà là. J'avais un mail important à envoyer au Danemark. Les choses…

— Je vous veux dans mon bureau. Tout de suite.

— J'arrive.

Bosch finit vite son mail et l'envoya. Puis il se leva et gagna le bureau du lieutenant en regardant tout autour de lui dans la salle. Il n'y avait toujours personne, juste O'Toole et lui. Quoi qu'il arrive, il n'y aurait aucun témoin.

Il était à peine entré qu'O'Toole lui ordonna de s'asseoir. Il obéit.

— C'est pour l'affaire du Death Squad ? Parce que si…

— Qui est Shawn Stone ?

— Quoi ?

— J'ai dit : Qui est Shawn Stone ?

Bosch hésita et tenta de deviner ce qu'O'Toole essayait de faire. D'instinct, il sut que la meilleure façon de procéder était de jouer le coup en toute honnêteté, sans rien cacher.

— C'est un condamné pour viol qui exécute sa peine à San Quentin.

— Qu'avez-vous à faire avec lui ?

— Rien.

— Lui avez-vous parlé lundi quand vous êtes monté à la prison ?

Il regardait un document d'une page qu'il tenait à deux mains, les coudes posés sur le plateau de son bureau.

— Oui.

— Avez-vous déposé cent dollars sur son compte de cantine ?

— Oui, ça aussi, je l'ai fait. Mais qu'est-ce que…

— Puisque vous me dites n'avoir rien à faire avec lui, quelle est la nature de vos relations ?

— C'est le fils d'une de mes amies. Comme il me restait un peu de temps, j'ai demandé à le voir. Je ne l'avais jamais vu avant.

O'Toole fronça les sourcils, les yeux toujours baissés sur sa feuille.

— Et donc, c'est sur l'argent du contribuable que vous avez rendu visite au fils de votre amie et lui avez déposé cent dollars sur son compte de cantine. Est-ce que je me trompe ?

Bosch marqua une pause afin d'évaluer la situation. Il voyait très bien ce qu'O'Toole était en train de faire.

— Oui, vous vous trompez du tout au tout, lieutenant. Je suis monté à San Quentin… sur l'argent du contribuable… pour interroger un prisonnier détenant des informations capitales dans l'affaire Anneke Jespersen. J'ai obtenu ces renseignements, et dans le temps qu'il me restait avant de retourner à l'aéroport je suis allé voir Shawn Stone. Et oui, je lui ai aussi déposé cette somme sur son compte. Tout cela a pris moins d'une demi-heure et ne m'a occasionné aucun retard pour rentrer à Los Angeles. Si vous voulez vous en prendre à moi, lieutenant, il va vous falloir plus que ça.

O'Toole hocha la tête d'un air pensif.

— Eh bien, nous laisserons donc le PSB en décider.

Bosch eut envie de tendre le bras en travers du bureau et de l'attraper par la cravate. Le PSB était le Professional Standards Bureau, soit le nouveau nom des Internal Affairs[1]. Quelle que soit son appellation, pour Bosch, une rose noire sentait toujours la pourriture. Il se leva.

— Vous allez me coller un 128 ?

— Exactement.

Bosch hocha la tête. C'était d'une telle étroitesse de vue qu'il n'arrivait pas à y croire.

— Vous mesurez bien que vous allez vous mettre toute la salle à dos si jamais vous le faites ?

C'était de la salle des inspecteurs qu'il parlait. Dès qu'ils apprendraient qu'O'Toole entamait une procédure contre lui pour un motif aussi ridicule qu'une conversation d'un quart d'heure avec un détenu de San Quentin, le peu de respect qu'ils lui vouaient encore s'effrondrerait

1. Équivalent américain de nos IGS.

comme un château de cartes. Assez bizarrement, Bosch était plus inquiet pour O'Toole et sa position dans l'unité que pour l'enquête que déclencherait le PSB suite à sa décision malavisée.

— Ce n'est pas ce qui m'inquiète, lui répondit O'Toole. Ce qui m'inquiète, c'est l'intégrité de l'unité.

— Vous faites erreur, lieutenant, et pour quoi ? Pour ça ? Parce que je ne vous ai pas laissé me bousiller mon enquête ?

— Je puis vous assurer que ça n'a rien à voir avec ça.

Bosch hocha de nouveau la tête.

— Et moi, je peux vous assurer que je m'en sortirai, au contraire de vous.

— Vous me menacez ?

La question ne méritant pas de réponse, Bosch fit demi-tour et se dirigea vers la sortie.

— Où allez-vous, Bosch ?

— J'ai une affaire à travailler.

— Pas pour longtemps.

Bosch regagna son bureau. O'Toole n'avait pas le pouvoir de le suspendre. Le règlement de la Police Protective League[1] était clair. Toute enquête du PSB devait conduire à une décision formelle, puis à un dépôt de plainte avant que cela puisse se produire. Cela étant, ce que fabriquait O'Toole réduisait son champ de manœuvre. Et Bosch avait plus que jamais besoin de conserver son élan.

En revenant à son box, il trouva Chu à son bureau avec une tasse de café.

---

1. Organisme qui défend les intérêts des policiers.

— Comment ça va, Harry ?

— Ça va.

Bosch s'assit lourdement dans son fauteuil. Il appuya sur la barre d'espacement de son clavier et son écran revint à la vie. Il vit alors qu'il avait déjà une réponse de Bonn. Il ouvrit le mail.

*Inspecteur Bosch, Je vais contacter Frej et organiser l'appel téléphonique. Je reviens vers vous avec les détails dès que possible. Je crois à ce moment qu'on doit éclairer nos intentions. Je vous promets toute confidentialité sur cette affaire si vous m'assurez que j'aurai l'exclusivité lorsque vous ferez une arrestation ou désirerez chercher l'aide publique, dans quelque ordre que cela se produise.*

*Sommes-nous d'accord ?*

Bosch savait que c'était à ça que mèneraient ses rapports avec le journaliste danois. Il cliqua sur la case *Répondre* et informa Bonn qu'il acceptait de lui donner l'exclusivité dès qu'il y aurait quelque chose qui vaudrait la peine d'être rapporté.

Il expédia le mail en cliquant violemment sur la case *Envoi*, puis il tourna son fauteuil vers le bureau du lieutenant. O'Toole était toujours assis à son bureau.

— Quelque chose qui ne va pas, Harry ? lui demanda Chu. Qu'est-ce qu'il a encore fait, le Tool ?

— Rien, répondit Bosch. T'inquiète pas pour ça. Mais faut que j'y aille.

— Où ça ?

— Voir Casey Stengel.

— Bon, tu veux des renforts ?

Bosch regarda un instant son coéquipier. Chu était sino-américain, et pour ce qu'il en savait totalement ignare en matière de sport. Et il était né bien après la mort de Casey Stengel. Il avait même l'air sincère lorsqu'il disait ne pas savoir qui était le joueur de base-ball et directeur du Hall of Fame.

— Non, dit-il, je ne pense pas en avoir besoin. Je te contacte plus tard.

— Je ne bouge pas d'ici, Harry.

— Je sais.

# 14

Bosch passa une heure à errer dans Forest Lawn en attendant d'aller prendre les sandwichs chez Giamela. Par respect pour son ancien coéquipier Frankie Sheehan, il partit de l'endroit où Casey Stengel goûtait au repos éternel et fit le tour des tombes où étaient gravés les noms de célébrités telles que Clark Gable et Carole Lombard, Walt Disney, Errol Flynn, Alan Ladd et Nat King Cole afin de gagner la partie Good Shepherd[1] de l'énorme cimetière. Une fois arrivé, il présenta ses respects au père qu'il n'avait jamais connu. La pierre tombale indiquait : *J. Michael Haller, Père et Époux*, mais Bosch savait qu'il n'avait jamais compté dans cette équation familiale.

Un peu plus tard, il redescendit la colline jusqu'à un endroit où le terrain était plus plat et les tombes plus serrées. Le souvenir qu'il en avait remontant à douze ans, il lui fallut quelques instants pour y parvenir, mais il finit par retrouver la tombe d'Arthur Delacroix, un

1. Bon Berger.

gamin dont il avait élucidé la mort[1]. Un vase en plastique bon marché contenant les tiges séchées de fleurs mortes depuis longtemps était posé à côté de la pierre tombale. Ces dernières semblaient rappeler la manière dont l'enfant avait été oublié dans la vie avant d'être oublié dans la mort. Bosch prit le vase et lui trouva une poubelle en sortant du cimetière.

Il arriva à l'unité d'analyse des Armes à feu à 11 heures, deux sandwichs sous-marins de chez Giamela encore chauds rangés dans un sac avec la sauce à part. Pistol et lui se rendirent dans une salle de repos pour les manger, Pistol se mettant à gémir de plaisir dès sa première bouchée de « sub » aux boulettes de viande – si fort même que deux autres analystes débarquèrent dans la pièce pour voir ce qui se passait. Bosch et Sargent partagèrent à contrecœur leurs sandwichs avec eux, Bosch se faisant alors de ces derniers des amis à vie.

À peine arrivé à la table de travail de Sargent, Bosch remarqua que le Beretta était déjà pris dans un étau, le côté gauche tourné vers le haut. La carcasse avait été polie avec de la laine d'acier pour que Sargent puisse dégager le numéro de série.

— On peut y aller, dit celui-ci.

Il enfila une paire de gros gants en caoutchouc, se mit un masque de protection, s'assit sur son tabouret devant l'étau, tira à lui la loupe de table avec son pied et l'alluma.

Bosch savait que toute arme manufacturée légalement dans le monde est munie d'un numéro de série unique grâce auquel ses propriété et vol peuvent être retrouvés.

1. Cf. *Wonderland Avenue*, du même auteur.

Tous les individus cherchant à dissimuler cette traçabilité se servent de divers outils pour l'effacer ou essaient de le brûler à l'acide.

Mais la fabrication même de l'arme et le procédé d'estampillage du numéro donnent aux forces de l'ordre de grandes chances de le récupérer. Lorsqu'un numéro de série est estampillé sur une arme pendant sa fabrication, c'est en effet ce processus même qui comprime le métal sous les lettres et les chiffres. Que la surface soit ensuite limée ou brûlée à l'acide n'empêche pas que, très souvent, le motif ainsi comprimé reste en dessous. Diverses méthodes peuvent alors être utilisées pour le faire ressortir. L'une d'elles consiste à appliquer un mélange d'acides et de sels de cuivre qui, par réaction avec le métal comprimé, fait réapparaître le numéro. Une autre est de se servir d'aimants et de limaille de fer.

— Je vais commencer par le Magnaflux. Si ça marche, c'est plus rapide et ça n'endommage pas l'arme, dit Sargent. La balistique a encore du boulot à faire avec ce petit chéri et j'aimerais qu'il reste en état de marche.

— C'est toi le patron, dit Bosch. Et pour moi, le plus rapide sera le mieux.

— Bon, eh bien, voyons ce que ça donne.

Il attacha un gros aimant rond sous l'arme, juste sous la culasse.

— On commence donc par aimanter... (Il passa la main sur une étagère au-dessus de la table et en descendit un vaporisateur en plastique.) Et après, c'est la recette fer-et-huile brevetée Pistol Pete...

Bosch se pencha tout près tandis que Sargent vaporisait le Beretta.

— Du fer et de l'huile ? dit-il.

— L'huile est assez épaisse pour garder le fer aimanté en suspension. On vaporise et l'aimant attire le fer à la surface de l'arme. C'est à l'endroit où le numéro de série a été estampillé et où le métal est plus dense que la force d'aimantation est la plus grande. Le fer finit alors par s'aligner sur le numéro de série. Enfin… en théorie.

— Combien de temps ça prend ?

— Pas longtemps. Si ça marche, c'est tout de suite. Si ça ne marche pas, on passera à l'acide, mais il y a de fortes chances que ça abîme le Beretta. Et on n'a pas envie que ça arrive avant que la balistique ait fini son boulot. Tu as quelqu'un pour ce travail-là ?

— Non, pas encore.

C'était de l'analyse confirmant que la balle qui avait tué Anneke Jespersen avait bien été tirée par l'arme qu'ils avaient devant eux que parlait Sargent. Bosch en était sûr, mais la confirmation de la balistique était nécessaire. Bosch mettait volontairement la charrue avant les bœufs pour ne pas ralentir le rythme. Il voulait le numéro de série pour remonter au propriétaire du Beretta, mais il savait aussi que si le procédé huile-fer de Sargent ne donnait rien, il devrait ralentir et tout reprendre en suivant le protocole habituel. Et avec O'Toole qui déposait plainte auprès du PSB, le délai encouru pourrait lui bousiller ses progrès dans l'affaire – ce qui était très exactement ce qu'espérait O'Toole de façon à jouir de l'approbation du chef.

— Bon, ben… espérons que ça marche, dit Sargent en ramenant Bosch sur terre.

— C'est ça, dit celui-ci. Et donc… j'attends ou tu préfères m'appeler ?

— J'aime bien laisser travailler le truc une quarantaine de minutes. Tu peux attendre si tu veux.

— Bon… Appelle-moi dès que tu sais.

— C'est promis, Harry. Et merci pour le sandwich.

— Merci pour le boulot, Pete.

*

* *

Trois fois dans sa carrière, Bosch avait su par cœur le numéro du bureau de l'avocat de la défense de la Police Protective League. Mais là, de retour dans sa voiture, en ouvrant son portable pour parler à un défenseur de ce qu'O'Toole était en train de fabriquer, il s'aperçut qu'il l'avait oublié. Il se concentra un moment dans l'espoir que ça lui revienne. Deux jeunes criminologues traversèrent le parking, le vent soulevant leurs blouses blanches de labo. Il se dit que ce devait être des spécialistes des scènes de crime, car il ne les connaissait pas. Il ne travaillait plus que très rarement sur les scènes.

Le numéro de la League ne lui était toujours pas revenu lorsque son portable se mit à vibrer dans sa main. L'écran lui révéla une procession de chiffres précédée du signe « + » – appel international.

— Harry Bosch, dit-il.

— Oui, inspecteur, c'est Bonn. J'ai M. Jannik en ligne. Pouvez-vous lui parler ? Je peux traduire.

— Oui, un instant.

Bosch posa son portable sur le siège et sortit un carnet et un stylo.

— OK, je suis prêt. Monsieur Jannik, vous y êtes ?

Il eut droit à ce qu'il pensa être sa question en danois, puis une voix nouvelle se fit entendre.

— Oui, bonsoir, inspector.

L'accent était prononcé, mais l'anglais restait compréhensible.

— Vous devez excuser mes paroles. Mon anglais est très pauvre.

— Mais meilleur que mon danois. Merci de bien vouloir parler avec moi, monsieur.

Bonn traduisit, mettant ainsi en route une conversation hachée qui dura une demi-heure, mais ne fournit pas grand-chose à Bosch en termes de renseignements pouvant expliquer pourquoi Anneke Jespersen était venue à Los Angeles. Jannik lui donna certes des détails sur le caractère et les talents de la photojournaliste et lui dit la détermination qu'elle mettait à aller jusqu'au bout de ses sujets quels que soient les obstacles et les risques encourus. Mais lorsque Bosch essaya de lui faire préciser les crimes de guerre sur lesquels elle enquêtait, Jannik fut incapable de lui en dire la nature et les auteurs et de lui révéler d'où elle tenait ce sujet. Il lui rappela que, travaillant en free-lance, Anneke se gardait toujours de faire connaître ses sujets à ses rédacteurs en chef. Elle avait été trop souvent grillée par certains d'entre eux qui l'écoutaient faire son pitch, lui disaient « non, merci » et mettaient aussitôt leurs propres journalistes et photographes salariés sur le coup.

Bosch était de plus en plus frustré, autant par la lenteur de la traduction que par ce qu'il entendait lorsque les réponses de Jannik lui arrivaient enfin en anglais. Il se retrouva bientôt à court de questions et s'aperçut qu'il n'avait absolument rien noté dans son carnet. Il essaya de trouver encore quelque chose à demander tandis que les deux autres continuaient de parler dans leur langue.

— Qu'est-ce qu'il dit ? lança-t-il enfin. De quoi vous parlez, vous deux ?

— Il est frustré, inspecteur Bosch, lui répondit Bonn. Il aimait beaucoup Anneke et aimerait vous être d'un grand secours. Mais il n'a pas le renseignement dont vous avez besoin. Il est frustré parce qu'il sait que vous êtes frustré vous aussi.

— Dites-lui de ne pas le prendre personnellement.

Bonn traduisit, Jannik se lançant alors dans une longue réponse.

— Reprenons à l'envers, dit Bosch en les interrompant. Je connais beaucoup de reporters ici. Ce ne sont pas des correspondants de guerre, mais je suis sûr que les reporters travaillent tous de la même façon. D'habitude, un sujet conduit à un autre. Ou alors, s'il trouve une source fiable, le journaliste y revient. Ce qui veut dire qu'il se tourne vers la même personne pour obtenir d'autres sujets. Bref, essayez de voir s'il se souvient des derniers sujets sur lesquels il avait travaillé avec elle. Je sais qu'elle était au Koweït l'année d'avant, mais demandez-lui… voyez seulement s'il se rappelle sur quoi elle travaillait.

Bonn et Jannik entamèrent une longue série d'allers-retours. Bosch entendit l'un des deux taper à l'ordinateur et se dit que ce devait être Bonn. Il attendait la traduction lorsqu'il reçut un signal d'appel. Il vérifia l'identité et vit que le coup de fil lui arrivait de l'unité d'analyse des Armes à feu. Pistol Pete. Il eut envie de le prendre tout de suite, mais décida de mettre d'abord fin à l'entretien avec Jannik.

— OK, je l'ai, dit Bonn. J'ai regardé dans nos archives numériques. L'année d'avant sa mort, comme vous dites, elle envoyait des photos et des articles du Koweït pendant l'opération Tempête du désert. Plusieurs de ces articles et photos, nous avons achetés pour le *BT*.

— D'accord. Quelque chose sur des crimes de guerre ou des atrocités ? Des trucs de ce genre ?

— Euh… non, je ne vois rien qui est comme ça. Elle écrivait des articles sur la guerre côté gens. Les gens de Koweit City. Elle avait trois essais avec photos…

— Que voulez-vous dire par « côté gens » ?

— La vie pendant la guerre. Les familles qui avaient perdu des membres. Des choses comme ça.

Bosch réfléchit un moment. *Des familles qui avaient perdu des membres*… Il savait que les crimes de guerre sont souvent des atrocités commises contre des innocents pris entre deux feux.

— Bon alors… Pouvez-vous m'envoyer les liens sur les articles que vous avez sous les yeux ?

— Oui, je le ferai. Vous devrez les traduire.

— Oui, je sais.

— Jusqu'où voulez-vous que je remonte en arrière avant le dernier ?

— Disons… un an ?

— Un an. D'accord. Ça va faire beaucoup de sujets.

— Pas de problème. M. Jannik a-t-il autre chose ? Se rappelle-t-il d'autres trucs ?

Il attendit que sa dernière question soit traduite. Il voulait filer. Il voulait retrouver Pistol Pete.

— M. Jannik réfléchira plus à cela, lui répondit Bonn. Il fait promesse de regarder le site Web pour voir s'il se rappelle autre chose.

— Quel site Web ?

— Celui d'Anneke.

— Comment ça ? Elle a un site ?

— Oui, bien sûr. Il a été monté par son frère. Il l'a fait en souvenir d'Anneke et a mis beaucoup de photos et d'articles d'elle, vous voyez ?

Bosch garda le silence un instant – il se sentait gêné. Il aurait pu accuser le frère d'Anneke de ne pas lui en avoir parlé, mais ça n'aurait fait que jeter le blâme sur un autre. Il aurait dû être assez futé pour le lui demander.

— Quelle est l'adresse du site ?

Bonn la lui donna et la lui épela. Enfin quelque chose à écrire.

*

* *

Il était plus rapide d'appeler Pete que de repasser par la sécurité. Celui-ci répondit à la deuxième sonnerie.

— C'est moi, Bosch. T'as quelque chose ?

— Je t'ai laissé un message.

Le ton était neutre. Bosch se dit que c'était mauvais signe.

— Je ne l'ai pas écouté. Je te rappelle. Alors ?

Il retint son souffle.

— En fait, les nouvelles sont plutôt bonnes. J'ai tout sauf un chiffre. Ça nous ramène à dix possibilités.

Bosch avait déjà eu bien pire. Son carnet toujours ouvert, il demanda à Sargent ce qu'il avait trouvé sur l'arme. Il le nota et le relut à haute voix pour confirmation.

BER0060_5Z

— C'est le huitième chiffre, Harry, reprit Sargent. Pas moyen de le faire remonter. J'ai un début d'arc en haut et penche pour un autre zéro, ou alors un trois, un huit ou un neuf. Quelque chose avec un arrondi en haut.

— Compris. Je repars au bureau et je passe ça à l'ordi. T'as assuré, Pistol Pete. Merci, mec.

— Quand tu veux, Harry. Du moment que tu me ramènes quelque chose de chez Giamela !

Bosch raccrocha et démarra. Puis il appela son coéquipier, qui prit l'appel au bureau. Bosch lui lut le numéro de série et lui demanda de chercher les dix possibilités de numéro complet. C'était par le ministère de la Justice de Californie qu'il valait mieux commencer – Chu avait accès à sa base de données et il y trouverait toutes les armes vendues dans l'État. S'il n'y avait aucune occurrence, il leur faudrait demander au Federal Bureau of Alcohol, Tobacco and Firearms. Ce qui ralentirait beaucoup les choses. Les fédés n'étaient pas des rapides et le FBI était secoué par une série de bourdes et de scandales qui contribuaient encore plus à ralentir les réponses à des demandes émanant des autorités locales.

Mais Bosch resta positif. Il avait eu de la chance avec Pete et le numéro de série. Il n'y avait aucune raison de croire que ça ne durerait pas.

Il s'inséra dans la circulation dense sur la route de San Fernando et prit vers le sud. Il ne savait pas trop combien de temps il lui faudrait pour rallier le PAB.

— Hé, Harry ? lui lança Chu à voix basse.

— Quoi ?

— Y a quelqu'un des Affaires internes qu'est passé. On voulait te causer.

En parlant de chance qui durait… O'Toole avait dû déposer sa plainte en mains propres au PSB… que presque tous les flics appelaient encore les Internal Affairs malgré le changement de nom officiel.

— Qui est-ce ? Il est encore là ?

— En fait, c'est une inspectrice et elle m'a dit s'appeler Mendenhall. Elle est passée chez O'Toole, elle a fermé la porte un moment et après, je crois qu'elle est partie.

— Bon, je m'en occupe. Tu me passes ce numéro à l'ordi ?

— Je m'y mets.

Bosch raccrocha. Sa file ne bougeait pas et il ne voyait pas devant lui à cause d'un Humvee. Il soupira et, frustré, donna un coup de Klaxon. Il sentait bien qu'il n'y avait pas que sa chance qui commençait à tourner. Son élan et son attitude positive s'érodaient. Il eut brusquement l'impression qu'il faisait noir.

# 15

Chu n'était pas dans le box lorsque Bosch arriva au PAB. Il jeta un coup d'œil à la pendule et s'aperçut qu'il n'était que 15 heures. Si son coéquipier avait décidé de rentrer tôt chez lui pour récupérer les longues heures de travail effectuées la veille au bureau sans passer le numéro de série du Beretta à l'ordinateur du ministère de la Justice, ça allait chauffer. Bosch s'approcha du clavier de Chu et toucha la barre d'espacement. L'écran s'alluma, mais seulement sur le mot de passe à entrer. Bosch chercha un formulaire de demande d'enregistrement d'arme au ministère de la Justice sur son bureau, mais ne trouva rien. Rick Jackson occupait le box voisin, séparé par la cloison d'un mètre vingt de haut.

— T'as pas vu Chu ? lui demanda Bosch.

Jackson se redressa dans son fauteuil et regarda tout autour de la salle comme si, au contraire de Bosch, il était capable de l'y repérer.

— Non… Mais il était là, dit-il. Il est peut-être allé voir le patron.

Bosch se tourna vers le bureau du lieutenant pour s'assurer que Chu n'y était pas enfermé. Il n'y était pas. O'Toole écrivait quelque chose, complètement ratatiné sur son bureau.

Bosch gagna le sien. Il n'y vit aucune sortie d'imprimante, mais ne manqua pas la carte de visite professionnelle que lui avait laissée Nancy Mendenhall, inspectrice de catégorie 3 au Professional Standards Bureau.

— Dis donc, Harry, lui lança Jackson à voix basse. J'apprends que le Tool t'a collé une plainte ?

— Ouais.

— Pour des conneries ?

— Ouais.

Jackson hocha la tête.

— C'est ce que je me disais. Quel connard !

Excepté Bosch, Jackson était là depuis bien plus longtemps que tout le monde dans l'unité. Il savait que le petit jeu auquel se livrait O'Toole finirait par lui faire plus de mal qu'à Bosch. Plus personne ne lui ferait jamais confiance. Plus personne ne lui dirait plus que le strict minimum requis. C'était grâce à leur superviseur que certains inspecteurs donnaient le meilleur d'eux-mêmes. Là, ce serait malgré leur patron que ceux de l'unité des Affaires non résolues le feraient.

Bosch tira son fauteuil à lui et s'assit. Il regarda la carte de visite de Mendenhall et envisagea de l'appeler pour affronter bille en tête cette plainte à la con et régler le problème. Il ouvrit le tiroir du milieu de son bureau et en sortit le carnet d'adresses en cuir qu'il avait depuis presque trois décennies. Il trouva le numéro dont il n'arrivait plus à se souvenir et appela le service d'assistance de la League. Il donna ses nom, rang et fonction et demanda à parler à un défenseur. Le superviseur l'informa qu'il n'y en avait aucun de disponible pour l'instant, mais qu'on le rappellerait sans tarder. Bosch faillit lui faire remarquer que du retard, il y en avait déjà, mais préféra le remercier et raccrocha.

Une ombre passant presque aussitôt devant lui, il leva les yeux et découvrit O'Toole en train de le regarder de haut. Il avait enfilé un costume ; Bosch se dit qu'il devait être sur le point de monter au dixième.

— Où étiez-vous passé, inspecteur ?

— À l'atelier pour un test balistique.

O'Toole marqua une pause comme s'il cherchait à bien mémoriser la réponse de façon à pouvoir en vérifier l'exactitude plus tard.

— Pete Sargent, lui précisa Bosch. Appelez-le. Et on a déjeuné ensemble. J'espère que c'est pas contre le règlement.

O'Toole balaya la pique d'un haussement d'épaules, se pencha et tapota du doigt la carte de visite de Mendenhall posée sur le bureau.

— Appelez-la, dit-il. Il faut qu'elle vous voie en entretien.

— Bien sûr. Dès que je peux.

Bosch vit Chu franchir l'entrée du hall. Celui-ci s'arrêta en voyant O'Toole dans le box, fit semblant d'avoir oublié quelque chose, y alla d'une pirouette et refranchit la porte en sens inverse.

O'Toole n'avait rien vu.

— Il n'était pas dans mes intentions de me retrouver devant ce genre de situation, dit ce dernier. J'espérais instaurer de fortes relations de confiance avec les inspecteurs de mon service.

— Oui, ben, ça n'a pas tenu très longtemps, pas vrai ? lui renvoya Bosch sans le regarder. Et en plus, ce service ne vous appartient pas, lieutenant. C'est juste le service. Il était là avant votre arrivée et sera encore là après votre départ. C'est peut-être ça qui s'est retourné contre vous… quand vous ne l'avez pas compris.

Bosch l'avait dit assez fort pour qu'on l'entende dans la salle.

— Si ce sentiment était celui de quelqu'un qui n'a pas un plein tiroir de plaintes et d'enquêtes internes contre lui, je pourrais en être insulté, lui rétorqua O'Toole.

Bosch se radossa à son fauteuil et leva enfin les yeux sur lui.

— C'est vrai, ça : toutes ces plaintes… et pourtant je suis toujours assis à ce bureau ! Et j'y serai encore lorsqu'ils en auront fini avec vous.

— C'est ce que nous verrons.

O'Toole était sur le point de partir, mais ce fut plus fort que lui. Il posa une main sur le bureau de Bosch et se pencha pour lui parler à voix basse et d'un ton venimeux.

— Bosch, dit-il, il n'y a pas pire que vous dans le genre officier de police. Vous êtes arrogant, vous êtes une petite brute et vous êtes persuadé que les lois et les règlements ne s'appliquent pas à vous. Je ne suis pas le premier à essayer de vous virer du service. Mais je serai le dernier.

Comme il avait fini de dire ce qu'il avait à dire, il ôta sa main du bureau, se redressa de toute sa hauteur et tira sèchement sur le bas de sa veste pour la remettre d'aplomb.

— Vous oubliez quelque chose, lieutenant, lui dit Bosch.

— Et ce serait ?

— Que moi, les affaires, je les résous. Et pas pour les statistiques que vous envoyez pour les petites présentations PowerPoint du dixième étage. Non, moi, je les résous pour les victimes. Et leurs familles. Et ça, c'est quelque chose que vous ne comprendrez jamais parce que vous n'allez pas sur le terrain comme le reste d'entre nous, lui asséna Bosch en lui montrant la salle d'un geste de la main.

Jackson, qui suivait manifestement la conversation, se garda d'émettre un avis et regarda O'Toole sans broncher.

— Nous faisons le boulot et résolvons les affaires pendant que vous, vous prenez l'ascenseur pour qu'on vous flatte d'une petite tape dans le dos, reprit Bosch. (Il se leva et se retrouva nez à nez avec O'Toole.) C'est pour ça que je n'ai pas de temps à vous consacrer, ni à vous ni à vos conneries.

Et il s'éloigna vers la porte que Chu venait de franchir pendant qu'O'Toole gagnait celle qui donnait sur les ascenseurs.

*

* *

Bosch passa la porte et entra dans le hall. Un de ses murs était en verre et offrait une vue superbe sur l'esplanade et sur le cœur même du Civic Center. Debout juste à côté de lui, Chu regardait la flèche familière.

— Chu, qu'est-ce qui se passe ? lui lança Bosch.

Surpris, Chu sursauta.

— Salut, Harry. Désolé, j'avais oublié quelque chose et alors... euh... je... euh...

— Quoi ? Tu avais oublié de te torcher ? Je t'attendais, moi. Où en est-on avec le ministère de la Justice ?

— Oui, ben non, y a pas d'occurrence, Harry. Désolé.

— Comment ça : « y a pas d'occurrence » ? T'as passé les dix possibilités ?

— Oui, mais y a pas eu de transactions en Californie. Ce flingue n'a pas été vendu ici. Quelqu'un l'a fait entrer et l'arme n'a jamais été enregistrée.

Bosch posa la main sur la rambarde et appuya le front sur la vitre. Il y vit le reflet du City Hall dans la longue paroi de verre du couloir. Il se résigna au fait que la chance ne pouvait pas tourner plus mal.

— Et t'as eu quelqu'un à l'ATF ?

— Pas vraiment, non. Et toi ?

— Pas vraiment non plus. J'y ai personne qui puisse faire accélérer les choses. Ça fait quatre mois que j'attends qu'ils daignent même seulement passer la douille à l'ordinateur.

Bosch ne lui signala pas non plus qu'il avait un passé d'interactions avec les agences fédérales du maintien de l'ordre plein de hauts et de bas. À l'ATF ou ailleurs, il ne pouvait compter sur personne pour lui rendre service. Il savait qu'il aurait de la chance d'avoir un retour avant six semaines s'il suivait la procédure standard et remplissait tous les formulaires.

Mais il lui restait un coup à tenter. Il s'éloigna de la paroi de verre et repartit vers la salle des inspecteurs.

— Hé, Harry, où tu vas ? lui demanda Chu.

— Je retourne au boulot.

Chu se mit en devoir de le suivre.

— Je voulais te parler d'un de mes dossiers, dit-il. Il faut qu'on aille faire une course dans le Minnesota.

Bosch s'arrêta à la porte de la salle.

« Faire une course », c'était aller confronter et arrêter un suspect dans un autre État. En général, ce suspect avait été retrouvé grâce à son ADN ou ses empreintes digitales. La salle des inspecteurs s'ornait d'une carte piquée de punaises rouges indiquant tous les endroits où l'unité était allée cueillir des suspects depuis ses dix ans d'existence. Il y en avait des dizaines et des dizaines.

— Quel dossier ? demanda Bosch.

— Le dossier Stilwell. Je l'ai enfin localisé à Minneapolis. Quand peux-tu partir ?

— Tu parles d'un cold case ! La piste est si froide qu'on va se les geler là-haut !

— Je sais. Qu'est-ce que t'en penses ? Il faut que je fasse la demande de voyage.

— Faut que je voie où l'affaire Jespersen va m'emmener dans les deux ou trois jours à venir. Et après, j'ai le truc avec les Professional Standards… ils pourraient me suspendre.

Chu acquiesça d'un signe de tête, mais Bosch vit bien que son coéquipier espérait quand même plus d'enthousiasme à l'idée d'aller serrer Stilwell. Et quelque chose de plus précis sur la date à laquelle ils pourraient le faire.

Personne au sein de l'unité n'aimait attendre quand un suspect était identifié et localisé.

— Écoute, y a des chances qu'O'Toole me refuse tout voyage pendant un certain temps. Tu ferais peut-être bien de voir si quelqu'un d'autre pourrait pas t'accompagner. Essaie d'avoir Trish La Bombe. Comme ça, t'auras une chambre à toi tout seul.

Le règlement en matière de voyages stipulait que les inspecteurs devaient ne prendre que des chambres à deux lits, ce qui permettait aux coéquipiers de partager le même espace et à la police de faire des économies. C'était le mauvais côté des voyages, personne n'ayant envie de partager une salle de bains, sans même parler des ronflements inévitables du collègue. Une fois, Tim Marcia avait ainsi dû enregistrer son coéquipier qui ronflait à en faire tomber les vitres afin de persuader le commandement de lui allouer une chambre à lui seul. L'exception qui posait le moins de problèmes était celle des collègues de sexe différent. Trish Allmand était une inspectrice hautement recherchée à l'unité des Affaires non résolues. Non seulement elle était séduisante – d'où son surnom – et plus que compétente, mais voyager avec elle pour le boulot signifiait que son coéquipier avait automatiquement droit à une chambre personnelle.

— Mais c'est notre affaire, Harry ! se plaignit Chu.

— Bon d'accord, mais tu vas devoir attendre. Je ne peux rien y faire, lui renvoya Bosch.

Sur quoi il franchit la porte, entra dans leur box et prit son téléphone et son carnet de notes laissé sur le bureau. Puis il réfléchit à l'appel qu'il allait passer et décida de ne se servir ni de son portable ni du fixe.

Il jeta un coup d'œil à l'énorme salle de la division des Vols et Homicides. L'unité des Affaires non résolues se trouvait à l'extrémité sud d'une salle aussi grande qu'un terrain de football américain. À cause du gel des promotions et des embauches, plusieurs box vides émaillaient chacun des secteurs de la salle. Bosch gagna un bureau désert de l'Homicide Special et s'assit pour y téléphoner du fixe. Il afficha le numéro dont il avait besoin sur son portable et le composa. Quelqu'un décrocha aussitôt.

— Tactique, j'écoute ?

Il eut l'impression de reconnaître la voix, mais n'en fut pas certain tant cela remontait à loin.

— Rachel ? dit-il enfin.

Il y eut un silence.

— Bonjour, Harry. Comment vas-tu ?

— Bien bien. Et toi ?

— J'ai pas à me plaindre. C'est ton nouveau numéro ?

— Non, j'ai juste emprunté un bureau. Comment va Jack ? ajouta-t-il vite pour essayer de lui faire oublier qu'il se servait d'un autre téléphone que le sien.

Il s'était dit qu'elle n'aurait peut-être pas décroché si elle avait vu son nom apparaître à l'écran. Entre l'agent du FBI Rachel Walling et lui, c'était une longue histoire, et pas toujours des meilleures.

— Jack, c'est Jack, répondit-elle. Ça va. Mais je doute que tu appelles d'un autre fixe que le tien pour me demander de ses nouvelles.

Il hocha la tête même si elle ne pouvait pas le voir.

— Bon, tu t'en doutes probablement, j'ai besoin d'un service.

— Quel genre de service, Harry ?

— Je suis sur une affaire. Une Danoise du nom d'Anneke Jespersen. Elle avait un courage remarquable. Elle était correspondante de guerre et elle est allée dans les coins les plus…

— Harry, tu n'as pas besoin de me faire l'article pour ta victime comme si ç'allait me donner envie de te rendre ce service, quel qu'il soit. Dis-moi juste ce que tu veux.

Il hocha de nouveau la tête. Rachel Walling avait l'art de le mettre mal à l'aise. Ils avaient été amants, mais, côté émotionnel, ça s'était mal terminé. Ça remontait à loin, mais chaque fois qu'il lui parlait, il regrettait encore ce que ç'aurait pu devenir.

— Bon, bon, alors voilà. J'ai un numéro de série partiel pour un Beretta modèle 92 dont l'assassin s'est servi pour tuer cette femme lors des émeutes d'il y a vingt ans. On vient juste de le récupérer avec une partie du numéro. Il ne nous manque qu'un chiffre, ce qui nous donne donc dix possibilités. On les a toutes passées à l'ordi du ministère de la Justice de Californie et ça n'a rien donné. J'ai besoin de quelqu'un qui…

— L'ATF, Harry. C'est de leur ressort.

— Je sais. Mais je n'y connais personne et si je m'en tiens strictement au protocole, je n'aurai ma réponse que dans deux ou trois mois, et je ne peux pas attendre aussi longtemps, Rachel.

— T'as pas changé, Harry. T'es toujours « Harry-tout-tout-de-suite ». Tu veux donc savoir si je ne connaîtrais pas quelqu'un à l'ATF qui pourrait t'arrondir les angles.

— En gros, oui.

Il y eut un long silence. Bosch se demanda si quelque chose avait détourné son attention ou si elle hésitait à l'aider. Il y alla d'une deuxième tentative de lobbying.

— Je suis prêt à en partager le mérite avec eux quand on arrêtera le suspect. Je me dis que ça ne pourrait pas leur faire de mal. D'autant plus que ce sont eux qui m'ont donné la première piste. Ils avaient réussi à relier une douille retrouvée sur la scène de crime à deux autres meurtres. Ça ne ferait pas de mal à leur image, ça changerait un peu.

Depuis quelque temps, on parlait essentiellement de l'ATF aux infos pour avoir chapeauté une opération clandestine qui avait complètement foiré et mis des centaines d'armes entre les mains de narcoterroristes. L'indignation suscitée par ce fiasco était telle qu'on ne parlait que de ça dans la campagne présidentielle.

— Je vois ce que tu veux dire, acquiesça Walling. Et oui, j'ai une copine à l'ATF. Je pourrais lui en toucher deux mots. Ce que j'aimerais, c'est que tu me donnes le numéro de série pour que je puisse le lui passer. Te donner juste son numéro de portable ne marcherait pas.

— Pas de problème, dit-il aussitôt. Fais au mieux. Elle devrait pouvoir l'entrer dans la base et avoir la trace de la transaction en dix minutes.

— Ce n'est pas aussi facile. L'accès à ce genre de recherches est surveillé et se voit automatiquement attribuer un numéro d'affaire. Elle sera quand même tenue d'avoir le feu vert de son superviseur pour pouvoir le faire.

— Zut. Dommage qu'ils n'aient pas été aussi stricts pour toutes ces armes qu'ils ont laissées passer la frontière l'année dernière.

— Très drôle, Harry. Je le lui dirai.

— Euh, vaudrait peut-être mieux éviter.

Elle lui demanda le numéro de série du Beretta, il le lui lut et lui fit remarquer que c'était le huitième chiffre qui manquait. Elle l'informa qu'elle le rappellerait ou que ce serait son amie, l'agent Suzanne Wingo, qui le contacterait directement. Puis elle mit fin à l'appel sur une question personnelle.

— Alors, Harry, combien de temps vas-tu encore faire ça ?

— Faire ça, quoi ? lui renvoya-t-il alors même qu'il se doutait assez bien de ce qu'elle voulait dire.

— Le truc du badge et du flingue. Je pensais que tu serais déjà à la retraite à l'heure qu'il est. Volontairement ou pas.

Il sourit.

— Aussi longtemps qu'ils me laisseront faire, Rachel. Ce qui, d'après mon contrat DROP[1], devrait durer quatre ans.

— Bon, eh bien, avec un peu d'espoir, nos chemins se croiseront peut-être encore avant que tu aies purgé ta peine.

— Oui, je l'espère.

— Prends bien soin de toi.

---

1. *Deferred Retirement Option Plan*, ou prolongement d'activité avant départ à la retraite. Cf. *Ceux qui tombent*, paru dans cette même collection.

— Merci pour ce truc.

— Ne me remercie pas avant que je sois sûre qu'ils le fassent.

Bosch remit le combiné en place. Il se levait pour regagner son box lorsque son portable bourdonna. L'appel était « inconnu », mais il répondit quand même : ç'aurait pu être Rachel qui essayait de le rappeler.

Mais c'était l'inspectrice Mendenhall du PSB.

— Inspecteur Bosch, dit-elle, il faut qu'on prenne rendez-vous. À quoi ressemble votre planning en ce moment ?

Bosch repartit vers l'unité des Affaires non résolues. Mendenhall n'avait pas pris un ton menaçant. Qui sait si elle n'avait pas déjà compris que la plainte d'O'Toole se réduisait à des conneries. Il décida d'affronter l'enquête sans détour.

— Mendenhall, dit-il, la plainte ne repose sur rien et j'ai envie de régler ça au plus vite. On dit demain matin à la première heure ?

Si elle fut surprise que Bosch veuille la voir tout de suite au lieu de repousser à plus tard, elle n'en laissa rien paraître dans sa voix.

— J'ai un créneau à 8 heures. Ça vous va ?

Parfait. Chez vous ou chez moi ?

— Je préférerais que vous veniez ici, à moins que ça vous pose un problème.

C'était du Bradbury Building, l'endroit où se trouvait l'essentiel des services du PSB, qu'elle parlait.

— Pas de problème, Mendenhall. J'y serai avec un défenseur.

— Très bien. Nous verrons si on peut régler ça tout de suite. Une dernière chose cependant, inspecteur.

— Oui ? Quoi ?

— Appelez-moi « inspectrice » ou « inspectrice Mendenhall » quand vous me parlez. C'est me manquer de respect que de m'appeler par mon seul nom de famille. J'aimerais assez que nos relations soient professionnelles et respectueuses d'entrée de jeu.

Bosch venait d'arriver à son box. Il vit Chu à son poste de travail et s'aperçut qu'il ne l'avait jamais appelé par son prénom ou son rang. Lui manquait-il de respect depuis tout ce temps ?

— Entendu, inspectrice, dit-il. Je vous retrouve demain à 8 heures.

Il raccrocha. Puis, avant de s'asseoir, il passa la tête par-dessus la cloison et se pencha dans le box de Rick Jackson.

— J'ai un entretien au Bradbury demain matin à 8 heures. Ça ne devrait pas durer trop longtemps. La League ne m'a toujours pas rappelé. Tu veux venir me représenter ?

Si la League fournissait des défenseurs pour tout interrogatoire au PSB, n'importe quel officier de police pouvait défendre un collègue du moment qu'il ou elle ne jouait aucun rôle dans l'enquête en cours.

Bosch avait choisi Jackson parce qu'il n'était pas né d'hier et n'avait pas l'air de quelqu'un à qui on raconte des conneries. Ce qui était toujours intimidant lorsqu'on interrogeait un suspect. Bosch lui avait plus d'une fois demandé de s'asseoir dans la salle lors d'un interrogatoire. Son silence et son regard fixe démontaient souvent le suspect et Bosch se disait que ça pourrait lui donner un avantage lorsqu'il prendrait place en face de l'inspectrice Mendenhall.

— Bien sûr. J'en suis, lui répondit Jackson. Que veux-tu que je fasse ?

— Retrouvons-nous à 7 heures au Dining Car. On mange un bout et je te dis tout.

— Ça marche.

Bosch s'assit dans son fauteuil et se rendit compte qu'il venait peut-être d'insulter Chu en ne lui demandant pas de le représenter. Il se retourna vers lui.

— Hé, euh, Chu… euh, David.

Chu se retourna à son tour.

— Je peux pas te prendre comme représentant parce que Mendenhall va probablement devoir parler de l'affaire. Tu seras témoin.

Chu acquiesça d'un hochement de tête.

— Tu comprends ?

— Bien sûr, Harry. Je comprends.

— Et si je t'appelle tout le temps par ton nom de famille, c'est pas pour te manquer de respect. Je fais ça avec tout le monde.

Chu parut troublé par ce semblant d'excuse.

— Bien sûr, Harry, répéta-t-il.

— Et donc, toi et moi, ça va ?

— Oui, ça va, Harry.

— Parfait.

# DEUXIÈME PARTIE

## Des mots et des images

# 16

Bosch s'était plongé dans les enregistrements d'Art Pepper que sa fille lui avait offerts pour son anniversaire. Il en était au troisième album et écoutait une version saisissante de *Patricia* enregistrée trois décennies plus tôt dans un club de Croydon, en Angleterre. Pepper faisait alors son come-back après des années de prison et de dépendance à la drogue. Ce soir-là – c'était en 1981 –, tout allait à merveille. Dans ce morceau, il prouvait que personne ne pourrait jamais jouer mieux que lui. Bosch ne savait pas trop ce que signifiait le mot « éthéré », mais c'était ce qui lui venait à l'esprit. L'air était parfait, le saxophone était parfait, les jeux et les échanges entre Pepper et les trois membres de son orchestre étaient aussi parfaits et parfaitement orchestrés que le mouvement de quatre doigts de la main. Les mots dont on se sert pour décrire la musique de jazz sont innombrables. Au fil des ans, Bosch les avait tous lus dans les revues et au dos des disques. Il ne les comprenait pas toujours. Il savait seulement ce qu'il aimait. C'était puissant et implacable, et parfois triste.

Il avait du mal à se concentrer sur son écran d'ordinateur tandis que le morceau défilait depuis presque vingt minutes. Il avait d'autres enregistrements de *Patricia* sur disques et CD. C'était un des grands classiques d'Art Pepper. Mais jamais encore il ne l'avait entendu dans une version aussi pleine de passion et de nerf. Il regarda sa fille en train de lire, allongée sur le canapé. Encore un livre pour l'école. Celui-là s'intitulait *Nos étoiles contraires*.

— Il s'agit de sa fille, dit-il.

Maddie leva le nez de son livre et le regarda.

— De quoi tu parles ? lui demanda-t-elle.

— De ce morceau. *Patricia*. Il l'a écrit pour elle. Il a été loin d'elle pendant de longues périodes de sa vie, mais il l'aimait et elle lui manquait. Ça s'entend, non ?

Elle réfléchit un instant, puis acquiesça d'un signe de tête.

— Je crois, oui, répondit-elle. On croirait presque entendre pleurer son sax.

Bosch lui renvoya son signe de tête.

— Oui, ça s'entend, dit-il.

Il se remit au travail. Il épluchait les liens renvoyant aux nombreux articles de Jespersen que Bonn lui avait envoyés par mail. Il s'agissait de ses quatorze derniers écrits et essais photographiques pour le *Berlingske Tidende* et de l'article du dixième anniversaire que le journal avait publié en 2012. La tâche était fastidieuse, tous les articles étant en danois et l'obligeant à recourir à un site de traduction du Net pour les restituer en anglais par groupes de deux ou trois paragraphes.

Anneke Jespersen avait photographié et relaté la première et très courte guerre du Golfe sous tous les angles. Mots, images, tout sortait droit des champs de bataille, des pistes d'envol, des postes de commandement, y compris du bateau de croisière dont les Alliés avaient fait un lieu de repos flottant pour les troupes. Les dépêches qu'elle envoyait au *BT* étaient celles d'une journaliste qui dit un nouveau type de guerre, une attaque de haute technologie lancée rapidement du haut du ciel. Mais jamais elle ne s'y tenait à bonne distance du danger. Les combats devenant terrestres lors de l'opération Sabre du désert, elle avait réussi à être au cœur de l'action avec les troupes alliées lorsqu'il leur avait fallu reprendre Koweit City et Al-Khafji.

Ses articles disaient les faits, ses photos en montraient les coûts. Elle avait photographié la caserne de Dhahran où vingt-huit soldats américains avaient péri suite à une attaque de missiles Scud. Il n'y avait pas de photos des corps, mais les carcasses fumantes des Humvee détruits faisaient comprendre l'étendue des pertes. Elle avait photographié les camps de prisonniers de guerre où, en plein désert saoudien, les soldats irakiens avaient constamment le regard lourd de peur et de lassitude. Elle avait saisi la fumée qui montait en énormes tourbillons noirs des champs de pétrole auxquels les Irakiens avaient mis le feu en battant en retraite. Ses clichés les plus obsédants montraient l'Autoroute de la Mort, où un interminable convoi de soldats ennemis et de civils irakiens et palestiniens avait été bombardé sans pitié par les forces alliées.

La guerre, Bosch l'avait faite. La sienne avait été toute de boue, de sang et de désarroi. Mais les gens qu'on tue, qu'il avait tués, lui, il les voyait de près. Certains souvenirs qu'il en avait gardés étaient d'une clarté aussi cristalline que les photographies qui s'affichaient maintenant sur son écran. Ils lui revenaient le plus souvent la nuit lorsqu'il ne trouvait pas le sommeil ou sans crier gare lorsqu'une image de tous les jours lui en rappelait Dieu sait comment une autre des jungles ou des tunnels où il s'était battu. La guerre, il en avait une connaissance de première main et les mots et les photos d'Anneke Jespersen en étaient à ses yeux les plus proches jamais sortis de la vision d'un journaliste.

Après le cessez-le-feu, Jespersen n'était pas rentrée chez elle. Elle était restée plusieurs mois dans la région et avait décrit de façon détaillée les camps de réfugiés et les villages détruits, mais aussi les efforts déployés pour reconstruire et aider les populations lorsque les Alliés s'étaient lancés dans l'opération Provide Comfort.

S'il y avait un moyen de connaître la personne qui tenait le stylo et restait invisible derrière l'appareil photo, c'était bien dans ces articles et dans ces photos de l'après-guerre. Jespersen était allée chercher les mères et les enfants, tous ceux et toutes celles que la guerre avait le plus détruits et dépossédés. Il ne s'agissait peut-être que d'images et de mots, mais, mis bout à bout, ils disaient le côté humain et le coût d'une guerre hautement technologique avec toutes ses conséquences.

Peut-être était-ce dû à l'accompagnement particulièrement émouvant d'Art Pepper au saxophone, mais là, au fur et à mesure que, méticuleusement, il traduisait et lisait ses articles et regardait ses photos, Bosch se sentait de plus en plus proche d'Anneke Jespersen. Vingt ans après les faits, elle le touchait encore avec son travail, et sa résolution n'en était que plus forte. Vingt ans plus tôt, il lui avait demandé pardon. Cette fois, il promit : il trouverait celui qui lui avait tout ravi.

Le dernier arrêt du voyage numérique de Bosch dans la vie et l'œuvre d'Anneke Jespersen fut pour le site Web que son frère avait monté en son honneur. Pour y entrer, il dut donner son adresse e-mail, soit l'équivalent numérique de la signature qu'on appose dans le livre d'or lors d'un service funèbre. Le site était divisé en deux sections : les photos qu'elle avait prises et celles qu'on avait prises d'elle.

Bon nombre de photos de la première partie accompagnaient les articles qu'il avait déjà lus grâce aux liens fournis par Bonn. Il y avait beaucoup de clichés en supplément de ces mêmes articles, certains à son avis bien meilleurs que ceux qui avaient été retenus pour les illustrer.

La deuxième section tenait plus de l'album de famille, où l'on commençait par découvrir la petite fille maigrichonne à cheveux blond paille qu'elle avait été. Il balaya vite ces clichés jusqu'à ce qu'il trouve une série d'autoportraits, tous pris une année après l'autre devant des miroirs. Elle y posait avec son appareil en bandoulière, celui-ci à hauteur de poitrine pour lui permettre de prendre le cliché sans regarder dans le viseur. Le passage des ans marquait son visage. Mais, image après image, elle restait belle, la sagesse donnant de plus en plus de profondeur à son regard.

Dans les tout derniers, il eut l'impression qu'elle le regardait droit dans les yeux, lui et personne d'autre. Il eut du mal à s'en détacher.

Le site comportait une partie commentaires. Bosch l'ouvrit et tomba sur une avalanche de réflexions, les premières remontant à l'ouverture du site en 1996. De moins en moins nombreuses au fil des ans, elles se réduisaient à une seule phrase la dernière année. Postée par son frère qui avait construit et maintenu le site. De façon à pouvoir la lire en anglais, Bosch la copia dans le traducteur du Net dont il se servait.

*Anneke, le temps n'efface pas notre deuil. Sœur, artiste, amie, tu nous manques. Toujours.*

Bosch sortit du site et éteignit son ordinateur sur ces sentiments. Il en avait fini pour la journée. Si ses efforts l'avaient conduit plus près d'Anneke Jespersen, pour finir, rien ne lui donnait le moindre aperçu des raisons qui l'avaient poussée à aller aux États-Unis un an après l'opération Tempête du désert. Pas plus que cela ne lui disait pourquoi elle était venue à Los Angeles. Il n'y avait rien sur un quelconque crime de guerre, rien qui semble exiger un suivi, et encore moins un séjour à L.A. Quel qu'ait pu être l'objet de sa quête, il lui restait caché.

Il jeta un coup d'œil à sa montre. Le temps avait filé. Il était 23 heures passées et il commençait tôt le lendemain matin. Le disque avait pris fin et la musique s'était arrêtée sans qu'il s'en rende compte. Sa fille s'étant endormie sur le canapé avec son livre, il lui fallait maintenant décider s'il devait la réveiller pour qu'elle aille se coucher ou étendre simplement une couverture sur elle et la laisser tranquille.

Il se leva, ses tendons protestant lorsqu'il s'étira. Il ôta le carton à pizza de la table basse et boitilla jusqu'à la cuisine, où il finit par le poser sur la poubelle qu'il viderait plus tard. Il le regarda et sans rien dire s'enguirlanda d'avoir une fois de plus fait passer son travail avant sa fille.

Lorsqu'il revint dans la salle de séjour, il vit que Madeline s'était redressée sur le canapé et, à moitié endormie, tenait sa main devant sa bouche pour bâiller.

— Hé, dit-il, il est tard. C'est l'heure d'aller au lit.

— Nan, tu crois ? répondit-elle non sans ironie.

— Allez, je t'accompagne.

Elle se leva et s'appuya contre lui. Il lui passa un bras autour des épaules et ils descendirent le couloir jusqu'à sa chambre.

— Tu vas encore être toute seule demain matin, ma fille. Ça ira ?

— Comme si t'avais encore à me le demander, papa.

— J'ai un petit déjeuner de travail à 7 heures et…

— Pas besoin de te justifier.

Arrivé à la porte, il la laissa partir après l'avoir embrassée sur le haut du crâne et senti l'odeur d'ananas de son shampooing.

— Bien sûr que si. Tu mérites d'avoir quelqu'un qui serait là plus souvent. Qui serait là pour toi.

— Papa, dit-elle, je suis trop fatiguée pour ça. Je veux pas en parler.

D'un geste, il lui montra la salle de séjour à l'autre bout du couloir.

— Si je pouvais jouer ce morceau comme lui, je le ferais, tu sais ? dit-il. Et là, tu saurais.

Il était allé trop loin en lui infligeant son sentiment de culpabilité.

— Je sais ! lui renvoya-t-elle, agacée. Bon et maintenant, bonne nuit.

Elle franchit le seuil de sa chambre et referma la porte derrière elle.

— Bonne nuit, mon bébé, dit-il.

*
* *

Il regagna la cuisine, mit le carton à pizza à la poubelle dehors et s'assura que le couvercle en était bien fermé pour éviter les coyotes et autres créatures de la nuit.

Avant de rentrer, il sortit ses clés pour ouvrir le cadenas de la réserve à l'arrière de l'auvent à voitures. Il tira sur le fil de la lampe et balaya les étagères des yeux. Les cochonneries qu'il gardait depuis toujours s'y entassaient dans des boîtes. Il tendit le bras et en descendit une sur l'établi, puis retendit le bras pour attraper ce qui se trouvait derrière.

Il descendit le casque antiémeutes blanc qu'il portait le soir où il était tombé sur le corps d'Anneke Jespersen. Il en contempla les marques et les taches. Puis, de la paume de la main, il ôta la poussière de la décalcomanie collée sur le devant – le badge ailé. Il examina le casque et se rappela les nuits où la ville était tombée en morceaux. Vingt ans étaient passés depuis. Il repensa à toutes ces années, à tout ce qui lui était arrivé, à tout ce qu'il en était resté ou avait filé.

Au bout d'un moment, il remit le casque sur l'étagère et y reposa la boîte qui le cachait. Puis il referma la réserve et rentra se coucher.

## 17

L'inspectrice Nancy Mendenhall était une petite femme au sourire sincère, voire désarmant. Elle n'avait pas l'air le moins du monde menaçante, ce qui mit Bosch aussitôt sur ses gardes. Et ce n'était pas faute d'être déjà sur le qui-vive et prêt à tout lorsqu'il était entré dans le Bradbury Building avec Rick Jackson pour l'entretien. Avoir passé des années à éconduire les enquêteurs de l'inspection des services lui dictait de ne pas rendre son sourire à Mendenhall et de mettre en doute toute déclaration tendant à lui faire croire que c'était avec l'esprit ouvert qu'elle cherchait tout simplement la vérité et n'obéissait pas à des consignes venues d'en haut.

Elle disposait d'un bureau à elle seule. Il était petit, mais les fauteuils posés devant elle étaient confortables. Il y avait même une cheminée, comme dans beaucoup d'autres bureaux de ce vieux bâtiment. Les fenêtres derrière elle donnaient sur l'immeuble qui abritait le vieux Million Dollar Theater, de l'autre côté de Broadway. Elle posa un magnétophone numérique sur son bureau, Jackson fit pareil avec le sien et la séance commença. Après avoir identifié tous les individus présents dans la salle et fait observer les mises en garde habituelles contre toute déclaration de complaisance, elle lança :

— Parlez-moi de votre visite à la prison de San Quentin lundi dernier.

Pendant les vingt minutes qui suivirent, Bosch lui rapporta le voyage qu'il y avait effectué afin d'interroger Rufus Coleman sur l'arme qui avait tué Anneke Jespersen. Il lui donna tous les détails auxquels il pouvait penser, y compris combien de temps il avait dû attendre avant qu'on lui amène le prisonnier. Lors de leur petit déjeuner, Bosch et Jackson avaient décidé de ne rien lui cacher en espérant que Mendenhall aurait assez de bon sens pour voir que la plainte d'O'Toole se résumait à un tas de conneries.

Bosch appuya ses déclarations avec des photocopies de certains documents de son livre du meurtre de façon qu'elle comprenne qu'il lui était absolument nécessaire de se rendre à San Quentin pour parler à Coleman et qu'il n'avait rien trafiqué dans le seul but de pouvoir s'entretenir avec Shawn Stone.

Tout semblait se dérouler sans accrocs, Mendenhall se contentant de lui poser des questions assez générales pour qu'il puisse développer. Quand il en eut fini, elle passa à des choses plus précises.

— Shawn Stone savait-il que vous alliez passer ? lui demanda-t-elle.

— Non, pas du tout.

— Aviez-vous dit à sa mère que vous alliez le voir ?

— Non. Ça m'est venu sur le coup. Comme je vous l'ai dit, mes heures de vol étaient fixées. J'avais le temps de le voir un court instant et j'ai demandé à lui parler.

— On vous l'a bien amené dans une salle d'interrogatoire, n'est-ce pas ?

— Exactement. Les gardes ne m'ont pas dit d'aller le voir au parloir réservé à la famille et aux amis. Ils m'ont dit qu'ils me l'amèneraient.

C'était le seul point sur lequel il se sentait vulnérable. Il n'avait pas demandé à voir Shawn Stone comme l'aurait fait un citoyen ordinaire. Il était resté dans la salle où on lui avait amené Rufus Coleman et avait simplement demandé qu'on lui amène un deuxième prisonnier. Il savait qu'on pouvait y voir une façon de se servir de son badge pour obtenir une faveur.

Mendenhall poussa les feux.

— OK, dit-elle, avez-vous inclus le temps qu'il vous faudrait pour voir Shawn Stone dans vos horaires de vol pour monter à San Quentin ?

— Absolument pas. Quand on monte là-haut, on ne sait jamais combien de temps mettront les gardiens pour vous amener le prisonnier et combien de temps il pourra vous parler. J'ai souvent fini par y aller pour un entretien d'une minute, ou pour un interrogatoire d'une heure qui se transformait en quatre. Comme on ne le sait jamais, on se donne toujours un peu de temps.

— Vous vous étiez donc ménagé une fenêtre de quatre heures à la prison.

— À peu près, oui. Et en plus, y a les incertitudes de la circulation. Il faut y aller en avion, prendre le train jusqu'au centre de location de voitures, s'en faire donner une et monter en ville, la traverser de bout en bout, se taper le Golden Gate, et bien sûr faire tout ça en sens inverse pour le retour. C'est pour ça qu'on inclut ces imprévus. J'ai fini par passer un peu plus de quatre heures à la prison et n'en ai utilisé que deux pour attendre et parler à Coleman. Faites le calcul et vous verrez que j'avais du temps libre, et que je m'en suis servi pour voir le gamin.

— À quel moment avez-vous dit aux gardiens que vous vouliez voir Stone ?

— Je me rappelle avoir regardé ma montre au moment où ils remmenaient Coleman. Il était 14 h 30 et je savais que mon avion décollait à 18 heures. Je me suis dit que même avec la circulation et la voiture à rendre, j'avais au minimum une heure de battement. Je pouvais ou retourner plus tôt à l'aéroport ou voir s'ils pourraient pas m'amener un deuxième prisonnier vite fait. J'ai choisi la deuxième solution.

— Avez-vous songé à regarder s'il n'y avait pas un autre vol plus tôt ?

— Non, parce que ça ne changeait rien à l'affaire. De toute façon, j'aurais mis fin à ma journée dès mon arrivée à Los Angeles. Et donc, vu que je n'allais pas retourner au bureau, que j'atterrisse à L.A. à 17 ou à 19 heures n'avait aucune importance. J'aurais quand même terminé ma journée. Et il n'y a plus d'heures supplémentaires maintenant, vous le savez bien, inspecteur.

Jackson intervint et parla pour la première fois depuis le début de la séance.

— Sans compter que changer de vol implique souvent le paiement d'un supplément. Et ce supplément peut aller de vingt-cinq à cent dollars. Si Bosch l'avait fait, il aurait eu à se justifier auprès des contrôleurs de gestion et du service des voyages.

Bosch acquiesça d'un signe de tête. Jackson improvisait suite à la question de Mendenhall, mais la précision était pertinente.

Même si elle n'avait pas de feuille de papier devant elle, Mendenhall donnait l'impression d'avoir une liste de questions à poser. Elle laissa tomber celle des voyages et passa à la suivante.

— Avez-vous en quelque façon que ce soit laissé entendre aux gardiens de San Quentin que vous vouliez parler à Shawn Stone dans le cadre d'une enquête ?

— Non, répondit Bosch en hochant la tête. Et je pense qu'au moment où j'ai demandé comment je pouvais déposer de l'argent sur son compte de cantine, il était clair que voir Stone n'entrait évidemment pas dans le cadre d'une enquête.

— Mais ça, vous l'avez demandé après avoir parlé à Stone, exact ?

— Exact.

Il y eut une pause pendant laquelle elle feuilleta les documents que Bosch lui avait fournis.

— Messieurs, reprit-elle enfin, je crois que c'est tout pour l'instant.

— Vous n'avez plus d'autres questions ? lui demanda Bosch.

— Pas pour le moment, non. Il se pourrait que je procède à un suivi plus tard.

— Est-ce que moi, je peux vous poser quelques questions maintenant ?

— Vous pouvez et j'y répondrai si je peux.

Il acquiesça. C'était de bonne guerre.

— Combien de temps tout cela prendra-t-il ?

Elle fronça les sourcils.

— Eh bien, pour ce qui est de l'enquête proprement dite, je ne pense pas que ça en prenne beaucoup. À moins que je n'obtienne pas ce que je veux de San Quentin par téléphone et que je ne sois obligée d'y monter.

— Ce qui fait qu'ils pourraient dépenser tout ce qu'il faut de fric pour vous expédier là-haut afin que vous puissiez vérifier ce que j'ai fait de l'heure de rab qui me restait.

— Ce sera à mon capitaine d'en décider. Il calculera certainement les frais que ça implique et déterminera le degré de gravité de l'enquête. Il sait aussi que j'ai d'autres enquêtes en cours en ce moment. Il pourrait décider que ça n'en vaut ni l'argent ni la peine.

Bosch, lui, ne doutait pas qu'ils l'enverraient à San Quentin si nécessaire. Elle vivait peut-être dans une bulle où il n'y avait pas de pressions d'en haut, mais ce n'était certainement pas le cas de son capitaine.

— Autre chose ? demanda-t-elle.

— Oui, encore une. D'où sort cette plainte ?

Elle parut surprise par la question.

— Je ne peux pas en parler avec vous, mais je pensais que vous le saviez. Ça me semble évident.

— Non, je sais qu'elle vient d'O'Toole. Mais toute cette histoire de visite à Shawn Stone… comment l'idée lui en est-elle venue ? Comment l'a-t-il su ?

— Ça non plus, je ne peux pas vous le dire, inspecteur. Dès que mon enquête sera terminée et que j'aurai rendu mes conclusions, vous serez autorisé à en savoir davantage.

Il acquiesça d'un signe de tête, mais que sa question reste sans réponse l'agaçait. Quelqu'un de San Quentin avait-il appelé O'Toole pour lui laisser entendre qu'il s'était mal conduit, ou bien était-ce O'Toole qui avait lancé l'affaire et était allé jusqu'à vérifier ce qu'il avait fait à la prison ? Dans l'un comme dans l'autre cas, tout cela était bien déconcertant. Il s'était laissé aller à croire que ce 128 serait facilement écarté après toutes les explications qu'il avait données à Mendenhall. Il voyait maintenant que tout n'était pas aussi clair.

Après avoir quitté le PSB, Jackson et Bosch prirent un des ascenseurs hautement décorés du bâtiment pour redescendre au rez-de-chaussée. Aux yeux de Bosch, le Bradbury Building était, et de loin, le plus bel édifice de la ville. Le seul défaut qu'il lui voyait était qu'il abritait le Professional Standards Bureau.

Ils traversaient le hall d'entrée sous le compluvium pour rejoindre la sortie 3e Rue lorsque Bosch sentit l'odeur du pain qu'on faisait cuire à la sandwicherie près de l'entrée principale pour le coup de feu de midi. Ça aussi, c'était quelque chose qui l'agaçait depuis toujours. Non seulement le PSB nichait dans l'un des joyaux cachés de la ville et non seulement y trouvait-on des cheminées dans ses bureaux, mais il fallait encore que tout y sente incroyablement bon chaque fois qu'il y mettait les pieds.

Jackson garda le silence pendant qu'ils traversaient l'entrée et prenaient à gauche pour gagner le hall mal éclairé de la sortie. On y voyait un banc avec un Charlie Chaplin en bronze assis dessus. Jackson prit place à côté de la statue et fit signe à Bosch de s'installer de l'autre côté.

— Qu'est-ce qu'il y a ? lui demanda celui-ci en s'asseyant. Il faudrait rentrer.

Jackson était inquiet. Il hocha la tête et se pencha au-dessus des jambes de Chaplin pour pouvoir parler à Bosch en chuchotant.

— Harry, dit-il, je crois que t'es sérieusement baisé sur ce coup-là.

Bosch ne comprenait ni l'humeur de Jackson, ni que celui-ci soit apparemment surpris que la hiérarchie se donne toute cette peine pour un entretien d'un quart d'heure à San Quentin. Il n'y voyait rien de nouveau. La première fois qu'il s'était fait sonner les cloches par les Affaires internes remontait à trente-cinq ans. La raison ? Il s'était arrêté chez un teinturier – qui se trouvait sur l'itinéraire de sa ronde – pour y reprendre son uniforme repassé avant de regagner son commissariat à la fin de son service. Depuis, plus rien dans la manière avec laquelle la hiérarchie traitait les siens ne le surprenait.

— Et alors ? lui renvoya Bosch d'un ton dédaigneux. Qu'elle appuie donc la plainte ! Qu'est-ce qu'ils pourraient me faire de pire ? Me suspendre trois jours ? Une semaine ? J'emmènerai ma fille à Hawaï.

Jackson hocha de nouveau la tête.

— Tu piges vraiment pas, hein ?

Ce fut au tour de Bosch de rester perplexe.

— Qu'est-ce que je pige pas ? C'est rien de plus qu'un énième truc des Affaires internes, quel que soit le nouveau nom qu'ils se donnent maintenant. Qu'est-ce qu'il faudrait comprendre ?

— Il ne s'agit pas que d'une suspension d'une semaine, Harry. T'es en DROP, mec. Et le DROP, c'est juste un contrat, tu ne bénéficies plus des mêmes protections… c'est même probablement pour ça que personne de la League ne t'a rappelé. Un contrat, ça peut être annulé par un CIOP.

Enfin il comprit. L'année précédente, il avait signé un contrat de cinq ans dans le cadre du *Deferred Retirement Option Plan*. Il avait effectivement pris sa retraite de façon à geler sa pension, puis avait repris le travail selon les termes du contrat. Et l'un d'entre eux permettait à la hiérarchie de le virer s'il était reconnu coupable d'un crime ou si une accusation de « conduite indigne d'un officier de police » était portée, puis maintenue, contre lui.

— Tu ne vois donc pas ce que l'O'Fool est en train de fabriquer ? Il s'est mis en tête de refaçonner la brigade pour que ce soit *sa* brigade. Tous les types qu'il n'aime pas, avec qui il a un problème ou qui ne lui montrent pas tout le respect et la fidélité requis, il a décidé de leur coller ce genre d'emmerdes dans les pattes pour les faire gicler.

Bosch hocha la tête en voyant enfin le plan prendre forme. Et il savait quelque chose que Jackson ignorait : il était tout à fait possible qu'O'Toole n'agisse pas de son propre chef, rien que pour faire son beurre. Il pouvait très bien faire tout ça sous les ordres du type du dixième étage.

— Y a quelque chose que je ne t'ai pas dit, reprit-il.

— Oh merde ! s'écria Jackson. Quoi ?

— Non, pas ici. Allons ailleurs.

Ils laissèrent Chaplin derrière eux et repartirent vers le PAB à pied. Chemin faisant, Bosch raconta deux histoires à Jackson – une ancienne et une récente. La première servait de toile de fond à l'affaire sur laquelle il avait travaillé l'année précédente, à savoir la mort du fils du conseiller municipal d'alors, Irvin Irving. Bosch lui rapporta comment le chef de police et une ancienne collègue en qui il avait confiance s'étaient servis de lui dans une manœuvre politique qui avait réussi et vu Irving perdre sa tentative de réélection. C'était un sympathisant de la police qui avait été élu à sa place.

— Bref, le risque de collision avec Marty était déjà là, reprit-il. Mais avec l'affaire sur laquelle je travaille en ce moment, la collision s'est déjà produite.

Il lui expliqua alors comment l'homme du dixième étage se servait d'O'Toole pour l'obliger à ralentir dans l'élucidation du meurtre d'Anneke Jespersen. Lorsqu'il eut fini son histoire, il se dit que Jackson devait beaucoup regretter d'avoir accepté de le défendre.

— Bref, dans ton schéma, dit celui-ci alors qu'ils entraient dans la cour avant du PAB, ralentir, voire seulement mettre tranquillement l'affaire de côté jusqu'à l'année prochaine ne t'intéresse pas.

Bosch acquiesça.

— Non, dit-il. Elle attend depuis trop longtemps. Et le mec qui a tué Anneke est libre depuis bien trop longtemps, lui aussi. Il n'est pas question que je ralentisse. Pour quoi que ce soit.

Jackson hocha la tête tandis qu'ils franchissaient les portes automatiques.

— C'est bien ce que je pensais, dit-il.

# 18

Bosch s'était à peine installé à son bureau de l'unité des Affaires non résolues que son nouvel et irréconciliable ennemi, le lieutenant O'Toole, vint lui rendre visite.

— Bosch, dit-il, avez-vous enfin pris rendez-vous avec l'inspecteur du PSB ?

Bosch fit pivoter son fauteuil pour regarder son superviseur. O'Toole avait ôté sa veste de costume. Il arborait des bretelles à motif de petits clubs de golf et son épingle de cravate était un badge miniature du LAPD. On en vendait à la boutique de cadeaux de l'Académie de police.

— C'est réglé, dit Bosch.

— Bien. Je veux que toute cette affaire se termine le plus vite possible.

— Je n'en doute pas.

— Ça n'a rien de personnel, Bosch.

Ça le fit sourire.

— Je voudrais juste savoir un truc, lieutenant. Cette idée vous est venue toute seule ou vous avez eu un petit coup de main d'en haut ?

— Harry ? lança Jackson de l'autre côté de la cloison. Tu ferais peut-être mieux de ne pas te lancer dans une…

Bosch leva la main pour empêcher Jackson de s'en mêler.

— Tout va bien, Rick, dit-il. C'était juste une question de pure forme. Le lieutenant n'est pas obligé d'y répondre.

— Je ne vois pas ce que vous entendez par « un petit coup de main d'en haut », lui répondit quand même O'Toole. Mais ça vous ressemble assez de vous focaliser sur l'origine de la plainte plutôt que sur son contenu et sur vos actes.

Le portable de Bosch se mit à bourdonner. Il le sortit de sa poche et se détourna d'O'Toole pour consulter l'écran. L'identité du correspondant était masquée.

— La question est assez simple, poursuivit O'Toole. Vous êtes-vous conduit comme il faut lorsque vous étiez à la prison ou bien avez-vous…

— Faut que je prenne cet appel, dit Bosch en l'interrompant. Je travaille sur une affaire, lieute.

O'Toole se tourna pour quitter le box. Bosch prit l'appel, mais demanda à son correspondant de patienter. Puis il posa l'appareil sur sa poitrine de façon à ne pas être entendu par son interlocuteur et lança :

— Lieutenant ?

Il l'avait appelé assez fort pour que plusieurs inspecteurs l'entendent dans les box voisins. O'Toole se retourna.

— Si vous continuez à me harceler, dit Bosch, je dépose une plainte officielle.

Sur quoi il regarda O'Toole plusieurs instants droit dans les yeux, puis porta son téléphone à son oreille.

— Inspecteur Bosch, dit-il. Que désirez-vous ?

— Suzanne Wingo, ATF. Vous êtes au PAB ?

C'était le contact de Rachel Walling. Bosch sentit l'adrénaline monter dans son sang. Qui sait si elle n'avait pas déjà retrouvé le propriétaire de l'arme qui avait servi à tuer Anneke Jespersen.

— Oui, j'y suis. Avez-vous…

— Je suis assise sur un banc sur la place. Vous pourriez descendre ? J'ai quelque chose pour vous.

— Euh, bien sûr. Mais… vous ne préféreriez pas monter à mon bureau ? Je pourrais…

— Non, j'aimerais mieux que vous descendiez.

— Bien. Dans ce cas, j'arrive dans deux minutes.

— Venez seul, inspecteur.

Et elle raccrocha. Bosch resta un moment assis à se demander pourquoi elle lui disait de venir seul. Il appela vite Rachel Walling.

— Harry ?

— C'est moi. Cette Suzanne Wingo… qu'est-ce qu'elle a ?

— Comment ça ? Elle m'a dit qu'elle allait te passer ton truc à l'ordi. Je lui ai donné ton numéro.

— Je sais. Elle vient de m'appeler et me demande de la retrouver sur la place. Et de venir seul. Dans quoi est-ce que je suis en train de foutre les pieds, Rachel ?

Walling rit avant de répondre.

— Dans rien, Harry. Elle est comme ça, c'est tout. Très cachottière, très prudente. Elle te rend un service et ne veut pas que ça se sache.

— Tu es sûre qu'il n'y a rien d'autre ?

— Oui. Et il y a des chances qu'elle te demande de lui renvoyer l'ascenseur. Je te donne ceci, tu me files cela.

— Du genre ?

— Je n'en ai aucune idée, Harry. Ce n'est peut-être même pas pour maintenant. Quoi qu'il en soit, si tu veux savoir qui est le propriétaire de l'arme, descends la voir.

— OK. Merci, Rachel.

Il raccrocha, se leva et regarda derrière lui. Chu n'était toujours pas à son bureau. Bosch ne l'avait pas vu de la matinée. Il s'aperçut que Jackson le regardait et lui fit signe de le retrouver à la porte. Il attendit d'être dans le hall pour parler.

— Tu as deux minutes ? lui demanda-t-il.

— J'imagine. Qu'est-ce qu'il y a ?

— Viens.

Bosch gagna la paroi de verre d'où l'on découvrait la place en bas. Il examina les bancs en béton jusqu'à ce qu'il voie une femme seule assise sur l'un d'eux, un dossier à la main. Elle portait un blazer par-dessus un pantalon et une chemisette de golf. Il vit l'endroit où le blazer remontait en un pli net derrière la poche droite. Une arme était glissée dans son étui d'épaule, sous sa veste. Wingo. Bosch la montra du doigt.

— Tu vois la femme assise sur le banc ? dit-il. Celle avec la veste bleue ?

— Oui.

— Je vais descendre la voir quelques minutes. J'ai juste besoin que tu nous surveilles tous les deux, peut-être même que tu nous prennes en photo avec ton portable. Tu peux faire ça ?

— Évidemment, mais qu'est-ce qui se passe ?

— Probablement rien du tout. Elle est de l'ATF et veut me passer quelque chose.

— Et… ?

— Je ne l'ai jamais vue. Elle a pas voulu monter et m'a dit de descendre la rejoindre… seul.

— Bon.

— Peut-être que je suis un peu parano. Mais avec O'Toole qui m'observe manifestement sans arrêt…

— Ouais. Je n'ai pas l'impression que ç'ait beaucoup aidé que tu l'interpelles comme tu viens de le faire. En tant que défenseur, je pense que tu ne devrais pas…

— Qu'il aille se faire foutre ! Faut que je descende. Tu regardes ?

— Je bouge pas d'ici.

— Merci, mon pote.

Bosch lui donna une tape sur le bras et s'éloigna. Jackson le rappela.

— Tu sais que tu es le mec le plus parano que je connaisse ?

Bosch fronça les sourcils comme s'il en doutait.

— Qui t'a dit ça ?

Jackson rit tandis que Bosch prenait l'ascenseur, traversait directement la place pour rejoindre la femme qu'il avait repérée d'en haut. De près, il vit qu'elle avait dans les trente-cinq ans, qu'elle était bâtie comme une athlète et que ses cheveux auburn étaient coupés court, sans fioritures. Sa première impression fut que c'était un agent fédéral chevronné.

— Agent Wingo ? lança-t-il.

— Vous aviez dit deux minutes.

— Désolé, je me suis fait coincer par mon superviseur et il fait sérieusement suer.

— Ils sont tous pareils.

Bosch apprécia qu'elle ait dit ça sur le ton de la déclaration et pas comme une question. Il s'assit à côté d'elle, les yeux rivés sur le dossier qu'elle avait à la main.

— Alors, dit-il, c'est quoi, ce truc de l'agent secret qui me demande de le retrouver dehors ? Je me rappelle une époque où personne ne voulait nous rendre visite dans notre vieux bâtiment parce qu'on était sûrs qu'il s'effondrerait comme une crêpe au prochain tremblement de terre de magnitude 6 sur l'échelle de Richter. Mais c'est un immeuble tout neuf qu'on a maintenant. Garanti sûr à cent pour cent. Vous auriez pu venir et je vous aurais fait faire le tour du propriétaire.

— C'est Rachel Walling qui m'a demandé ce service, mais elle ne pouvait pas vraiment répondre de vous entièrement… si vous voyez ce que je veux dire.

— Non, je ne vois pas. Qu'est-ce qu'elle vous a raconté sur moi ?

— Elle m'a dit que les ennuis vous suivaient absolument partout et que je devais faire attention. Sauf que ce ne sont pas tout à fait les mots qu'elle a employés.

Il acquiesça. Walling avait dû le qualifier d'aimant à emmerdes. Ce n'aurait pas été la première fois.

— Vous autres, les filles, vous serrez les coudes, hein ? dit-il.

— Bien obligées. L'ATF est un club de garçons.

— Bon alors, vous m'avez passé mon numéro de série à l'ordi ?

— Oui. Mais je ne suis pas très sûre de pouvoir vous aider.

— Pourquoi ça ?

— Parce que l'arme que vous avez récupérée manque à l'appel depuis vingt et un ans.

Dans l'instant, Bosch sentit l'adrénaline chuter. Il regretta d'avoir mis tant d'espoirs dans l'idée que trouver le numéro de série du Beretta lui ouvrirait la boîte noire de l'affaire.

— C'est l'endroit où il manque à l'appel qui rend la chose intéressante, reprit Wingo.

— Où a-t-il disparu ?

— En Irak. Pendant l'opération Tempête du désert.

# 19

Avant d'aller plus loin, Wingo ouvrit la chemise et y lut les remarques qu'elle y avait portées.

— Commençons par le commencement, dit-elle.

— Je vais devoir prendre des notes ou vous allez finir par me confier ce dossier ? lui demanda Bosch.

— Il est tout à vous. Mais laissez-moi m'en servir pour vous dire de quoi il retourne.

— Allez-y.

Bosch essaya de se rappeler ce qu'il avait dit de l'affaire à Walling. Lui avait-il dit qu'Anneke Jespersen avait couvert l'opération Tempête du désert ? Walling en avait-elle informé Wingo ? Cela étant, même si Wingo était au courant, cela ne changeait rien à sa recherche et elle ne pouvait pas savoir en quoi cet élément du dossier – le fait que le Beretta ait disparu en Irak – changeait tout pour Bosch.

— On commence au début, reprit Wingo. Les dix chiffres du numéro de série que vous m'avez donnés appartiennent à un lot d'armes fabriquées en Italie en 1988. Ces dix armes font partie des trois mille produites et vendues au ministère de la Défense irakien. Elles lui ont été livrées le 1er février 1989.

— Ne me dites pas que c'est là que la piste disparaît.

— Non, pas tout à fait. L'armée irakienne a tenu quelques archives auxquelles nous avons eu accès depuis la deuxième guerre du Golfe. C'est un des petits bénéfices qu'on a tirés de l'éparpillement des dossiers confisqués dans les palais et les bases militaires de Saddam Hussein. Vous vous rappelez la recherche des armes de destruction massive ? Eh bien, il se peut qu'on n'en ait trouvé aucune, mais on a trouvé des tonnes d'archives concernant des armes de moindre puissance. Et on a fini par y avoir accès.

— Un bon point pour vous. Et qu'est-ce qu'elles vous ont raconté sur mon Beretta ?

— Que toutes ces armes italiennes ont été livrées à la garde républicaine. Et la garde républicaine, c'étaient leurs soldats d'élite. Savez-vous ce qui s'est passé à ce moment-là ?

Bosch hocha la tête.

— En gros, oui. Saddam envahit le Koweït et quand les atrocités commencent, les Alliés disent : « Ça suffit. »

— C'est ça. Saddam a envahi le Koweït en 1990, juste après avoir reçu ces armes. Je pense donc que la conclusion est évidente : il se préparait à l'invasion.

— Et donc, le Beretta est allé au Koweït.

Wingo acquiesça.

— Très probablement, mais on ne peut pas en être sûr. Car c'est là que s'arrêtent les archives.

Bosch se redressa, regarda le ciel et se rappela brusquement qu'il avait demandé à Rick Jackson de le surveiller. Il ne pensait plus maintenant que ce soit nécessaire et le chercha des yeux sur la façade en verre du PAB. Mais le reflet du soleil et son angle de vision très étroit l'empêchèrent de voir quoi que ce soit. Il leva une main en l'air et fit signe que tout allait bien en espérant que Jackson comprenne le message et arrête de perdre son temps.

— C'est quoi, ça ? demanda Wingo. Qu'est-ce que vous faites ?

— Rien. J'avais demandé à un mec de nous observer parce que je trouvais bizarre que vous teniez absolument à ce que je vienne seul. Je viens de lui faire signe que tout allait bien.

— Ah ben, merci quand même !

Bosch sourit du sarcasme. Elle lui tendit le dossier. Elle avait fini son rapport.

— Écoutez, reprit-il, je suis parano et vous aviez appuyé sur tous les boutons qui me font démarrer.

— Parfois, c'est bon d'être parano.

— Parfois. Alors… qu'est-ce qui est arrivé à notre Beretta, à votre avis ? Comment a-t-il atterri ici ?

Il cherchait ses propres réponses à la question, mais voulait entendre ce qu'elle en pensait avant qu'elle ne reparte. C'était quand même pour l'agence fédérale chargée de tracer les armes à feu qu'elle travaillait.

— Eh bien… on sait ce qui s'est passé au Koweït pendant l'opération Tempête du désert.

— Oui, on y est allés et on a botté le cul aux soldats de Saddam.

— Voilà. Et en fait la guerre a duré moins de deux mois. L'armée irakienne a fini par se replier sur Koweit

City, puis elle a essayé de retourner en Irak en repassant par Bassora. Des tas de soldats ont été tués et plus encore faits prisonniers.

— Oui, je crois qu'on a appelé ça l'« Autoroute de la Mort », dit-il en se rappelant l'article et les photos d'Anneke Jespersen.

— C'est ça. Tout ça, je l'ai lu sur Google. Il y a eu des centaines de victimes et des milliers de types faits prisonniers rien que sur cette route. Les prisonniers ont été mis dans des bus, on a jeté leurs armes dans des camions et expédié tout ça en Arabie Saoudite, où des camps de prisonniers avaient été installés.

— Et donc, mon arme pourrait s'être trouvée dans un de ces camions.

— Voilà. Elle aurait aussi pu appartenir à un soldat qui n'en est pas sorti vivant ou qui a réussi à rejoindre Bassora. Il n'y a aucun moyen de le savoir.

Bosch réfléchit quelques instants. D'une manière ou d'une autre, une arme de la garde républicaine irakienne avait donc fini à Los Angeles l'année suivante.

— Qu'est-il arrivé aux armes saisies ? demanda-t-il.

— Elles ont été rassemblées et détruites.

— Sans que personne note leur numéro de série ?

Wingo hocha la tête.

— C'était la guerre, répondit-elle. Il y en avait trop et pas assez de temps pour les noter. C'est de camions entiers qu'on parle. Bref, elles ont été simplement détruites. Par lots de plusieurs milliers à la fois. On les déchargeait quelque part en plein désert, on les balançait dans un trou et on les démolissait avec de fortes charges explosives. Après quoi, on les laissait brûler un jour ou deux et on rebouchait le trou avec du sable. Chapitre clos.

— Chapitre clos, répéta Bosch en hochant la tête.

Il réfléchissait. Quelque chose s'agitait à la périphérie de ses pensées. Et ce quelque chose faisait lien et ferait tout ressortir nettement. Il en était certain, mais il n'arrivait pas à voir clairement de quoi il s'agissait.

— Permettez que je vous pose une question, finit-il par dire. Avez-vous déjà eu affaire à un truc de ce genre ? Avez-vous jamais vu une arme de là-bas atterrir dans un de vos dossiers ? Une arme censément saisie et détruite ?

— J'ai vérifié ça ce matin même et la réponse est oui. Au moins une fois, dans ce que j'ai trouvé. Mais pas tout à fait de la même manière.

— De quelle manière alors ?

— En 96, il y a eu un meurtre à Fort Bragg, Caroline du Nord. Un soldat en a tué un autre dans un accès de colère alcoolisée pour une histoire de femme. Là aussi, l'arme dont il s'est servi était un Beretta modèle 92 ayant appartenu à l'armée de Saddam. Le type avait servi au Koweït pendant l'opération Tempête du désert. Dans ses aveux, il a déclaré l'avoir prise à un soldat irakien mort et l'avoir fait passer en fraude aux États-Unis en guise de souvenir. Cela dit, dans mes archives, je n'ai pas retrouvé comment il a fait. Mais cette arme, il l'avait effectivement rapportée ici.

Bosch savait qu'il y avait plusieurs moyens de rapatrier des armes en territoire américain. Cette pratique était aussi ancienne que l'armée elle-même. À l'époque où il servait au Vietnam, le plus facile était de démonter l'arme souvenir en plusieurs morceaux qu'on envoyait ensuite séparément aux États-Unis sur une période de plusieurs semaines.

— À quoi pensez-vous, inspecteur ?

Il gloussa.

— Je pensais… je pense que je vais devoir trouver qui a rapporté ce truc ici. Ma victime était photojournaliste. Elle avait couvert ce conflit. J'ai lu l'article qu'elle a écrit sur l'Autoroute de la Mort. J'ai vu ses photos…

Il lui fallait donc envisager que ce soit Anneke Jespersen qui ait elle-même rapporté l'arme avec laquelle elle s'était fait abattre à Los Angeles. Cela semblait peu vraisemblable, mais il ne pouvait pas ignorer qu'elle s'était trouvée à l'endroit même où le Beretta avait été vu pour la dernière fois.

— Quand a-t-on commencé à se servir de portiques détecteurs de métaux dans les aéroports ? demanda-t-il.

— Oh, ça remonte à loin ! Ça a commencé avec les détournements d'avions dans les années 70. Mais passer aux rayons les bagages enregistrés est différent. C'est bien plus récent et ce n'est pas très constant non plus.

Bosch acquiesça.

— Jespersen voyageait sans beaucoup de bagages. Et je ne pense pas qu'elle était du genre à les enregistrer.

Il ne comprenait pas. Qu'Anneke Jespersen ait Dieu sait comment piqué l'arme d'un soldat irakien mort ou fait prisonnier, qu'elle l'ait ensuite rapportée en fraude et l'ait encore fait passer aux États-Unis pour finir par se faire tuer avec n'avait aucun sens.

— Ça n'a pas l'air très prometteur, reprit Wingo. Mais si vous arriviez à recenser les hommes du quartier où votre victime a été tuée, vous pourriez savoir qui a servi dans l'armée pendant la guerre du Golfe. Et s'il y avait quelqu'un qui en était revenu et habitait dans le coin au moment où l'assassinat a été commis…

« À l'époque, exposition à la chaleur et aux armes chimiques, on a dit beaucoup de choses sur le syndrome de la guerre du Golfe, vous savez ? Beaucoup d'actes de violence commis ici ont été attribués à cette guerre. Le soldat de Fort Bragg… ç'a été ça, sa ligne de défense. »

Bosch acquiesça d'un signe de tête, mais il ne l'écoutait plus. Soudain, des choses commençaient à se mettre en place, mots, images, souvenirs… visions de ce qui s'était passé cette nuit-là dans la ruelle en retrait de Crenshaw Boulevard. Les soldats massés le long de la rue. Les photos en noir et blanc des soldats sur l'Autoroute de la Mort… la caserne de Dhahran en ruine et la carcasse fumante d'un Humvee de l'armée… les lumières sur ce véhicule amené dans la ruelle…

Les coudes sur les genoux, Bosch baissa la tête et se passa les mains dans les cheveux.

— Ça va, inspecteur Bosch ? lui demanda Wingo.

— Oui, oui, ça va. Pas de problème.

— Ben, on dirait pas.

— Je pense qu'ils y étaient…

— Qui y était et où ?

Les mains toujours sur le crâne, Bosch se rendit compte qu'il venait de parler tout haut. Il se tourna pour regarder Wingo par-dessus son épaule, mais ne répondit pas à sa question.

— Bravo, agent Wingo, dit-il. Je crois que vous avez ouvert la boîte noire.

Il se leva et la regarda.

— Merci, dit-il, à vous et à Rachel Walling. Maintenant faut que j'y aille.

Il pivota et repartit vers les portes du PAB.

— C'est quoi, la boîte noire ? lui lança Wingo.

Il ne répondit pas. Et continua d'avancer.

# 20

Il traversa la salle des inspecteurs et gagna son bureau. Il vit Chu dans le box, tourné de côté et ratatiné sur son ordinateur. Il entra, s'empara de son fauteuil et l'amena juste à côté de celui de Chu en le faisant rouler. Puis il s'y assit à l'envers et se mit à parler d'un ton plein d'urgence.

— Sur quoi tu bosses, David ? demanda-t-il.

— Euh… je regardais juste les possibilités de vol pour le Minnesota.

— Tu vas y aller sans moi ? Pas de problème, je t'ai dit de le faire.

— Je me dis qu'il faut que j'y aille ou que j'attaque autre chose en attendant.

— Tu as raison, tu devrais. As-tu trouvé quelqu'un d'autre pour t'accompagner ?

— Oui, Trish La Bombe est d'accord. Comme elle a de la famille à Saint Paul, elle est partante, même avec le froid et le reste.

— Ouais. Dis-lui seulement de faire attention à O'Toole qui va vérifier tous les bons de voyage.

— C'est déjà fait. Mais… tu as besoin de quoi, toi ? Je sens bien que tu es à fond sur un truc. Encore une de tes intuitions ?

— Et comment ! Ce que je veux, c'est que tu te mettes à l'ordi et que tu me trouves quelles unités de la garde nationale de Californie ont été envoyées à Los Angeles lors des émeutes de 92.

— Ça ne devrait pas poser trop de problèmes.

— Et après, tu me trouves lesquelles avaient aussi été envoyées dans le golfe Persique pour l'opération Tempête du désert. Où elles avaient été déployées, ce genre de trucs. Tu peux me faire ça ?

— C'est parti.

— Parfait. D'autant plus qu'à mon avis les trois quarts de ces unités ont des archives en ligne, des sites Web, des albums de souvenirs numériques, tout le toutim, quoi. C'est des noms que je cherche. Les noms des soldats qui ont pris part à Tempête du désert en 91 et se sont retrouvés à Los Angeles un an plus tard.

— Pigé.

— Bien. Merci, David.

— Tu sais, Harry, t'as pas besoin de m'appeler par mon prénom si ça te met mal à l'aise. J'ai l'habitude que tu m'appelles par mon nom de famille, dit Chu en fixant son ordinateur.

— Ça se voit donc tant que ça, hein ?

— Comme le nez au milieu de la figure, lui renvoya Chu. Tu sais… après tout ce temps où tu t'es contenté de m'appeler Chu…

— Bon alors, que je te dise. Tu me trouves ce que je cherche, et je t'appelle monsieur Chu.

— Ça sera pas nécessaire. Mais… ça t'embêterait de me dire pourquoi on effectue toutes ces recherches ? Qu'est-ce que ç'a à voir avec Jespersen ?

— Tout, j'espère.

Bosch lui expliqua sa nouvelle hypothèse, à savoir qu'Anneke Jespersen avait trouvé un sujet et qu'elle n'était pas du tout venue à Los Angeles à cause des émeutes, mais parce qu'elle suivait un type d'une des unités de la garde nationale de Californie qui avait été envoyé dans le golfe Persique l'année précédente.

— Qu'est-ce qui s'est passé là-bas qui l'aurait poussée à suivre ce mec ? demanda Chu.

— Ça, je ne le sais pas encore.

— Qu'est-ce que tu vas faire pendant que je travaille cet aspect-là de la question ?

— Je vais en travailler un autre. Certains de ces types figurent déjà dans le livre du meurtre. Je vais commencer par là.

Il se leva et fit rouler son fauteuil en sens inverse jusqu'à son bureau. Puis il s'assit et ouvrit le premier livre du meurtre de l'affaire Jespersen. Avant même qu'il puisse se mettre à étudier les dépositions des témoins, son portable bourdonna.

Il consulta l'écran et vit que c'était Hannah Stone. Il était occupé et avait trouvé un nouvel élan. Normalement il aurait laisser faire la messagerie, mais quelque chose lui dit qu'il valait mieux répondre. Hannah l'appelait rarement pendant ses heures de travail. Quand elle voulait lui parler, elle lui envoyait d'abord un texto pour lui demander si c'était possible.

Il prit l'appel.

— Hannah ? Qu'est-ce qu'il y a ? demanda-t-il.

— J'ai une nana de la police dans ma salle d'attente, répondit-elle dans un chuchotement plein d'urgence. Elle dit vouloir m'interroger sur toi et mon fils.

Elle avait la voix étranglée par une peur proche de la panique. Elle n'avait aucune idée de ce qui était en train de se jouer et Bosch se rendit compte qu'il était parfaitement logique qu'on l'interroge. Il aurait dû l'avertir.

— T'inquiète pas, Hannah, dit-il. T'a-t-elle donné sa carte ? S'appelle-t-elle Mendenhall ?

— Oui, c'est ça. Elle m'a dit être inspectrice au Bureau des standards, enfin… un truc comme ça. Mais elle ne m'a pas donné sa carte. Elle s'est juste pointée comme ça sans prévenir.

— Ne t'inquiète pas, répéta-t-il. Elle est du Professional Standards Bureau et elle a juste besoin de te demander ce que tu sais de mon entretien avec Shawn l'autre jour.

— Quoi ?! Pourquoi ?

— Parce que mon lieutenant en fait tout un plat et prétend que j'aurais pris sur mon temps de travail pour des raisons personnelles. Écoute, Hannah, ça n'a pas d'importance. Dis-lui juste ce que tu sais. Dis-lui la vérité.

— Tu es sûr ? Enfin… tu es sûr que je devrais lui parler ? Elle m'a dit que je n'y étais pas obligée.

— Non, tu peux lui parler, mais dis-lui juste la vérité. Ne lui dis pas des trucs qui, à ton avis, pourraient m'aider. Dis-lui seulement la vérité telle que tu la connais. D'accord, Hannah ? Ça n'est pas une grosse affaire.

— Mais… et Shawn là-dedans ?

— Ben quoi, Shawn ?

— Elle pourrait lui nuire ?

— Non, Hannah, rien de tout ça. Ça me concerne moi, pas Shawn. Alors fais-la entrer dans ton bureau et ne réponds à ses questions qu'en disant la vérité. D'accord ?

— Si tu dis que ça ne pose pas…

— Je le dis. Aucun souci. Tiens, rappelle-moi après son départ.

— Je pourrai pas. J'ai des rendez-vous. Ils vont commencer à s'empiler à cause de cet entretien.

— Alors, expédie vite l'affaire et rappelle-moi dès que tu auras rattrapé ton retard avec tes clients.

— Et si on dînait tout bêtement ensemble ce soir ?

— D'accord, bonne idée. Tu m'appelles ou je t'appelle et on décide où on se retrouve.

— OK, Harry. Je me sens mieux.

— Parfait, Hannah. À plus.

Il raccrocha et retrouva le livre du meurtre. Chu l'interrompit. Il avait entendu la moitié « Bosch » de la conversation.

— Et donc, ils laissent pas tomber, dit-il.

— Non, toujours pas. Mendenhall t'a-t-elle donné un rendez-vous ?

— Nan. Aucune nouvelle d'elle.

— T'inquiète pas. Tu en auras. S'il y a quelque chose dont on peut être sûr, c'est qu'elle est consciencieuse.

Il reprit le livre du meurtre au début et relut la déposition de Francis John Dowler, le soldat de la garde nationale de Californie qui avait trouvé le corps d'Anneke Jespersen dans la ruelle en retrait de Crenshaw

Boulevard. Cette déposition était la retranscription de l'interrogatoire auquel Gary Harrod du Détachement spécial crimes liés aux émeutes l'avait soumis par téléphone. Ni Bosch ni Edgar n'avaient eu la possibilité d'interroger Dowler le premier soir de l'enquête. Harrod, lui, l'avait retrouvé et avait pu lui parler au téléphone cinq semaines après le meurtre. Dowler était alors retourné à la vie civile dans une petite ville du nom de Manteca.

À lire le compte rendu, on apprenait que Dowler avait vingt-sept ans et travaillait comme chauffeur de poids lourd. Il était précisé qu'il avait passé six ans à la garde nationale de Californie, à la 237ᵉ compagnie de transport basée à Modesto.

Bosch sentit une soudaine montée d'adrénaline le travailler au corps. Modesto. C'était de là que quelqu'un qui disait s'appeler Alex White avait appelé dix ans après le meurtre.

Il fit pivoter son fauteuil et passa l'information à Chu, qui lui dit avoir déjà établi grâce à ses recherches sur le Net que la 237ᵉ compagnie était un des trois corps de la garde nationale à avoir envoyé des soldats et dans le golfe Persique pour l'opération Tempête du désert et à Los Angeles lors des émeutes.

— Les casernes de la 237ᵉ et de la 2668ᵉ de Fresno se trouvent à Modesto. Ces deux compagnies travaillaient dans le transport… c'étaient essentiellement des chauffeurs de camions. La troisième, la 270ᵉ de Sacramento, était de la police militaire.

Passé les mots *chauffeurs de camions*, Bosch n'écoutait plus vraiment. Il pensait aux camions qui avaient transporté toutes les armes capturées pour être détruites dans le désert saoudien.

— On se concentre sur la 237e, dit-il. Le gars qui a trouvé le corps d'Anneke en faisait partie. T'as d'autres trucs sur ces types ?

— Pas grand-chose pour l'instant. Ils ont servi douze jours à Los Angeles. Un seul blessé... un type qui a passé une nuit à l'hôpital pour commotion cérébrale suite à l'agression d'un mec qui l'avait frappé avec une bouteille.

— Et côté Tempête du désert ?

— J'ai ça, répondit Chu en lui montrant l'écran. Je te lis leur rapport d'activité pendant l'opération : *Les soldats de la 237e ont été mobilisés le 20 septembre 1990 au nombre de 62. L'unité est arrivée en Arabie Saoudite le 3 novembre suivant. Pendant les opérations Bouclier et Tempête du désert, l'unité a transporté vingt et une mille tonnes de matériel, quinze mille soldats et prisonniers de guerre, et parcouru un million trois cent quarante-cinq mille kilomètres sans accident. L'unité est rentrée à Modesto sans une seule perte le 23 avril 1991.* Tu vois ce que je veux dire ? Ces mecs étaient chauffeurs de camions et de bus.

Bosch réfléchit quelques instants à ces renseignements et statistiques.

— Il faut retrouver ces soixante-deux noms, dit-il enfin.

— J'y travaille. Tu avais raison : toutes ces unités ont un site Web et des archives amateurs. Tu sais bien... des articles de journaux et Dieu sait quoi encore. Cela dit, je n'ai retrouvé aucune liste de noms de 91 ou 92. Rien que certains qu'on mentionne ici et là. Comme ce type qui est maintenant shérif du comté de Stanislaus… et se présente au Congrès.

Bosch rapprocha son fauteuil pour mieux voir ce que Chu avait à l'écran. Il y vit la photo d'un type en uniforme vert de shérif qui brandissait une pancarte avec ces mots : *Drummond au Congrès !*

— C'est le site Web de la 237e ? demanda-t-il.

— Oui. On y lit que ce type a servi de 90 à 98. Il a donc pu…

— Une minute… Drummond… je connais ce nom.

Bosch essaya de le retrouver en repensant au soir dans la ruelle. Tous ces soldats qui regardaient… Il claqua des doigts lorsque, l'espace d'un instant, un visage et un nom lui revinrent à l'esprit.

— Drummer, dit-il. C'est le mec qu'ils appelaient Drummer. Il était là ce soir-là.

— Ben maintenant, J. J. Drummond est shérif à Stanislaus, dit Chu. Peut-être qu'il nous aidera à retrouver ces noms.

Bosch acquiesça.

— Peut-être, dit-il. Mais attendons d'avoir une connaissance plus précise du terrain.

# 21

Bosch regagna son ordinateur et y afficha une carte afin de mieux comprendre où se trouvait Manteca – la ville dont Francis Dowler était originaire – par rapport à Modesto.

Toutes les deux étaient situées au cœur de la San Joaquin Valley, plus connue sous le nom de Central Valley et considérée comme le panier à provisions de l'État. Bétail, fruits et légumes, tout ce qu'on trouve sur la table de la cuisine ou dans les restaurants de Los Angeles et des trois quarts de la Californie vient de là. Sans même parler de certains vins.

Modesto était la plaque tournante du comté de Stanislaus, Manteca se trouvant juste de l'autre côté de la frontière nord du comté de San Joaquin – siège Stockton, la plus grande ville de la Valley.

Bosch ne connaissait aucun de ces lieux. Il n'avait passé que peu de temps dans la Valley, ne faisant que la traverser pour se rendre à Oakland et à San Francisco. Mais il savait qu'en prenant l'Interstate 5 on pouvait sentir les parcs à bestiaux à la périphérie de Stockton bien avant d'y arriver. On pouvait aussi sortir de la California 99 à presque n'importe quelle bretelle et tomber très rapidement sur un étal de fruits ou de légumes propre à vous conforter dans l'idée qu'il n'y a pas de meilleur endroit où vivre. La Central Valley comptait pour beaucoup dans ce qui avait fait de la Californie le « Golden State ».

Bosch reprit les déclarations de Francis Dowler. Il les avait déjà lues au minimum deux fois depuis qu'il avait rouvert le dossier, mais il recommença en espérant y trouver un détail qui lui aurait échappé.

*Je soussigné, Francis John Dowler (né le 21 août 1964), étais en service avec la 237e compagnie de la garde nationale de Californie le vendredi 1er mai 1992 à Los Angeles. Ma compagnie avait pour tâche de sécuriser et maintenir ouvertes les grandes artères de la ville pendant les troubles qui s'étaient développés suite au verdict rendu dans le procès des violences infligées à Rodney King par la police de Los Angeles. Le soir du 1er mai, mon unité était déployée le long de Crenshaw Boulevard, entre Slauson Avenue et Florence Avenue Nord. Nous étions arrivés dans cette partie de la ville tard la veille au soir après qu'elle avait déjà été lourdement frappée par des pillards et des pyromanes. J'étais posté au croisement de la 67e Rue et de Crenshaw Boulevard. Aux environs de 22 heures, je m'étais retiré dans une petite rue près d'un magasin de pneus afin de me soulager. C'est à ce moment-là que j'ai remarqué le corps d'une femme étendue par terre près du mur d'une structure entièrement brûlée. Je n'ai vu personne d'autre dans cette ruelle et n'ai pas reconnu la morte. Il m'a semblé qu'elle avait été abattue. J'ai confirmé qu'elle était décédée en cherchant son pouls et suis ressorti de la ruelle. Je suis ensuite allé voir le radio Arthur Fogle et lui ai demandé de contacter notre superviseur, le sergent Eugene Burstin, pour lui dire qu'on avait un cadavre dans cette ruelle. Le sergent Burstin est venu, a inspecté la ruelle et le corps et informé par radio la brigade des Homicides du LAPD. Je suis retourné à mon poste et, plus tard, j'ai été envoyé plus bas dans Florence Avenue lorsqu'il a fallu contrôler les foules à cause d'un rassemblement de résidents très en colère à ce croisement. Ceci est une déclaration complète, véridique et précise de mes activités pendant la nuit du vendredi 1er mai 1992. Ma signature en atteste.*

Bosch nota les noms de Francis Dowler, Arthur Fogle et Eugene Burstin dans une page de son carnet sous l'intitulé J.J. Drummond. Au moins avait-il les noms de quatre soldats sur les soixante-deux affectés à la 237e compagnie en 1992. Il regarda fixement les déclarations de Dowler en pensant à ce qu'il allait devoir faire ensuite.

C'est alors qu'il remarqua les caractères imprimés en bas de la page. Un intitulé de fax. Gary Harrod avait manifestement tapé sa déclaration à la machine et l'avait faxée à Dowler aux fins d'approbation et de signature, celles-ci lui étant aussitôt renvoyées elles aussi par fax. L'intitulé donnait les nom et numéro de téléphone d'une société : la Cosgrove Agriculture, Manteca, Californie. Bosch se dit que ce devait être l'employeur de Dowler.

— Cosgrove, dit-il.

C'était ce même nom qu'on trouvait sur la façade du concessionnaire John Deere d'où avait été passé l'appel dix ans plus tôt.

— Oui, je l'ai, lança Chu dans son dos.

Bosch se retourna.

— Tu l'as quoi ? demanda-t-il.

— Cosgrove. Carl Cosgrove. Il faisait partie de l'unité. Je l'ai dans une des photos. Ça a l'air d'être un gros bonnet à Manteca.

Bosch se rendit compte qu'ils venaient de découvrir une connexion.

— Tu m'envoies le lien ?

— Bien sûr.

Bosch se tourna vers son ordinateur et attendit l'arrivée de l'e-mail.

— C'est le site de la 237e que tu regardes ? demanda-t-il.

— Oui. Ils y ont mis des trucs qui remontent aux émeutes et à l'opération Tempête du désert.

— Et côté liste des soldats ?

— Pas de liste, non, mais il y a des noms dans les articles et sous les photos. Cosgrove y figure.

Le mail arriva. Bosch l'ouvrit vite et cliqua sur le lien. Chu avait raison : le site avait l'air pour le moins amateur. À seize ans, sa fille avait créé des pages Web nettement meilleures pour ses devoirs de classe. Celui-ci avait manifestement démarré des années plus tôt, à une époque où il s'agissait d'un phénomène culturel tout nouveau. Depuis, personne ne s'était donné la peine de le moderniser à l'aide de graphismes et d'un design contemporains.

D'après l'intitulé principal, le site était celui de « la 237e unité combattante ». Plus bas, on trouvait ce qui semblait être les devise et logo de la compagnie, à savoir les mots « Roule toujours » et une reprise du célèbre camionneur du dessinateur comique Robert Crumb, un grand pied devant lui. La version 237e compagnie le représentait en uniforme de l'armée, un fusil à l'épaule.

Plus bas encore, on trouvait des paragraphes entiers de renseignements sur les activités récréatives et les sorties d'entraînement actuelles de la compagnie. Des liens permettaient de prendre contact avec le gestionnaire du site ou de rejoindre des groupes de discussion. Il y en avait aussi un intitulé « Histoire ». Bosch cliqua dessus.

Le lien l'orienta sur un blog qui l'obligea à faire défiler vingt ans de rapports sur les hauts faits de la compagnie. Les incorporations à la garde nationale ayant été heureusement rares et espacées, il ne lui fallut pas longtemps pour remonter au début des années 90. Ces rapports avaient été manifestement postés sur le site au tout début de sa création, en 1996.

Il s'y trouvait un court article sur la mobilisation ordonnée lors des émeutes de Los Angeles, mais il ne lui apprit rien qu'il ne sût déjà. Cela dit, il était accompagné de plusieurs photos de soldats de la 237e en poste dans divers endroits de South L.A. et comportait plusieurs noms qu'il ne connaissait pas. Il les reporta tous dans son carnet et continua de faire défiler les rubriques.

Lorsqu'il arriva aux exploits de la 237e lors des opérations Bouclier et Tempête du désert, son pouls s'accéléra. Il venait de découvrir plusieurs photos semblables à celles qu'avait prises Anneke Jespersen pour son sujet sur la guerre. La 237e avait bivouaqué à Dhahran et s'était trouvée très près de la caserne touchée par le Scud irakien. La compagnie avait alors transporté des soldats, des civils et des prisonniers tout le long des routes principales reliant le Koweït à l'Arabie Saoudite. Il y avait même des photos de soldats de la 237e en permission à bord d'un bateau de croisière ancré dans le golfe Persique.

Les noms y étaient plus nombreux et Bosch continua de les copier dans son carnet en se disant qu'il y avait peu de chances que les soldats de la 237e aient beaucoup changé entre la guerre du Golfe et les émeutes de Los Angeles. Les hommes photographiés pendant la guerre avaient très probablement fait partie de l'unité dépêchée à Los Angeles un an plus tard.

Il tomba ainsi sur un groupe de photos représentant plusieurs membres de la 237e compagnie à bord du navire de croisière *Princesse saoudienne*, où ils se reposaient. On y voyait une équipe de volley-ball en train de disputer un tournoi aux abords d'une piscine, mais l'essentiel des clichés montrait des hommes manifestement saouls posant pour la photo, des bouteilles de bière à la main.

Bosch s'arrêta net en lisant les noms portés sous un cliché où l'on découvrait quatre hommes allongés sur le pourtour en bois de la piscine. Sans chemise, ils levaient des canettes en l'air et faisaient le signe de la paix au photographe. Leurs maillots de bain mouillés étaient des pantalons de camouflage coupés. Ils avaient l'air très saouls et couverts de coups de soleil. Ils s'appelaient Carl Cosgrove, Frank Dowler, Chris Henderson et Reggie Banks.

Bosch tenait enfin un autre lien. Reggie Banks était l'homme qui avait vendu sa tondeuse à Alex White dix ans plus tôt. Bosch porta ces nouveaux noms dans son carnet et souligna trois fois celui de Banks.

Puis il agrandit la photo sur son écran et l'examina encore. Trois des hommes – tous à l'exception de Cosgrove – avaient des tatouages identiques sur l'épaule droite. Bosch vit qu'il s'agissait du camionneur de Robert Crumb en tenue de camouflage, soit le logo de l'unité. Puis il remarqua que derrière eux à droite se trouvait une poubelle renversée d'où des bouteilles et des canettes s'étaient répandues sur le pourtour du bassin. Il regardait encore la photo lorsqu'il se rendit compte qu'il l'avait déjà vue. Même scène, mais sous un angle différent.

Il ouvrit vite une nouvelle fenêtre dans son écran et y fit apparaître le site créé en mémoire d'Anneke Jespersen. Puis il ouvrit le dossier contenant ses photos de l'opération Tempête du désert et les fit rapidement défiler jusqu'à celles du navire de croisière. La troisième des six du lot avait été prise au bord de la piscine. On y voyait un type de l'entretien y redresser une poubelle renversée.

En passant rapidement d'une fenêtre à l'autre et de photo en photo, Bosch retrouva les correspondances entre toutes les bouteilles et canettes éparpillées sur le pourtour de la piscine, marques de boissons comprises. La configuration était exactement la même. Cela signifiait, et sans qu'il y ait de doute possible, qu'Anneke Jespersen s'était bien trouvée à bord du bateau de croisière au même moment que les membres de la 237e compagnie. Afin de le confirmer, Bosch compara d'autres détails dans ces clichés. Sur deux d'entre eux il remarqua la présence du même maître nageur sur son perchoir – il y portait les mêmes chapeau souple et protège-nez zingué. Il y avait aussi la même femme en Bikini en train de se prélasser au bord du bassin. Et enfin, le même barman derrière le comptoir du bar. Avec la même cigarette tordue derrière l'oreille.

Aucun doute n'était possible. Anneke Jespersen avait bien pris sa photo à quelques minutes de celle postée sur le site de la 237e compagnie. Elle était bien avec eux à ce moment-là.

On dit que le travail des forces de l'ordre est à quatre-vingt-dix-neuf pour cent pur ennui et un pour cent moments de haute intensité avec adrénaline qui hurle et questions de vie et de mort pour conséquences. Bosch ne savait pas si c'était le cas dans ce qu'il venait de découvrir, mais l'intensité du moment ne lui échappait pas. Il ouvrit vite le tiroir de son bureau et en sortit sa loupe. Puis il tourna les pages du livre du meurtre jusqu'à la pochette contenant les planches-contacts et les tirages 20 × 25 des quatre rouleaux de pellicule retrouvés dans le gilet d'Anneke Jespersen.

Il n'y avait que seize tirages 20 × 25, chacun portant au dos le numéro du rouleau dont il provenait. Bosch se dit que les enquêteurs avaient dû choisir au hasard et faire tirer quatre clichés de chaque pellicule. Il les examina de toute urgence et compara les soldats de chaque cliché avec la photo des quatre hommes à bord du *Princesse saoudienne* – sans résultat jusqu'à ce qu'il arrive aux quatre photos du troisième rouleau. Toutes montraient plusieurs soldats faisant la queue pour monter dans un camion de transport de troupes devant le Coliseum. Bien net au centre de chacune se trouvait un grand costaud qui ressemblait au Carl Cosgrove photographié à bord du navire de croisière.

Bosch prit sa loupe pour affiner encore la comparaison, mais ne fut quand même pas certain de son fait. L'individu photographié par Jespersen portait un casque et ne regardait pas directement l'appareil photo. Bosch comprit qu'il allait devoir donner les tirages, les planches-contacts et les négatifs à une unité photo qui avait mieux que des loupes qu'on tient à la main pour établir ses comparaisons.

Il jetait un dernier coup d'œil à la photo de la 237e lorsqu'il remarqua le nom du photographe imprimé en minuscules le long du bord droit : *Photo J.J. Drummond.* Il souligna ce nom dans sa liste et réfléchit à la coïncidence qu'il venait de découvrir. Banks, Dowler et Drummond, ces trois noms qu'il connaissait déjà de l'enquête, étaient ceux d'hommes qui s'étaient trouvés au bord de la piscine du *Princesse saoudienne* au même moment, jour pour jour, que la photojournaliste Anneke Jespersen. Et un an plus tard l'un de ces hommes tombait sur son cadavre dans une ruelle d'un Los Angeles ravagé par les émeutes. Un deuxième le conduisait, lui, Bosch, jusqu'au corps, le troisième passant un coup de fil pour s'inquiéter de l'enquête une décennie plus tard.

Autre lien dans cette histoire : Carl Cosgrove. Il était à bord du bateau en 1991 et semblait bien s'être trouvé à Los Angeles l'année suivante. Son nom figurait dans l'intitulé du fax accompagnant les déclarations de Francis Dowler et sur la façade du concessionnaire John Deere où travaillait Reggie Banks.

Dans toute affaire, il vient un moment où les choses commencent à se mettre en place, le focus en devenant comme chauffé à blanc dans son intensité. Bosch y était. Enfin il savait ce qu'il avait à faire et où aller.

— David ? lança-t-il, les yeux toujours fixés sur l'image qu'il avait à l'écran – celle de quatre hommes saouls, heureux d'être au soleil qui les brûlait, loin, très loin de la peur et des hasards de la guerre.

— Oui, Harry.

— Arrête.

— Arrête quoi ?

— Arrête ce que tu fais.

— Comment ça ? Pourquoi ?

Bosch tourna son écran de façon que Chu puisse y voir la photo et le regarda.

— Ces quatre types, dit-il. Commence par eux. Passe-les à tous les ordis. Trouve-les-moi. Trouve tout ce que tu peux sur eux.

— D'accord, Harry. Mais… et le shérif Drummond ? On le contacte pour lui poser des questions sur ces gars ?

Bosch réfléchit un instant avant de répondre.

— Non, dit-il enfin. Ajoute-le à la liste.

Chu parut surpris.

— Tu veux ses antécédents ?

Bosch hocha la tête.

— Oui, et t'en parle à personne.

*

* *

Bosch se leva, quitta le box et descendit l'allée centrale pour rejoindre le bureau du lieutenant. La porte étant ouverte, il vit O'Toole en train de travailler à son bureau. Il avait baissé la tête et écrivait quelque chose dans un dossier. Bosch frappa au montant de la porte. O'Toole leva aussitôt la tête, hésita, mais finit par faire signe à Bosch d'entrer.

— Qu'il soit porté aux archives que vous êtes entré ici de votre plein gré, dit-il lorsque Bosch entra dans la pièce. Ni harcèlement ni contrainte.

— C'est noté.

— Que puis-je faire pour vous, inspecteur ?

— Je voudrais poser un congé. Je pense avoir besoin d'un peu de temps pour réfléchir.

O'Toole marqua une pause comme s'il se demandait s'il ne s'agissait pas d'un piège.

— Quand voudriez-vous partir ? finit-il par demander.

— Je pensais à la semaine prochaine. Je sais qu'on est vendredi et que c'est court comme délai, mais mon coéquipier peut couvrir tout ce qu'on a en cours et il travaille déjà à aller faire une course avec Trish Allmand.

— Et l'affaire Blanche-Neige ? Vous ne me disiez pas il y a à peine deux jours que rien n'allait vous arrêter dans ce dossier ?

Bosch hocha la tête d'un air contrit.

— C'est-à-dire que… on dirait que ça se calme un peu. J'attends de nouveaux développements.

O'Toole hocha la tête comme s'il savait depuis toujours que Bosch finirait par se cogner à un mur dans cette affaire.

— Vous savez que ça ne va rien changer à l'enquête interne, dit-il.

— Oui, je sais. J'ai juste besoin de m'éloigner un peu, de réfléchir à mes priorités.

Il vit O'Toole tenter de réprimer un sourire d'auto-satisfaction. Il mourait d'envie d'appeler les gens du dixième pour leur annoncer que Bosch ne serait pas un problème, que l'inspecteur prodigue avait enfin compris et qu'il rentrait dans le rang.

— Et donc, vous prenez la semaine, c'est ça ?

— Oui, juste une semaine. J'ai encore à peu près deux mois à prendre.

— Normalement, j'exige d'être averti un peu plus longtemps à l'avance, mais je ferai une exception cette fois-ci. Vous pouvez filer, inspecteur. J'en prends bonne note.

— Merci, lieute.

— Ça vous ennuierait de fermer la porte en partant ?

— Je le ferai avec joie.

Bosch le laissa passer tranquillement son coup de fil au chef de police. Avant même de réintégrer son box, il avait déjà un plan pour régler les problèmes domestiques en son absence.

# 22

La Ca' Del Sole était devenue leur cantine. Ils s'y retrouvaient plus souvent que n'importe où ailleurs en ville. Leur choix reposait sur le romantisme du lieu, leurs préférences culinaires – ils aimaient tous les deux manger italien – et le prix, mais c'était surtout le côté pratique qui l'emportait. Situé à North Hollywood, question temps et circulation, ce restaurant se trouvait à égale distance de leurs maisons et bureaux respectifs, avec un léger avantage pour Hannah Stone.

Avantage ou pas, Bosch y arriva le premier et fut conduit au box qui était devenu le leur. Hannah lui avait dit qu'elle arriverait peut-être en retard parce que ses rendez-vous au centre de réadaptation de Panorama City s'étaient empilés après l'imprévu de l'interrogatoire conduit par Mendenhall. Bosch avait apporté un dossier avec lui et se satisfit d'y travailler en l'attendant.

Avant que la journée ne prenne fin à l'unité des Affaires non résolues, Chu avait rédigé de courtes bios sur les cinq hommes qui intéressaient Bosch. En consultant des bases de données tant publiques qu'appartenant à des services du maintien de l'ordre, il avait en deux heures de temps réussi à collecter autant de renseignements que Bosch l'aurait fait en quinze jours seulement vingt ans plus tôt.

Chu avait imprimé plusieurs pages de données sur chacun d'eux. Bosch les avait maintenant dans son dossier, avec les tirages des photos prises par Drummond et Jespersen à bord du *Princesse saoudienne* et la traduction de l'article qu'Anneke Jespersen avait soumis au *BT* avec ses photos.

Bosch ouvrit le dossier et relut l'article. Il remontait au 11 mars 1991, soit presque quinze jours après que la guerre avait pris fin et que les soldats étaient devenus des garants de la paix. L'article étant court, il se dit qu'il ne s'agissait que d'une note pour accompagner ses photos. Rudimentaire, le logiciel de traduction du Net dont il se servait ne rendait pas les nuances de style et de grammaire, la version anglaise de l'article en sortant maladroite et hachée.

*Il s'appelle « Love Boat », mais pas s'y tromper : c'est un bateau de guerre. Le navire de luxe* Princesse saoudienne *ne quitte jamais le port, mais a toujours maximum sécurité et capacité. Ce vaisseau britannique a été affrété et sert au Pentagone de bateau de repos pour les troupes américaines engagées dans opération Tempête du désert.*

*Les hommes et femmes en service en Arabie Saoudite ont droit occasionnellement à des permissions de trois jours et depuis le cessez-le-feu la demande est très grosse. Le* Princesse *est seule destination du golfe*

*Persique conservateur où les soldats peuvent boire alcool, faire les amis et pas apporter l'équipement de camouflage.*

*Le navire reste au port et est bien gardé par des marines armés en uniforme. (Le Pentagone demande aux journalistes qui visitent de pas révéler l'emplacement exact du vaisseau.) Mais à bord il n'y a pas d'uniformes et la vie est une fête. À deux discos, dix bars vingt-quatre heures sur vingt-quatre et trois piscines. Les soldats stationnés dans la région pendant des semaines et des mois et ont évité le missile Scud et les balles des Irakiens ont soixante-douze heures pour s'amuser, goûter leur alcool et flirter avec le sexe opposé – toutes les choses interdites au camp.*

*« Pendant trois jours nous sommes civils une fois de plus, a déclaré Beau Bentley, un soldat de vingt-deux ans de Fort Lauderdale, Floride. La semaine dernière j'étais en bataille à Koweit City. Aujourd'hui je sirote une fraîche avec mes amis. On peut pas battre ça. »*

*L'alcool coule librement dans les bars et au bord de la piscine. Les célébrations de la victoire alliée sont beaucoup. Les hommes à bord du bateau sont plus que les femmes par quinze contre un – reflet de la composition des troupes américaines dans le golfe. Il n'est pas que les hommes sur le* Princesse saoudienne *qui souhaitent que les côtés soient plus égaux.*

*« J'ai pas eu à payer un verre depuis je suis ici, déclare Charlotte Jackson, originaire d'Atlanta, Géorgie. Mais les gars qui vous draguent constamment fatigue. Je regrette pas avoir avoir apporté*

*un bon livre à lire. Je serais dans ma cabine en ce moment.* »

En se basant sur les affirmations de Beau Bentley selon lesquelles il aurait été sur le champ de bataille à peine une semaine auparavant, Bosch calcula que l'article avait été écrit, puis bloqué presque une semaine par le *BT* avant publication. Cela signifiait qu'Anneke Jespersen s'était trouvée à bord du navire à un moment donné de la première semaine de mars.

Au début, Bosch n'avait rien vu d'essentiel dans l'article sur le *Princesse saoudienne.* Mais maintenant, avec le lien établi entre Jespersen et les membres de la 237e compagnie sur ce bateau, les choses étaient bien différentes. C'était, il venait de le comprendre, les noms de deux témoins potentiels qu'il regardait. Il sortit son portable et appela Chu. Il tomba sur la messagerie. Chu n'était plus de service et avait dû fermer boutique pour la nuit. Bosch lui laissa un message à voix basse afin de ne pas troubler les autres clients du restaurant.

— Dave, dit-il, c'est moi. Je vais avoir besoin que tu me cherches des trucs sur deux noms. Je les ai trouvés dans un article de 1991, mais peu importe, essaie quand même. Le premier nom est Beau Bentley, et ce type est ou était de Fort Lauderdale, Floride. Le second est Charlotte Jackson. Elle est enregistrée comme venant d'Atlanta. L'un et l'autre ont combattu lors de l'opération Tempête du désert. Je ne sais pas dans quelle branche de l'armée. L'article ne le dit pas. Bentley avait alors vingt-deux ans et doit donc en avoir quarante-deux ou quarante-trois aujourd'hui. Je n'ai pas l'âge de Jackson, mais elle pourrait avoir disons… entre trente-neuf et cinquante ans. Vois ce que tu peux trouver et fais-le-moi savoir. Merci, collègue.

Il raccrocha et jeta un coup d'œil à l'entrée du restaurant. Toujours aucun signe d'Hannah Stone. Il reprit son téléphone et expédia vite fait un texto à sa fille pour lui demander si elle s'était commandé quelque chose à manger, puis il reprit son dossier.

Il parcourut les bios que son coéquipier avait rédigées sur les cinq hommes. Quatre de ces rapports contenaient une photo du permis de conduire de l'individu en haut de la première page. Celle de Drummond en était absente, son statut de membre des forces de l'ordre le tenant en dehors de la base de données du DMV. Bosch s'arrêta net en tombant sur la page consacrée à Christopher Henderson. Chu y avait écrit à la main et en grosses lettres le mot « décédé » à côté de sa photo.

Henderson avait survécu à l'opération Tempête du désert et aux émeutes de Los Angeles en tant que membre de la 237e unité combattante, mais pas à sa rencontre avec un voleur à main armée qui l'avait agressé dans le restaurant de Stockton dont il était gérant. Chu avait joint un article de 1998 où l'on rapportait comment il avait été accosté alors que, resté seul, il fermait le Steers, un grill très populaire du lieu. Armé et portant une cagoule de ski et un long manteau, le voleur l'avait forcé à réintégrer l'établissement. Un automobiliste qui passait par là avait vu la scène et appelé le 911[1], mais lorsqu'ils étaient arrivés peu après cet appel d'urgence,

1. Équivalent américain de notre police secours.

les policiers avaient trouvé la porte ouverte et Henderson mort à l'intérieur. Il avait été proprement exécuté par balle, à genoux dans la chambre froide de la cuisine. Un coffre-fort où il gardait les liquidités de fonctionnement du restaurant avait été retrouvé ouvert, et vide, dans le bureau du directeur.

D'après le journal, Henderson se préparait à quitter son poste au Steers pour ouvrir son propre restaurant à Manteca. Il n'en avait jamais eu la possibilité. D'après ce que Chu avait trouvé dans la base de données, le meurtre n'avait jamais été résolu, la police de Stockton n'arrivant même jamais à identifier un seul suspect.

John James Drummond étant un personnage public, la bio que Chu lui avait consacrée était importante. Après avoir rejoint le bureau du shérif du comté de Stanislaus en 1990, Drummond avait très régulièrement monté dans la hiérarchie jusqu'au jour où il avait fini par se présenter contre le shérif en poste et, contre toute attente, remporter l'élection de 2006. Il s'était ensuite représenté avec succès en 2010 et avait maintenant Washington en ligne de mire. Il faisait campagne pour le Congrès, où il espérait représenter le district comprenant les comtés de Stanislaus et de San Joaquin.

Dans une biographie politique qui avait circulé sur le Net lors de sa première campagne, il était décrit comme un « gamin du coin » qui avait réussi. Il avait grandi à Modesto dans une famille monoparentale du quartier de Graceada Park. En tant que shérif adjoint, il avait servi dans tous les domaines, jusqu'à piloter le seul et unique hélicoptère de l'agence de maintien de l'ordre. Mais c'étaient ses grandes qualités de gestionnaire qui avaient accéléré son ascension. La bio le qualifiait aussi de « héros de guerre » pour avoir servi avec la garde nationale pendant l'opération Tempête du désert. Elle indiquait également qu'il avait été blessé au cours des émeutes de 1992, alors qu'il empêchait un magasin de vêtements d'être livré au pillage.

Bosch se rendit compte que Drummond était le seul et unique blessé de la 237e compagnie pendant les émeutes. Comme quoi une bouteille lancée à ce moment-là pouvait maintenant compter au nombre des petites choses qui le propulseraient à Washington. Il nota encore que Drummond était déjà officier de police quand la garde nationale l'avait envoyé dans le golfe Persique, puis à Los Angeles.

Parmi les éléments qui le servaient dans sa bio de campagne, on faisait remarquer combien la criminalité tous azimuts avait chuté dans le comté de Stanislaus alors qu'il en était le shérif. Tout cela était du réchauffé et Bosch passa à la feuille consacrée à Reginal Banks. Âgé de quarante-six ans, celui-ci résidait à Manteca depuis toujours.

Banks avait été dix-huit ans vendeur chez le concessionnaire John Deere de Modesto. Il était marié, père de trois enfants et diplômé du Junior College[1] de Modesto.

Lors de cette recherche plus approfondie, Chu avait aussi découvert que, en plus de sa condamnation pour conduite en état d'ébriété, Banks avait été arrêté deux fois de plus pour le même motif, et sans être condamné. Bosch remarqua que sa condamnation faisait suite à une

1. Équivalent américain de nos IUT.

arrestation dans le comté de San Joaquin où se trouve Manteca. Mais les deux arrestations auxquelles il avait eu droit dans le comté voisin de Stanislaus n'avaient jamais débouché sur la moindre mise en examen. Bosch se demanda si avoir été compagnon de tranchée avec le shérif du comté voisin n'avait pas quelque chose à y voir.

Il passa ensuite à Francis John Dowler et s'aperçut que sa bio n'était pas très différente du CV de son pote Banks. Né, élevé et depuis toujours habitant de Manteca, Dowler avait suivi les cours du San Joaquin Valley College de Stockton, mais n'y était pas resté assez longtemps pour décrocher le diplôme de deux ans d'études.

Entendant un petit ricanement sourd, Bosch leva les yeux. Pino, leur garçon habituel, était tout sourire.

— Quoi ?

— J'ai lu votre papier, je suis désolé, dit le serveur.

Bosch baissa le nez sur la bio de Dowler, puis revint à Pino. Mexicain, mais travaillant dans un restaurant italien, celui-ci se faisait passer pour un Italien.

— C'est pas grave, Pino. Mais qu'est-ce qu'il y a de drôle ? lui demanda Bosch en lui montrant la première ligne de la feuille de données.

— Ça dit qu'il est né à Manteca. C'est drôle.

— Pourquoi ?

— Je croyais vous parlez espagnol, monsieur Bosch.

— Juste un peu. C'est quoi Manteca ?

— C'est le lard. Le gras.

— Vraiment ?

— Si.

Bosch haussa les épaules.

— Ils ont dû trouver que ça sonnait bien quand ils ont baptisé la ville, dit-il. Ils ne savaient probablement pas.

— Où elle est, cette ville nommée « Lard » ?

— Au nord d'ici. À environ cinq heures de route.

— Si vous allez, prenez une photo pour moi. « Bienvenue à Lard. »

Il rit et alla voir des clients à d'autres tables. Bosch consulta sa montre. Hannah avait maintenant une demi-heure de retard. Il songea à l'appeler pour savoir ce qui se passait. Il sortit son portable et découvrit que sa fille avait répondu à son texto par un simple : *Ai commandé pizza.* Pizza pour la deuxième soirée de suite parce qu'il dînait de salade, de pâtes et de vin en tête à tête avec sa petite amie. La culpabilité le prit à nouveau. Il semblait incapable d'être le père qu'il savait devoir être. La culpabilité se transformant en colère contre lui-même, il eut soudain toute la résolution dont il avait besoin pour ce qu'il prévoyait de demander à Hannah… si elle se pointait.

Il décida de lui laisser encore dix minutes avant de l'importuner avec un appel et reprit son travail.

Dowler avait quarante-huit ans et avait donné très exactement la moitié de sa vie à la société Cosgrove Agriculture. Il était qualifié de « transporteur contractuel » dans le document et Bosch se demanda si cela voulait dire qu'il était toujours chauffeur de camion.

Comme Banks, il avait été arrêté pour conduite en état d'ivresse, mais les archives du comté de Stanislaus ne faisaient état d'aucune charge retenue contre lui. Il avait aussi, et depuis quatre ans, un mandat d'arrêt aux fesses pour non-paiement de contraventions de stationnement à Modesto. Ç'aurait pu se comprendre s'il avait habité à Los Angeles, où des milliers de mandats de ce genre traînent dans les ordinateurs de la police jusqu'à ce que l'individu recherché se fasse arrêter par hasard et que l'officier de police vérifie son identité pour savoir s'il a un mandat d'amener contre lui. Mais là, Bosch eut l'impression que le comté de Stanislaus devait avoir assez de temps et d'officiers de police pour traquer les délinquants qui se moquent de la loi alors même qu'ils sont recherchés. Exécuter ce mandat devait forcément revenir au shérif du comté. Une fois encore, il eut le sentiment que les liens noués pendant l'opération Tempête du désert protégeaient beaucoup un ancien soldat de la 237e compagnie… au moins dans le comté de Stanislaus.

Mais juste au moment où il semblait se dessiner, le schéma récurrent qui prenait forme dans sa tête disparut lorsque Bosch passa au CV de Cosgrove. Âgé de quarante-huit ans, et né lui aussi à Manteca, celui-ci faisait bien parti du même groupe, mais la ressemblance avec les autres s'arrêtait là. Il n'avait aucune arrestation à son actif, avait décroché une licence complète de gestion agricole à l'université de Californie (campus de Davis) et était recensé comme président de la Cosgrove Agriculture. Un profil de lui paru dans le *California Grower*[1] signalait que sa société possédait près de cent mille hectares de pâturages et de terres arables en Californie. Productrice de bétail et de légumes, elle comptait parmi les plus grands fournisseurs de viande de bœuf, d'amandes et de raisin de l'État. Et la Cosgrove

1. Le cultivateur de Californie.

Agriculture récoltait aussi les fruits du vent. L'article créditait Cosgrove d'avoir transformé une grande partie de ses pâturages en parcs éoliens, ce qui lui donnait le double avantage de produire et de l'électricité et de la viande de bœuf.

Côté personnel, Cosgrove était présenté sous les traits d'un divorcé de longue date amateur de voitures rapides, de vins fins et de belles femmes. Il vivait dans un domaine proche de Salida, tout au nord du comté de Stanislaus. Entouré de plantations d'amandiers, l'endroit comportait une héliplate-forme lui permettant de gagner rapidement n'importe laquelle de ses autres propriétés, dont une suite avec terrasse à San Francisco et un chalet de ski à Mammoth.

Histoire classique du bébé né avec une cuillère en argent dans la bouche, Cosgrove dirigeait une société que son père Carl Cosgrove Senior avait fait prospérer à partir d'une ferme de trente hectares où il faisait pousser des fraises qu'il vendait à un étal en bord de route en 1955. À soixante-seize ans, l'homme était toujours président du conseil d'administration, mais avait passé les rênes à son fils dix ans plus tôt. L'article se concentrait sur la façon dont Carl Senior avait élevé son fils pour reprendre l'affaire, s'assurant qu'il en exploite bien tous les aspects – de l'élevage du bétail à la vinification en passant par l'irrigation des terres. C'était aussi le vieil homme qui avait insisté pour qu'en retour son fils donne beaucoup à la communauté, les douze ans qu'il avait passés à la garde nationale de Californie en faisant partie.

L'article reconnaissait à Carl Junior le mérite d'avoir hissé l'affaire familiale vieille de cinquante ans vers de nouveaux sommets et dans des directions audacieuses, dont ces parcs éoliens producteurs d'énergie verte et l'extension d'une chaîne de grills Steers qui ne comptait pas moins de six établissements dans toute la Central Valley. La dernière ligne de l'article déclarait ainsi : *Cosgrove n'est pas peu fier du fait qu'il est presque impossible de prendre un repas dans un de ses restaurants Steers sans manger ou boire quelque chose qu'a produit sa très vaste société.*

Bosch relut deux fois ces trois dernières lignes. Elles lui confirmaient l'existence d'un autre lien entre les hommes photographiés à bord du *Princesse saoudienne.* Christopher Henderson avait assuré la fermeture d'un des restaurants de Carl Cosgrove… jusqu'au jour où il y avait été assassiné.

Chu avait ajouté une note au bas de l'article du *California Grower.* Elle disait : *Ai vérifié pour le papa. Il est mort en 2010 – causes naturelles. C'est le fils qui dirige tout le bazar*.

Bosch explicita la remarque : elle signifiait que Carl Cosgrove avait hérité du contrôle complet de la Cosgrove Agriculture et de ses nombreux biens et propriétés, tout cela faisant de lui le roi de la San Joaquin Valley.

— Bonjour. Désolée.

Bosch leva les yeux au moment où Hannah Stone se glissait à côté de lui dans le box. Elle lui donna vite un baiser sur la joue et déclara qu'elle mourait de faim.

# 23

Ils burent tous les deux un verre de vin rouge avant de commencer à parler de Mendenhall et des événements de la journée. Hannah déclara avoir besoin de décompresser quelques instants avant de passer aux choses sérieuses.

— Il est bon, dit-elle du vin qu'il avait commandé. (Elle tendit le bras en travers de la table et tourna la bouteille pour lire l'étiquette. Et sourit.) Du *Modus Operandi*… évidemment. Tu ne pouvais commander que ça !

— Je suis percé à jour, dit-il.

Elle en but encore une gorgée, puis s'empara de sa serviette et la redéploya sur ses genoux alors que c'était inutile. Bosch avait remarqué qu'elle le faisait souvent par nervosité lorsqu'ils étaient au restaurant et que la conversation commençait à tourner autour de son fils.

— L'inspectrice Mendenhall m'a dit qu'elle allait parler à Shawn lundi, finit-elle par lâcher.

Il hocha la tête. Cela ne l'étonnait pas que Mendenhall monte à San Quentin. Ça l'étonnait un peu plus qu'elle l'ait dit à Hannah. Il n'est jamais bon pour l'enquête de dire à quelqu'un qu'on interroge ce qu'on va faire avec un autre, même s'il s'agit d'une mère et de son fils.

— Qu'elle aille là-haut n'a pas d'importance, dit-il. Shawn n'est pas obligé de lui parler s'il ne veut pas. Mais s'il décide de faire le contraire, il n'aura qu'à lui dire la vé…

Il cessa de parler en comprenant brusquement ce que fabriquait Mendenhall.

— Qu'est-ce qu'il y a ? lui demanda Hannah.

— Couvrir le crime est toujours pire que l'avoir commis.

— Que veux-tu dire ?

— Qu'elle t'a dit qu'elle allait monter lundi. Il se peut qu'elle l'ait fait parce qu'elle savait que tu me le dirais. Comme ça, elle pourrait voir si j'essaierais d'atteindre Shawn le premier afin de lui faire répéter ce qu'il devrait dire ou de lui conseiller de refuser de répondre à ses questions.

Hannah fronça les sourcils.

— Elle ne m'a pas paru du genre sournois. Elle m'a fait l'impression d'être vraiment franche et directe. De fait, j'ai même eu le sentiment qu'elle n'était pas très heureuse de se retrouver au milieu d'un truc à mobile politique.

— C'est elle qui a employé cette expression ou c'est toi ?

Elle dut réfléchir avant de répondre.

— Il se peut que j'aie été la première à l'employer ou à la sous-entendre, mais ça n'avait rien d'un scoop à ses yeux. Elle m'a avoué se poser des questions sur le mobile caché de la plainte. Ça, je me souviens que c'est venu d'elle, pas de moi.

Il hocha la tête et se dit que c'était O'Toole qu'elle voyait en instigateur de la plainte. Peut-être devait-il donc lui faire confiance et croire qu'elle verrait les choses pour ce qu'elles étaient.

Pino leur servant leurs salades César, ils laissèrent tomber la discussion sur l'enquête interne le temps de manger. Puis, au bout d'un moment, Bosch engagea la conversation sur autre chose.

— Je serai en vacances la semaine prochaine, dit-il.

— Vraiment ? Pourquoi tu ne m'en as pas parlé ? J'aurai pu poser un congé. À moins que… (C'était bien le hic.) Que tu veuilles être seul.

Il savait qu'elle en viendrait à cette conclusion, ou du moins qu'elle l'envisagerait.

— Non, dit-il, je vais travailler. Je vais aller faire un tour au beau milieu de la Californie. À Modesto, Stockton, et à un endroit appelé Manteca.

— C'est pour l'affaire Blanche-Neige ?

— Oui. O'Toole ne m'aurait jamais donné le feu vert pour ce voyage. Il ne veut pas que l'affaire soit résolue. Bref, j'y vais sur mon temps de vacances et mes deniers.

— Et sans personne ? Harry, ce n'est pas pru…

— Je ne vais rien faire de dangereux. Je vais juste parler à des gens et en observer d'autres. De loin.

Elle fronça à nouveau les sourcils. Ça ne lui plaisait pas. Il enchaîna avant qu'elle puisse lui opposer autre chose.

— Qu'est-ce que tu dirais de rester chez moi avec Maddie pendant que je serai parti ?

Il vit clairement la surprise sur son visage.

— Elle avait l'habitude d'aller dormir chez une copine dont la mère m'avait proposé de veiller sur elle, mais maintenant les deux filles ne sont plus copines. Bref, c'est devenu gênant. Maddie me dit toujours que rester seule ne l'ennuie pas, mais je n'aime pas trop.

— Moi non plus. Mais… je ne sais pas, Harry. Tu lui en as parlé ?

— Pas encore. Je lui dirai ce soir.

— Tu ne peux pas te contenter de le lui « dire ». Il faut que ça soit sa décision à elle aussi. Il faut le lui demander.

— Écoute, je sais qu'elle t'aime bien et je sais aussi que vous vous causez, toutes les deux.

— On ne se parle pas, non. On est amies sur Facebook.

— Oui, bon, mais pour elle, c'est la même chose. Aller sur Facebook et écrire des textos, c'est comme ça que parlent ces enfants. C'est toi qui lui as fourni la bière pour mon anniversaire. C'est à toi qu'elle a demandé de l'aide.

— C'est rien, ça. C'est pas du tout la même chose que rester avec elle dans ta maison.

— Je sais, mais je pense que ça ne lui déplaira pas. Si c'est mieux pour toi, je le lui demande ce soir en rentrant. Mais si elle dit oui, tu diras oui, toi aussi ?

Pino vint leur enlever leurs assiettes, Bosch reposant sa question dès qu'il eut le dos tourné.

— Oui, répondit-elle. Avec grand plaisir. Mais j'aimerais aussi beaucoup rester chez toi quand tu y es.

Elle avait déjà parlé d'emménager avec lui. Bosch appréciait leur relation, mais n'était pas sûr de vouloir sauter ce pas-là. Il ne savait pas trop pourquoi. Il n'était plus jeune. Qu'attendait-il donc ?

— Eh bien… ça serait déjà un pas en avant, non ? dit-il en essayant d'éviter la question.

— J'ai plutôt l'impression que ça ressemble à une espèce d'essai un peu bizarre. Je passe le test de la fille et ça y est ?

— Non, c'est pas ça, Hannah. Mais écoute, je n'ai pas envie de parler de ça là maintenant. Je suis en plein milieu d'une affaire, faut que je parte dimanche ou lundi, et j'ai une inspectrice des Professional Standards sur le dos. Oui, je veux en parler. C'est important. Mais ça peut pas attendre qu'une partie de ces autres trucs soit réglée ?

— Si, bien sûr, dit-elle d'une manière qui laissait clairement entendre qu'elle n'était pas très heureuse de le voir mettre la question de côté.

— Oh, allons, ne sois pas fâchée, dit-il.

— Je ne suis pas fâchée.

— Je vois bien que si.

— Je veux juste qu'il soit bien clair que je n'ai aucune envie de n'être qu'une baby-sitter dans ta vie.

Il hocha la tête. La conversation dérapait. Il sourit d'un air pensif. Il le faisait toujours lorsqu'il se sentait coincé.

— Écoute, reprit-il, je t'ai juste demandé si tu pouvais me rendre ce service. Si tu ne veux pas ou si ça doit déclencher tous ces mauvais sentiments, on…

— Je t'ai dit que je n'étais pas fâchée. On ne pourrait pas laisser tomber ça pour le moment ?

Il prit son verre de vin et le vida d'une longue gorgée. Puis il tendit la main vers la bouteille pour s'en resservir un peu.

— Bien sûr, dit-il.

## 24

Bosch partagea son samedi entre le bureau et la famille. Il avait convaincu Chu de le retrouver à la salle des inspecteurs dans la matinée afin qu'ils puissent travailler sans être sous la surveillance d'O'Toole et des autres inspecteurs de la brigade. Non seulement l'unité des Affaires non résolues était vide, mais les deux ailes de l'énorme salle des inspecteurs de la brigade des Vols et Homicides étaient, elles aussi, complètement désertées. Les heures supplémentaires payées étant une chose du passé, les seuls moments du week-end où il y avait de l'activité dans les brigades des inspecteurs d'élite étaient ceux où une affaire était en train de se dénouer. Bosch et Chu avaient de la chance qu'il n'y ait rien de tel ce jour-là. Ils étaient seuls et personne ne les embêterait dans leur box.

Dès qu'il eut fini de grogner parce qu'il renonçait à une moitié de son samedi sans contrepartie financière, Chu se plongea dans son ordinateur et lança une recherche à trois et quatre niveaux sur les hommes de la 237e compagnie de transport de la garde nationale de Californie.

Si Bosch avait réduit le spectre de ses recherches aux quatre hommes photographiés à bord du *Princesse saoudienne* et au cinquième qui avait pris le cliché, il savait qu'une enquête approfondie exigeait qu'ils vérifient tous les noms découverts pour la 237ᵉ, surtout ceux des individus qui s'étaient trouvés à bord du navire de croisière au même moment – ou à peu près – qu'Anneke Jespersen.

À défaut d'autre chose, il savait que l'exercice pouvait payer si l'affaire donnait lieu à des poursuites. Les avocats de la défense sont toujours prompts à avancer que les flics ont des œillères et ne se sont concentrés que sur leurs clients alors que le vrai coupable a filé. En élargissant le champ de leurs recherches et en vérifiant à fond tous les membres connus de la 237ᵉ en 91 et 92, Bosch casserait leur système de défense à la vision étriquée avant même qu'ils puissent le présenter.

Pendant que Chu faisait mouliner son ordinateur, Bosch imprima tout ce qu'ils avaient accumulé sur les cinq hommes qui les intéressaient le plus. Au total, ils se retrouvèrent avec vingt-six pages de renseignements, dont plus des deux tiers sur le shérif J.J. Drummond et sur Carl Cosgrove, les deux individus ayant du pouvoir dans les affaires, la politique et le maintien de l'ordre dans la Central Valley.

Bosch imprima ensuite des cartes des lieux qu'il avait l'intention de visiter dans cette même vallée la semaine suivante. Elles lui permirent de se faire une idée des rapports géographiques entre les endroits où ces cinq individus vivaient et travaillaient. Tout cela faisait partie du « paquet voyage » qu'il fallait habituellement préparer avant de pouvoir démarrer.

Bosch y planchait encore lorsqu'il reçut un mail d'Henrik Jespersen. Celui-ci avait enfin pu accéder à son garde-meuble et retrouver les détails du voyage de sa sœur dans les derniers mois de sa vie. Ils ne firent que confirmer l'essentiel de ce qu'il avait déjà dit à Bosch sur le séjour d'Anneke aux États-Unis. Ils confirmaient aussi qu'elle s'était brièvement rendue à Stuttgart.

D'après les archives d'Henrik, sa sœur n'avait passé que deux nuits en Allemagne la dernière semaine de mars 1992, puis elle était descendue au Swabian Inn, à l'extérieur du casernement Alexander Patch de la garnison américaine. Henrik ne put rien lui dire de plus sur le but qu'elle y poursuivait, mais suite à ses propres recherches sur le Net, Bosch réussit à confirmer que c'était dans ces casernes que se trouvait la Criminal Investigation Division de l'armée. Il détermina aussi que cette CID de Stuttgart chapeautait toutes les enquêtes sur les crimes de guerre qui auraient été perpétrés pendant l'opération Tempête du désert.

Il lui semblait évident qu'à Stuttgart Anneke Jespersen s'était renseignée sur ces crimes supposés. Mais si ce qu'elle y avait appris l'avait poussée à se rendre aux États-Unis n'était toujours pas clair, Bosch savait d'expérience que même son propre statut d'officier des forces de l'ordre n'aurait pas beaucoup joué pour lui gagner la coopération de la CID de l'armée. À ses yeux, une journaliste étrangère ne pouvait qu'avoir eu encore plus de mal à obtenir des renseignements sur un crime qui avait toutes les chances de toujours faire l'objet d'une enquête au moment où elle posait ses questions.

À midi, Bosch avait fini de mettre en forme son paquet voyage et était prêt à partir. Plus encore que Chu – a priori –, il voulait filer. Et pour lui, cela n'avait rien à voir avec les heures supplémentaires non payées. Il avait tout simplement prévu quelque chose pour le reste de la journée. Il savait que sa fille allait se réveiller dans pas longtemps et l'idée, c'était d'aller manger au Henry's Tacos de North Hollywood. Pour lui, ce serait le déjeuner et pour elle, le petit déjeuner. Après, ils avaient commandé des billets pour un film en 3 D que Maddie voulait voir depuis longtemps. Et le soir venu, ils iraient dîner avec Hannah dans un restaurant de Melrose Avenue, Chez Craig.

— Je suis prêt à y aller, dit-il à Chu.

— Alors, moi aussi, lui renvoya son coéquipier.

— T'as des trucs là-dedans qui mériteraient qu'on en cause ?

C'était de la recherche de données que Chu venait d'effectuer sur les autres noms de la 237e compagnie qu'il parlait. Chu hocha la tête.

— Non, dit-il, rien de bien excitant.

— As-tu pu lancer la recherche dont je te parlais dans mon message d'hier soir ?

— Laquelle ?

— Celle sur les soldats interviewés dans l'article de Jespersen sur le *Princesse saoudienne* ?

— J'ai complètement oublié, répondit Chu en claquant des doigts. Je n'ai eu ton message que tard hier soir et aujourdhui, j'ai zappé. Je m'y mets tout de suite.

Il se tourna à nouveau vers son ordinateur.

— Nan, rentre chez toi, dit Bosch. Tu pourras faire ça demain à la maison, ou ici quand tu reviendras lundi. De toute façon, y a peu de chances que ça marche.

Chu se mit à rire.

— Quoi ? dit Bosch.

— Rien, Harry. Sauf que c'est toujours comme ça avec toi : rien n'a jamais beaucoup de chances de marcher.

Bosch acquiesça.

— C'est bien possible, dit-il. Mais quand un truc est payant…

Ce fut au tour de Chu d'acquiescer. Avec Bosch, des trucs qui avaient peu de chances de marcher mais qui finissaient par payer, il en avait vu pas mal.

— À bientôt, Harry, dit-il. Fais attention là-bas.

Bosch s'était confié à Chu et lui avait soufflé ses plans de « vacances ».

— On reste en contact.

*
* *

Ce dimanche-là, Bosch se leva tôt, fit du café et l'emporta sur la terrasse avec son téléphone portable afin de s'imprégner du matin. Il faisait froid et humide, mais il adorait les dimanches matin parce que c'étaient les moments les plus calmes de la semaine dans le col de Cahuenga. Les bruits de l'autoroute étaient faibles, aucun écho de coups de marteau ne montait des constructions en cours dans cette fissure de la montagne et pas un coyote n'aboyait.

Il consulta sa montre. Il avait un coup de fil à passer, mais avait prévu d'attendre 8 heures. Il posa son portable sur la table basse, s'installa dans sa chaise longue et sentit la rosée du matin se glisser dans le dos de sa chemise. Ça ne le gênait pas. C'était même agréable.

D'habitude, il avait faim quand il se réveillait. Pas ce jour-là. La veille au soir, Chez Craig, il avait mangé un demi-panier de pain à l'ail avant de se descendre une salade Déesse Verte et le contre-filet de bœuf à la new-yorkaise qui avait suivi. Et pour couronner le tout, il avait avalé la moitié du pudding au pain de sa fille comme dessert. Ça faisait longtemps qu'il n'avait rien connu d'aussi bien question repas et conversation, et pour lui la soirée avait été une grande réussite. Maddie et Hannah le pensaient elles aussi, même si elles avaient cessé de s'intéresser à leur assiette dès qu'elles avaient vu l'acteur Ryan Philippe à table avec des amis dans un box du fond de la salle.

Bosch sirota lentement son café en sachant que c'était à cela que se réduirait son petit déjeuner. À 8 heures il ferma la porte coulissante et appela son ami Bill Holodnak pour s'assurer que le plan qu'ils avaient échaffaudé pour la matinée tenait toujours. Il parla à voix basse pour ne pas être entendu ou réveiller trop tôt sa fille. Il savait d'expérience que *l'enfer point ne connaît de fureur telle*[1] que celle de l'adolescente réveillée trop tôt un jour où il n'y a pas école.

---

1. Citation du poète anglais William Congreve.

— On peut y aller, Harry, lui dit Holodnak. J'ai réglé les lasers hier et personne n'est entré depuis. Mais j'ai une question : tu veux l'option réaliste ? Si oui, on lui passe l'armure, mais elle pourrait quand même avoir envie d'enfiler des vieux vêtements.

Holodnak était l'officier instructeur du LAPD en charge du Force Options Simulator de l'Académie de police d'Elysian Park.

— Bill, lui répondit Bosch, je pense qu'on va laisser tomber l'option réaliste pour cette fois.

— Toujours ça de moins à nettoyer pour moi. Quand y seras-tu ?

— Dès que j'arrive à la faire se lever, je…

— Moi aussi, je suis passé par là avec les miens. Mais faut quand même que tu me donnes une heure pour que j'y sois.

— On dit 10 heures ?

— Ça marche.

— Parfait. À tout…

— Hé, Harry, t'as quoi dans ton lecteur ces temps-ci ?

— Du vieux Art Pepper en *live*. C'est ma fille qui m'a offert ça pour mon anniversaire. Pourquoi ? T'as quelque chose, toi ?

Holodnak était un aficionado du jazz comme il n'en connaissait pas d'autres. Et ses tuyaux étaient généralement bons.

— Danny Grissett.

Bosch reconnut le nom, mais il lui fallait encore le remettre. Tel était le petit jeu auquel Holodnak et lui s'amusaient souvent.

— Piano, dit-il enfin. Il ne joue pas dans le groupe de Tom Harrell ? Et en plus, il est du coin.

Bosch se sentit fier de lui.

— Vrai et faux. Il est bien d'ici, mais ça fait longtemps qu'il est basé à New York. Je l'ai vu avec Harrell au Standard la dernière fois que je suis allé là-bas pour rendre visite à ma fille.

La fille d'Holodnak était écrivain et habitait New York. Il s'y rendait souvent et faisait beaucoup de découvertes dans les clubs qu'il hantait le soir lorsque sa fille le virait de chez elle pour écrire.

— Grissett produit ses propres trucs, reprit-il. Je te recommande un disque intitulé *Form.* Ce n'est pas son tout dernier, mais ça vaut la peine de l'écouter. C'est du néo-bop. Il a un superbe sax ténor que tu aimeras sûrement. Seamus Blake. Écoute son solo dans *Let's Face the Music and Dance*. C'est dense.

— OK, noté, je vois ça. Et je te retrouve à 10 heures.

— Minute, minute. Pas si vite, l'ami, lui renvoya aussitôt Holodnak. C'est ton tour. Donne-moi quelque chose.

C'était la règle. Il avait reçu, il fallait qu'il donne. Il devait lui trouver quelque chose qui ne soit pas déjà sur son écran radar. Il réfléchit beaucoup. Il s'était plongé dans les disques de Pepper que Maddie lui avait offerts, mais avant de recevoir cette manne pour son anniversaire, il avait essayé d'élargir un peu ses horizons en matière de jazz et d'y intéresser sa fille en la jouant « jeune ».

— Grace Kelly, dit-il. Pas la princesse.

Holodnak ricana : trop facile.

— Non, pas la princesse, la gamine. Une vraie sensation à l'alto, et jeune. Elle fait équipe avec Woods et Konitz pour les disques. À mon avis, le Konitz est meilleur. Suivant ?

Bosch sentit que c'était sans espoir.

— D'accord, un autre. Disons… Gary Smulyan ?

— *Hidden Treasures*, lui renvoya aussitôt Holodnak en lui donnant le nom du disque auquel pensait Bosch. Smulyan au baryton et juste une contrebasse et la batterie pour la section rythmique. Du bon, ça, Harry. Mais je t'ai eu.

— Bah, un jour ça sera mon tour.

— Pas tant que je serai de quart. On se voit à 10 heures.

Bosch raccrocha et regarda l'heure à son portable. Il pouvait laisser dormir sa fille encore une heure, la réveiller avec l'odeur d'une tasse de café et réduire ainsi la probabilité de la voir grognon suite au réveil qu'elle ne manquerait pas de trouver bien matinal pour un dimanche. Mais il savait que, grognon ou pas, elle finirait par accepter et aimer ce qu'il avait prévu.

Il rentra pour noter le nom de Danny Grissett.

*

* *

Appareil destiné à la formation des policiers, le Force Options Simulator était abrité à l'Académie et consistait en un écran de la taille d'un mur sur lequel étaient projetés divers scénarios (tirer/ne pas tirer), les images n'étant pas générées par ordinateur. De vrais acteurs avaient été filmés dans de multiples séquences haute définition résultant des actes effectués par l'officier lors de la séance d'entraînement. Électroniquement relié à l'action montrée à l'écran, celui-ci se voyait confier une arme de poing qui envoyait un rayon laser au lieu de tirer des balles. Si le laser frappait un des acteurs à l'écran, que cet acteur joue un bon ou un méchant, il mourait. Toutes les séquences se poursuivaient jusqu'à ce que l'officier agisse ou décide que ne pas agir était la bonne réponse.

Il y avait une option réaliste impliquant un pistolet de paintball qui, situé au-dessus de l'écran, tirait sur le stagiaire au moment même où tel ou tel autre acteur lui tirait dessus dans le film.

En se rendant à l'Académie, Bosch expliqua à sa fille ce qu'ils allaient faire, et elle fut tout de suite enthousiaste. Elle était devenue une tireuse de premier plan dans les concours locaux réservés à sa classe d'âge, mais il ne s'agissait que d'épreuves d'adresse sur cibles en papier. Elle avait bien appris des choses sur les situations où il faut ou ne faut pas tirer dans un livre de Malcolm Gladwell, mais c'était la première fois que, une arme à la main, elle allait être confrontée au choix à effectuer en une fraction de seconde et dont l'issue est la vie ou la mort.

Le parking était pratiquement vide. Dimanche matin – il n'y avait ni cours ni aucune autre activité prévue. Sans compter que le gel des embauches affectant l'ensemble de la ville avait beaucoup amaigri l'effectif des jeunes recrues et fait baisser le niveau d'activité. La police ne pouvait plus que remplacer les officiers partant en retraite.

Ils entrèrent dans le gymnase et traversèrent le terrain de basket derrière lequel le FO Simulator avait été installé dans une ancienne réserve. Homme affable doté d'une crinière poivre et sel, Holodnak les y attendait. Bosch lui présenta sa fille sous le nom de Madeline, l'instructeur leur offrant alors deux armes de poing à laser reliées à l'ordinateur par un câble électronique.

Après leur avoir expliqué les procédures à suivre, Holodnak se positionna derrière un ordinateur au fond de la pièce, baissa la lumière et enclencha le premier scénario. On commençait par y voir à travers le pare-brise un véhicule de patrouille en train de s'arrêter derrière une voiture que les policiers avaient obligée à se ranger sur le bas-côté de la route. Une voix électronique au-dessus de l'écran décrivit la situation.

— Votre coéquipier et vous avez contraint un véhicule qui roulait n'importe comment à s'arrêter.

Presque aussitôt, deux jeunes hommes sortaient chacun d'un côté de la voiture, l'un et l'autre se mettant alors à crier et insulter les policiers.

— Putain, mec, pourquoi tu m'fais chier ? hurlait le chauffeur.

— Mais oh, mec, qu'est-ce qu'on a fait ? renchérissait le passager. C'est pas juste !

Et c'était l'escalade. Bosch ordonna aux deux hommes de se retourner et de poser les mains sur le toit du véhicule. Mais ils l'ignorèrent. Tous deux tatoués, ils portaient des pantalons qui leur tombaient sur les fesses et des casquettes de base-ball à l'envers. Bosch leur intima l'ordre de se calmer. Mais ils n'en firent rien et la fille de Bosch cria à son tour.

— On se calme ! Les mains sur la voiture. On ne…

C'est alors que les deux hommes portèrent la main à la ceinture, et en même temps. Bosch sortit lui aussi son arme et ouvrit le feu dès qu'il vit la main du chauffeur commencer à monter. Puis il entendit sa fille tirer, elle aussi, des coups de feu sur sa droite.

À l'écran, les deux acteurs s'effondrèrent.

La lumière revint.

— Alors, leur lança Holodnak derrière eux. Qu'est-ce qu'on a vu ?

— Ils étaient armés, dit Maddie.

— Tu es sûre ?

— Mon type à moi avait une arme. Je l'ai vue.

— Et vous, Harry ? Qu'avez-vous vu ?

— J'ai vu une arme.

Il regarda du côté de sa fille et hocha la tête.

— Bien, dit Holodnak. Revoyons ça.

Il refit passer le scénario au ralenti. Les deux hommes avaient bien pris leurs armes et les levaient pour faire feu lorsque Bosch et sa fille avaient tiré les premiers. À l'écran, les bonnes frappes étaient marquées par des X rouges, les ratés par des noirs. Maddie avait atteint le passager trois fois au torse, tous ses tirs étant bons. Bosch, lui, avait atteint le chauffeur deux fois en pleine poitrine et raté son troisième tir parce que sa cible était déjà en train de tomber à terre.

Holodnak les félicita tous les deux.

— N'oubliez jamais que nous sommes toujours désavantagés, dit-il. Il faut une seconde et demie pour reconnaître l'arme et une et demie de plus pour juger la situation et tirer. Soit trois secondes en tout. C'est l'avantage que le tireur a sur nous et c'est ça que nous devons surmonter. Trois secondes, c'est trop. En trois secondes, on meurt.

Puis ils passèrent à un braquage de banque en pleine action. Comme dans le premier exercice, ils firent feu tous les deux et abattirent l'individu au moment où il sortait de la banque par les portes vitrées et les mettait en joue.

Après ça, les scénarios devinrent plus complexes. Dans l'un d'eux, un flic frappait à une porte et le résident l'ouvrait en agitant un téléphone portable noir, l'air très en colère. Un autre encore montrait une scène de ménage au cours de laquelle le mari et la femme se retournaient contre les policiers. Holodnak les félicita d'avoir géré la situation sans tirer. Puis il fit subir à Madeline une série de scénarios où elle devait réagir seule, sans l'aide d'un coéquipier.

Dans le premier exercice, elle se retrouvait face à un déséquilibré armé d'un couteau et parvint à le lui faire lâcher en lui parlant. Dans le deuxième, une autre scène de ménage voyait l'homme la menacer d'un couteau alors qu'il se trouvait à trois mètres d'elle. Réponse correcte, elle ouvrit le feu.

— Il suffit de deux pas pour faire trois mètres, dit-il. Si tu avais attendu qu'il se lance, il aurait été sur toi au moment même où tu tirais. Jeu égal. Et qui perd dans ce cas-là ?

— Moi, répondit-elle.

— Exactement. Tu as géré ça comme il faut.

Vint ensuite une scène où elle entrait dans une école après qu'on lui avait signalé un coup de feu. Elle descendait un couloir vide et entendait des cris d'enfants loin devant elle. Elle tournait au bout du couloir et découvrait un type debout devant la porte d'une classe. L'homme pointait son arme sur une femme qui, recroquevillée par terre, essayait de se protéger la tête avec les mains.

— Non, par pitié, le suppliait-elle.

L'homme tournait le dos à Madeline. Celle-ci tira aussitôt et l'abattit en le touchant à la tête et dans le dos avant qu'il ne puisse tuer la femme. Madeline ne s'était pas identifiée comme étant de la police et ne lui avait même pas ordonné de lâcher son arme, mais Holodnak lui dit qu'elle avait bien réagi et dans les limites du règlement. Il lui montra un tableau blanc sur le mur de gauche. On y voyait plusieurs schémas de tir avec tout en haut un seul mot en majuscules : SILAVIE.

— Sauver Immédiatement LA VIE, dit-il. On ne déroge pas au règlement si ce qu'on fait a pour but de sauver immédiatement la vie. Ce qui peut vouloir dire la vôtre ou celle d'un autre. Peu importe.

— OK.

— Mais j'ai une question. Comment as-tu appréhendé la situation ? En d'autres termes, qu'est-ce qui t'a amenée à croire que c'était l'institutrice qui était menacée par cet homme ? Comment as-tu fait pour savoir que ce n'était pas plutôt une tueuse qui venait d'être désarmée par l'enseignant ?

Bosch avait tiré immédiatement la même conclusion que sa fille. Instinct pur et simple. Il aurait fait feu exactement comme elle.

— Eh bien, à cause de leurs habits, dit-elle. Il avait la chemise qui sortait et je ne pense pas que ç'aurait été le cas pour un instituteur. Et elle, elle avait des lunettes et les cheveux relevés en arrière, comme une institutrice. Et en plus, j'ai vu qu'elle avait un élastique autour du poignet et j'ai eu une maîtresse qui faisait la même chose.

Holodnak acquiesça.

— Eh bien, tu avais vu juste. J'étais curieux de savoir comment tu avais fait. Je suis toujours étonné de voir tout ce que le cerveau humain peut comprendre en si peu de temps.

Ils continuèrent, Holodnak l'amenant à réagir dans un scénario inhabituel où elle voyageait à bord d'un avion de ligne commerciale comme le font souvent des inspecteurs. Elle était armée et assise à sa place quand, deux sièges devant elle, un passager se levait brusquement d'un bond, attrapait une hôtesse de l'air par le cou et la menaçait d'un couteau.

Madeline se mit debout, leva son arme, s'identifia comme étant de la police et ordonna au type de relâcher la femme qui hurlait. Au lieu de ça, le type la serra encore plus fort contre lui pour se couvrir et menaça de la poignarder. Des passagers hurlaient et allaient et venaient dans la cabine pour se cacher. Vint enfin un moment où l'hôtesse de l'air tenta de se libérer, quelques centimètres la séparant alors de l'homme au couteau. Madeline fit feu.

Et l'hôtesse de l'air s'affaissa.

— Merde !

Madeline se pencha sur elle, horrifiée. Mais l'homme à l'écran hurlait :

— Au suivant !

— Madeline ! cria Holodnak. C'est donc fini ? Il n'y a plus de danger ?

Maddie comprit aussitôt qu'elle ne faisait plus attention. Elle se redressa et tira cinq balles dans l'homme au couteau. Qui s'affaissa.

La lumière se ralluma et Holodnak sortit de derrière son ordinateur.

— Je l'ai tuée, dit Maddie.

— Parlons-en. Pourquoi as-tu tiré ?

— Parce qu'il allait la tuer.

— Bien. Pas de problème avec les règles de SILAVIE… sauver immédiatement la vie. Aurais-tu pu agir autrement ?

— Je ne sais pas. Il allait la tuer.

— Fallait-il que tu te lèves, que tu montres ton arme et que tu t'identifies comme étant de la police ?

— Je ne sais pas. Faut croire que non.

— C'était ton avantage. Il ne savait pas que tu étais flic. Et il ne savait pas non plus que tu étais armée. Tu as précipité les choses en te mettant debout. Dès que tu as montré ton arme, il n'y a plus eu aucune possibilité de retour en arrière.

Maddie acquiesça et baissa la tête, Bosch se sentant brusquement mal de lui avoir imposé toute la séance.

— Écoute-moi, jeune fille, reprit Holodnak. Tu t'es bien mieux débrouillée que les trois quarts des flics qui passent ici. Allez, on s'en refait un pour terminer en beauté. Oublie celui-là et prépare-toi.

Il regagna son ordinateur et Maddie eut droit à un autre scénario – un incident où, alors qu'elle n'était pas en service, elle était approchée par un type armé qui venait de voler une voiture. Elle l'abattit d'une balle en plein cœur dès qu'il commença à sortir son arme. Puis elle se retint de tirer alors qu'un passant se mettait brusquement à courir et lui agitait un portable sous le nez en criant : Qu'est-ce que vous avez fait ? Mais qu'est-ce que vous avez fait ?

Holodnak lui dit qu'elle avait géré la situation comme une experte et cela parut lui remonter le moral. Encore une fois, il ajouta qu'il était impressionné par la qualité de ses tirs et ses processus de prise de décision.

Harry et Maddie le remercièrent de leur avoir accordé du temps à la machine et gagnèrent la sortie. Ils retraversaient le terrain de basket lorsque, debout à la porte de la salle du simulateur, Holodnak rappela Bosch. Il s'était remis à jouer à « je-te-coince-quand-je-veux ».

— Michael Formanek, dit-il. *The Rub and Spare Change.*

Et il pointa le doigt sur Bosch, lui faisant comprendre qu'il l'avait eu. Maddie se mit à rire même si elle ne savait pas qu'il parlait jazz. Bosch se retourna et, tout en marchant à reculons, leva les mains l'air de dire « je déclare forfait ».

— Bassiste de San Francisco, déclara Holodnak. Génial va-et-vient entre le rythme et la mélodie. Faudrait voir à élargir ses horizons ! Tous les gens qui valent la peine d'être écoutés ne sont pas forcément morts, Harry. Madeline ? Au prochain anniversaire de ton père, tu viens me voir.

Bosch fit signe à Holodnak de disparaître.

## 25

Pour déjeuner, ils s'arrêtèrent à l'Academy Grill, établissement dont les murs sont décorés de souvenirs du LAPD et où les sandwichs portent les noms d'anciens chefs de police et de flics célèbres, réels ou imaginaires.

Peu après qu'elle eut commandé le Bratton Burger et Bosch le Joe Friday, l'humour qu'Holodnak avait insufflé à la fin de la séance de tir s'estompant, Maddie se tassa sur sa chaise et se fit silencieuse.

— Courage, ma fille ! risqua Bosch. Ce n'était qu'un simulateur. En gros, tu t'en es très bien sortie. Tu as entendu ce qu'il t'a dit. Tu as trois secondes pour évaluer la situation et tirer… Moi je trouve que tu as été géniale.

— Papa ! J'ai tué une hôtesse de l'air !

— Mais tu as sauvé une institutrice. Et en plus, ce n'était même pas en conditions réelles. Tu as tiré alors que dans la réalité tu ne l'aurais probablement pas fait. Il y a toujours un sentiment d'urgence avec le simulateur. Quand on affronte une situation réelle, de fait, tout donne l'impression de ralentir. Il y a… je ne sais pas… plus de clarté.

Ça n'eut pas l'air de l'impressionner. Il réessaya.

— En plus, le flingue n'était probablement pas parfaitement réglé.

— Alors là, merci, papa ! Ça veut donc dire que tous mes bons tirs étaient ratés en fait, vu que l'arme n'était pas réglée comme il faut.

— Non, ce n'est pas ce que je…

— Faut que j'aille me laver les mains.

Elle se glissa brusquement hors du box et se dirigea vers le couloir du fond tandis que Bosch se rendait compte à quel point il avait été stupide d'excuser un mauvais tir en invoquant la coordination arme/écran.

En l'attendant, il regarda une première page du *Los Angeles Times* encadrée sur le mur au-dessus du box. Toute la partie supérieure y était consacrée à la fusillade qui avait opposé la police et les membres de l'Armée de libération symbionaise au carrefour de la 54e Rue et de Compton Avenue en 1974. Jeune policier affecté à la patrouille, Bosch avait été mêlé à l'affaire. Il avait contrôlé la circulation et contenu la foule alors même que se déroulait l'affrontement et, le lendemain, il avait monté la garde tandis qu'une équipe passait au peigne fin les décombres de la maison ravagée par les flammes afin d'y retrouver les restes de Patty Hearst.

Heureusement pour elle, elle était ailleurs.

Madeline réintégra le box.

— Qu'est-ce qui prend si longtemps ? demanda-t-elle.

— Détends-toi, dit-il. On a commandé y a à peine cinq minutes.

— Papa ? Pourquoi tu es devenu flic ?

Il fut un instant pris au dépourvu par cette question qui tombait du ciel.

— Pour des tas de raisons, répondit-il enfin.

— Comme quoi ?

Il marqua une pause pour rassembler ses pensées. C'était la deuxième fois en une semaine qu'elle lui posait la question. Il comprit que, pour elle, c'était important.

— La réponse toute prête, c'est que je voulais servir et protéger[1]. Mais comme c'est toi qui me le demandes, je vais te dire la vérité. Ce n'est pas parce que j'avais envie de protéger et de servir les citoyens ou de devenir une espèce de fonctionnaire charitable. Quand j'y repense, c'est plutôt parce que j'avais envie de me servir et de me protéger, moi.

— Qu'est-ce que tu veux dire ?

— Qu'à l'époque, je revenais juste du Vietnam et que les individus dans mon genre, tu sais bien, les anciens combattants de là-bas, eh bien… ils n'étaient pas vraiment acceptés ici. Surtout par les gens de notre âge.

Il regarda autour de lui pour voir si leurs plats arrivaient. L'attente finissait par l'agacer. Il se tourna de nouveau vers sa fille.

— Je me rappelle que je ne savais plus très bien ce que je faisais quand je suis rentré et que j'ai commencé à suivre des cours au City College de L.A., là-bas, à Vermont Avenue. J'y ai rencontré une fille et on s'est mis à traîner ensemble, mais je ne lui avais pas dit d'où je venais… du Vietnam, quoi… parce que je savais que ça risquait de poser problème.

---

1. La devise du LAPD.

— Elle n'a pas vu ton tatouage ?

Le rat de tunnel qu'il avait sur l'épaule l'aurait trahi à tous les coups.

— Non, nous n'en étions pas encore là et je n'avais même jamais enlevé ma chemise devant elle. Mais un jour, on traversait le campus après les cours quand elle m'a, disons… demandé à brûle-pourpoint pourquoi j'étais si silencieux… Et je sais pas, j'ai comme qui dirait pensé qu'il y avait une ouverture et que je pouvais vendre la mèche. Je croyais qu'elle comprendrait, tu vois ?

— Mais elle n'a pas compris.

— Non. J'ai dû lui dire un truc du genre : « Eh bien, j'ai passé ces dernières années à l'armée » et tout de suite elle m'a demandé si ça signifiait que j'avais été au Vietnam et… et je lui ai répondu oui.

— Qu'est-ce qu'elle a dit ?

— Rien. Elle n'a rien dit. Elle a juste fait une pirouette, comme une danseuse, et elle est partie. Sans rien dire.

— Ah la vache !

— C'est là que j'ai compris dans quoi je remettais les pieds.

— Oui mais… que s'est-il passé quand tu es retourné en cours le lendemain ? Tu lui as dit quelque chose ?

— Non, parce que je n'y suis pas retourné. Je n'ai jamais remis les pieds dans cette fac parce que je savais ce qui se passerait. C'est en grande partie à cause de ça que, une semaine plus tard, je suis entré chez les flics. La police était pleine d'anciens combattants et beaucoup d'entre eux avaient été là-bas, en Asie du Sud-Est. Je savais donc qu'il y aurait des types comme moi et que je pourrais être accepté. C'est un peu comme celui qui sort de prison et qui commence par un centre de réadaptation. Je n'étais plus en taule, mais j'étais avec des gens comme moi.

Madeline semblait avoir oublié qu'elle venait d'abattre une hôtesse de l'air. Il en fut heureux, mais ne trouva pas très joyeux de réactiver ainsi ses souvenirs.

Soudain il sourit.

— Quoi ? lui demanda Maddie.

— Non, rien, c'est juste que je viens de me rappeler un autre truc de cette époque. Un truc dingue.

— Dis-moi. Tu viens de me raconter une histoire super triste, alors raconte-moi ce truc dingue.

Il attendit que la serveuse pose leurs plats sur la table. Elle travaillait dans cet établissement depuis l'époque où Bosch était entré dans la police, presque quarante ans plus tôt.

— Merci, Margie, dit-il.

— De rien, Harry.

Madeline mit du ketchup sur son Bratton Burger et ils avalèrent quelques bouchées avant que Bosch ne se lance dans son histoire.

— Bon, alors, dit-il, quand j'ai obtenu mon diplôme, reçu mon badge et été affecté à la patrouille, c'était un peu la même chose qui recommençait. Tu sais bien… la contre-culture, le mouvement anti-guerre, rien que des trucs cinglés comme ça.

Il montra du doigt la première page de journal apposée sur le mur à côté d'eux.

— Des tas de gens voyaient dans les flics des gens, disons… un poil au-dessus des tueurs de bébés qui revenaient du Vietnam. Tu vois ce que je veux dire ?

— En gros.

— Et donc, mon premier job de manche vierge dans la rue, c'était de marcher…

— C'est quoi, un « manche vierge » ?

— Un bleu. Quelqu'un qui n'a pas de galons sur la manche.

— Ah, d'accord.

— Bref, ma première mission au sortir de l'Académie, c'était de faire la ronde à pied dans Hollywood Boulevard. Et à cette époque-là, le boulevard était plutôt sinistre.

— Y a des coins où c'est encore pas terrible.

— C'est vrai. Toujours est-il qu'on m'a mis en tandem avec un vieux mec, un certain Pépin, qui a été mon instructeur. Je me rappelle que tout le monde l'appelait le « French Dip » parce que tous les jours qu'il était de service, il s'arrêtait pour s'acheter une glace au « Dips[1] », un truc qui se trouvait au coin d'Hollywood Boulevard et de Vine Street. C'était réglé comme du papier à musique. Il le faisait tous les jours ! Bref, ledit Pépin était là depuis longtemps et c'est avec lui que je patrouillais. On avait toujours la même routine. On remontait Wilcox Avenue en partant du commissariat, on prenait à droite dans Hollywood Avenue jusqu'à Bronson Street, puis on faisait demi-tour avant de redescendre jusqu'à La Brea Avenue et de rentrer au commissariat.

1. « Aux boules de glace ».

Le French Dip avait une vraie horloge dans le ventre et savait exactement à quel rythme il fallait marcher pour être de retour au commissariat pile à la fin du service.

— Plutôt barbant, non ?

— Plutôt, oui, sauf quand on recevait un appel. Mais même dans ce cas-là, c'était du genre petit boulot de merde, enfin je veux dire… sans importance. Et tous les jours ou presque, on se faisait gueuler dessus par des types qui passaient en voiture. Tu sais bien, on nous traitait de fascistes, de porcs et autres. Et le French Dip détestait qu'on le traite de porc. On pouvait le traiter de fasciste, de nazi et de presque n'importe quoi d'autre, mais de porc, ça, non. Ce qu'il faisait quand il passait une voiture et que quelqu'un le traitait de porc, c'était de noter la marque, le modèle et le numéro d'immatriculation du véhicule. Après, il sortait son carnet de contraventions et en collait une au type pour stationnement interdit. Puis il détachait la partie qu'on est censé glisser sous l'essuie-glace, la froissait et la jetait.

Il rit à nouveau en mordant dans son sandwich au fromage, tomates et oignons grillés.

— Je ne comprends pas, dit Maddie. Pourquoi est-ce que c'est si marrant que ça ?

— Ben, il donnait la souche de la contravention à l'administration et, naturellement, le propriétaire de la voiture n'en savait rien. Et le PV n'étant jamais payé, ça finissait par donner lieu à un mandat d'amener. Et un jour ou l'autre, le type qui nous avait traités de porcs se faisait stopper et se retrouvait avec un mandat d'amener aux fesses et c'était comme ça que le French Dip finissait par rire le dernier.

Bosch avala une frite avant de finir son histoire.

— Ce qui m'a fait rire tout à l'heure, c'est la première fois qu'il l'a fait quand j'étais de patrouille avec lui. Je lui ai dit : « Mais qu'est-ce que vous faites ? » et il m'a expliqué. Alors, je lui ai demandé : « Mais c'est dans le règlement ? » et il m'a répondu : « Non, mais c'est dans le mien ! »

Bosch se remit à rire tandis que sa fille se contentait de hocher la tête. Puis il décida que l'histoire ne faisait rire que lui, retourna à son sandwich pour le terminer, puis très vite se décida à dire à sa fille ce qu'il avait repoussé à plus tard tout le week-end.

— Bon, alors écoute, lança-t-il. Il faut que je quitte L.A. quelques jours. Je m'en vais demain.

— Tu vas où ?

— Juste dans la Central Valley, vers Modesto, pour parler à des gens dans le cadre d'une affaire. Je serai de retour mardi soir, mais il se peut que je doive rester là-bas jusqu'à mercredi. Je ne le saurai que quand j'y serai.

— OK.

Il prit son courage à deux mains.

— Et donc, je veux qu'Hannah reste à la maison avec toi.

— Papa, personne n'est obligé de rester avec moi. J'ai seize ans et j'ai une arme. Y a pas de problème.

— Je sais, mais je veux qu'elle reste avec toi. Ça me rassurera. Tu peux faire ça pour moi ?

Elle hocha la tête, mais accepta du bout des lèvres.

— Oui, bon. C'est juste…

— Ça lui fait très plaisir de venir. Et elle te laissera vivre ta vie, elle ne te dira pas d'aller te coucher, rien de tout ça. Je le lui ai déjà dit.

Madeline reposa son hamburger à moitié mangé dans son assiette d'une manière qui, il le savait maintenant, signifiait qu'elle avait fini.

— Comment ça se fait qu'elle ne reste jamais dormir à la maison quand tu es là ?

— Je ne sais pas. Mais c'est pas de ça qu'il est question.

— Tiens, comme hier soir, insista-t-elle. On s'était bien amusés, mais après, tu l'as lâchée devant chez elle.

— Maddie, ça me regarde, ça.

— Comme tu voudras.

Toutes les conversations de ce genre se terminaient invariablement par ce « comme tu voudras ». Bosch regarda autour de lui et essaya de trouver un autre sujet de conversation. Il sentit qu'il avait beaucoup cafouillé pour lui parler d'Hannah.

— Pourquoi me demandes-tu brusquement pourquoi je suis devenu flic ?

Elle haussa les épaules.

— Je ne sais pas. Je voulais juste savoir.

Il réfléchit un instant à ce qu'elle venait de dire.

— Tu sais, reprit-il, si tu te demandes si c'est le bon choix pour toi, t'as tout le temps.

— Je sais. Mais c'est pas ça.

— Et tu sais que moi, je veux que tu fasses ce qui te plaira dans la vie, peu importe ce que ce sera. Je veux que tu sois heureuse, et c'est ça qui, moi, me rendra heureux.

Ne deviens pas flic juste pour me faire plaisir ou pour marcher sur mes pas. La vie, c'est pas ça.

— Je sais, papa. Je t'ai posé une question, c'est tout.

Il hocha la tête.

— Bon, très bien. Mais pour ce que ça vaut, je sais déjà que tu ferais un sacré bon flic et une sacrément bonne inspectrice. Et ce n'est pas tant la question de savoir comment tu tires, c'est la manière dont tu réfléchis et ta compréhension essentielle de ce qui est juste. Tu as tout ce qu'il faut, Mads. Tu n'as plus qu'à décider si c'est ça que tu veux. Et quoi que tu décides, je serai derrière.

— Merci, papa.

— Et pour revenir juste une seconde au simulateur, je suis vraiment fier de toi. Et pas seulement à cause de tes tirs. C'est de ton calme que je parle, de la façon dont tu étais sûre de ce que tu faisais. Tout ça était très bon.

Elle parut bien prendre ces encouragements, mais il vit bientôt ses lèvres s'étirer en une moue.

— Oui, mais va donc dire ça à l'hôtesse de l'air, lui renvoya-t-elle.

# TROISIÈME PARTIE

## L'inspecteur prodigue

# 26

Il faisait encore nuit lorsqu'il partit ce lundi matin-là. Il y avait au minimum cinq heures de route pour rejoindre Modesto et il n'avait aucune envie de gâcher toute sa journée rien que pour y arriver. Il avait loué une Crown Victoria à l'aéroport de Burbank la veille au soir, le règlement du LAPD ne l'autorisant pas à se servir de sa voiture de fonction pendant un congé. En temps normal, ç'aurait été une consigne qu'il aurait violée, mais avec O'Toole qui scrutait tous ses faits et gestes ces derniers temps, il avait décidé de jouer la sécurité. Cela dit, il avait quand même transféré son gyrophare mobile et tout son équipement dans son coffre. Pour ce qu'il en savait, rien ne l'interdisait dans le règlement. Et sa Crown Vic de location ferait tout à fait l'affaire, si besoin était.

Modesto se trouvait quasi pile au nord de Los Angeles. Il prit la I-5 pour sortir de la ville, franchit le col de Grapevine avant d'emprunter la California 99 qui le ferait passer par Bakersfield et Fresno. Tout en conduisant, il continua d'avancer dans l'œuvre complète d'Art Pepper que Maddie lui avait offerte. Il en était maintenant au cinquième disque où l'on trouvait l'enregistrement d'un concert donné à Stuttgart en 1981. Il contenait une version musclée de son grand classique *Straight Life*, mais ce fut son interprétation particulièrement émouvante d'*Over the Rainbow* qui le fit appuyer sur le bouton *Replay* du tableau de bord.

Il arriva à Bakersfield en pleine heure de pointe et retomba à moins de quatre-vingt-dix kilomètres-heure pour la première fois depuis son départ. Il décida d'attendre que ça se tasse et se gara devant le Knotty Pine Cafe[1] pour y déjeuner. Il avait entendu parler de l'endroit parce qu'il se trouvait à seulement quelques pâtés de maisons du bureau du shérif du comté de Kern, où il avait été amené à travailler de temps en temps au fil des ans.

Après avoir commandé des œufs, du bacon et du café, il déplia la carte imprimée sur deux feuilles de papier scotchées ensemble. Elle montrait les quelque soixante kilomètres de la Central Valley qui avaient pris de l'importance dans l'affaire Anneke Jespersen. Tous les points qu'il y avait tracés serraient de près la California 99, de Modesto à son extrémité sud jusqu'à Stockton au nord en passant par Ripon et Manteca.

Ce que Bosch trouvait remarquable, c'était que la carte qu'il avait confectionnée couvrait deux comtés, celui de Stanislaus au sud et celui de San Joaquin au nord. Modesto et Salida faisaient partie du comté de Stanislaus où le shérif Drummond avait pouvoir et juridiction. Les villes de Manteca et de Stockton tombaient, elles, sous

1. Le Café du pin noueux.

la juridiction du shérif du comté de San Joaquin. Bosch ne s'étonnait donc pas que Reggie Banks, qui habitait à Manteca, préfère s'alcooliser à Modesto, la même chose étant vraie pour Francis Dowler.

Il entoura d'un rond les lieux qu'il voulait voir avant la fin de la journée : le concessionnaire John Deere où travaillait Reggie Banks, le bureau du shérif du comté de Stanislaus, le centre opérationnel de la Cosgrove Agriculture à Manteca, et les maisons des types qu'il venait observer. Son plan pour la journée était de s'immerger autant que possible dans leur monde. Après seulement, il planifierait la suite – si suite il y avait.

Dès qu'il eut retrouvé la California 99 et repris vers le nord, il installa sur sa cuisse droite la sortie papier d'un mail qu'il avait reçu de Chu dans la nuit de dimanche. Chu avait effectué des recherches sur Beau Bentley et Charlotte Jackson, les deux soldats cités dans l'article d'Anneke Jespersen sur le *Princesse saoudienne.*

La piste Bentley avait vite tourné à l'impasse. Chu avait trouvé une notice nécrologique dans un numéro du *Sun Sentinel* de Fort Lauderdale de 2003 où il était dit qu'un certain « Beau » Bentley, un ancien combattant de la guerre du Golfe, avait succombé à un cancer à l'âge de trente-quatre ans.

Chu n'avait eu que très modestement plus de chances avec l'autre soldat. En s'en tenant aux paramètres que Bosch lui avait donnés, il était tombé sur sept Charlotte Jackson vivant en Géorgie, dont cinq à Atlanta et sa banlieue. En ayant recours aux bases de données du Net et de la TLO, il avait réussi à trouver le numéro de téléphone de six d'entre elles. Bosch les appela en conduisant.

C'était le début de l'après-midi en Géorgie. Il réussit à joindre les deux premières. Elles s'appelaient bien Charlotte Jackson, mais n'étaient pas celle qu'il essayait de contacter. Ses deuxième et troisième appels restant sans réponse, il laissa un message où il disait être un inspecteur du LAPD enquêtant sur une affaire de meurtre et demandait qu'on le rappelle de toute urgence.

Il eut bien deux Charlotte Jackson ensuite, mais aucune des deux n'était le soldat qui avait servi pendant la première guerre du Golfe.

Il mit fin à son dernier appel en se disant qu'essayer de retrouver Charlotte Jackson n'était probablement pas la meilleure façon d'utiliser son temps. Le nom était répandu et vingt et un ans s'étaient écoulés depuis les faits. Rien ne garantissait que Charlotte Jackson soit encore à Atlanta ou en Géorgie, voire qu'elle soit même seulement en vie. Il se pouvait aussi qu'elle se soit mariée et ait changé de nom. Consulter les archives de l'armée à Saint Louis lui était également possible, mais il savait que, comme pour tout ce qui baigne dans la bureaucratie, obtenir des réponses risquait de prendre une éternité.

Il replia la carte et la remit dans sa poche de veste.

*

* *

Après Fresno, l'horizon s'élargit. Le soleil qui cognait rendait le climat aride et faisait monter la poussière des champs desséchés. La route, elle aussi, était difficile. L'asphalte y était mince et, avec le passage du temps et l'absence d'entretien, les plaques de ciment s'étaient disjointes. La surface s'effritant, les pneus de la Crown Vic tapaient fort, parfois jusqu'à faire sauter la musique. Art Pepper n'aurait pas apprécié.

L'État avait seize milliards de dollars de dettes, et aux infos on ne cessait de parler des effets de ce déficit sur l'infrastructure routière. Là, en plein milieu de l'État, ces théories étaient plus qu'avérées.

Bosch arriva à Modesto avant midi. Première tâche à accomplir : rendre visite au Public Safety Center, où le shérif J.J. Drummond avait le pouvoir. Le bâtiment avait l'air assez neuf et la prison se trouvait juste à côté. La statue d'un chien policier tombé en service se dressait devant et Bosch se demanda pourquoi aucun humain ne semblait mériter cet honneur.

D'habitude, lorsqu'il travaillait une affaire en dehors de Los Angeles, Bosch faisait du commissariat ou du bureau du shérif du lieu sa première destination. Question de courtoisie, bien sûr, mais c'était aussi une façon de semer des miettes de pain si jamais quelque chose tournait mal. Cette fois cependant, il n'en fit rien. Il ne savait pas si le shérif J.J. Drummond n'avait pas d'une manière ou d'une autre été mêlé à l'assassinat d'Anneke Jespersen. Il y avait trop de fumée et trop de coïncidences et de liens pour risquer de lui mettre la puce à l'oreille.

Comme pour souligner ces coïncidences, il découvrit que la Cosgrove Tractor, le concessionnaire John Deere où travaillait Reginald Banks, se trouvait à cinq rues à peine du complexe du shérif. Il passa lentement le long du bâtiment, fit demi-tour, revint devant et se gara le long du trottoir.

Rangés du plus petit au plus grand, des tracteurs étaient garés à la queue leu leu devant le magasin. Derrière, un parking pour une seule file de voitures, puis venait la concession elle-même avec sa façade de vitrines montant du sol à la toiture. Bosch descendit de sa Crown Vic et s'empara d'une paire de petites mais très fortes jumelles qu'il sortit d'une de ses caisses d'équipement dans le coffre. Puis il regagna son siège et se mit à regarder à l'intérieur du magasin. Aux deux extrémités de la vitrine, un vendeur était assis derrière un bureau, une autre file de tracteurs et de véhicules tout-terrain d'un beau vert d'herbe bien luisant les séparant.

Bosch ouvrit son dossier et examina les photos du permis de conduire de Banks que Chu lui avait fournies. Puis il regarda de nouveau dans le magasin et n'eut aucun mal à identifier le bonhomme – chauve et la moustache tombante, Banks était assis derrière une table à l'extrémité la plus proche de l'endroit où se tenait Bosch. Qui l'observa et l'étudia de profil à cause de l'angle du bureau. Banks semblait être très studieusement occupé à quelque chose, mais Bosch devina vite qu'il faisait une partie de solitaire. Il avait tourné l'écran de son ordinateur de façon à ne pas être vu de la salle d'exposition – par son patron, c'était plus que probable.

Au bout d'un moment, Bosch finit par s'ennuyer ; il fit démarrer la Crown Victoria et déboîta du trottoir. Il jetait un œil dans son rétroviseur lorsqu'il vit une petite voiture bleue déboîter elle aussi du trottoir, cinq places de stationnement plus bas. Il suivit Crows Landing Road pour regagner la 99 en continuant de scruter son rétroviseur de temps en temps. La voiture le suivait. Cela ne l'inquiéta pas. Il roulait dans une grande artère et des tas de voitures allaient dans le même sens que lui. Mais lorsqu'il leva le pied pour se laisser doubler, la voiture bleue ralentit pour avancer à la même vitesse que lui et continua de le suivre. Pour finir, Bosch se gara devant un magasin de pièces détachées automobiles et regarda encore une fois dans son rétro. Une demi-rue plus bas, la voiture bleue tourna à droite et disparut, laissant Bosch se demander s'il avait été suivi ou pas.

Il se glissa de nouveau dans la circulation et continua de vérifier dans son rétro en se dirigeant vers l'entrée de la California 99. Chemin faisant, il longea ce qui lui parut être un interminable défilé de boutiques de bouffe mexicaine et de parkings remplis de voitures d'occasion, cette vision n'étant rompue que par celle de garages et de magasins de pneus et de pièces détachées automobiles. La rue en avait presque des airs de centres d'achats tout en un : tu te paies un tas de boue ici et tu te le fais réparer là-bas. Et tu te prends un taco au poisson au camion de *mariscos*[1] en attendant. Songer à toute la poussière de la route qui devait se déposer sur ces tacos le déprima.

Pile au moment où il repérait la bretelle d'accès à la California 99, il vit son premier panneau *Drummond au Congrès*. Large d'un mètre vingt et long d'un mètre quatre-vingts, il était accroché à une grille de sécurité au-dessus de la passerelle. On y voyait le visage souriant

1. Fruits de mer en espagnol.

de Drummond, aucun automobiliste passant sur l'autoroute en dessous ne pouvant le rater. Bosch remarqua que quelqu'un lui avait ajouté une moustache à la Hitler au-dessus de la lèvre supérieure.

En descendant la bretelle d'accès, il jeta un nouveau coup d'œil dans son rétroviseur et crut voir la petite voiture bleue derrière lui. Puis, à nouveau mêlé à la circulation, il vérifia encore une fois, mais les voitures lui bouchaient la vue. Il mit ça sur le compte de la paranoïa.

Il reprit vers le nord et, à quelques kilomètres à peine de Modesto, il vit la bretelle de sortie pour Hammett Road. Il quitta de nouveau l'autoroute, suivit la rue vers l'ouest et s'enfonça dans une plantation d'amandiers parfaitement alignés, leurs troncs sombres montant de la plaine d'irrigation inondée. L'eau était si calme que les arbres donnaient l'impression de sortir d'un grand miroir.

Il n'aurait jamais pu rater l'entrée du Domaine Cosgrove. L'embranchement était large et gardé par un mur en brique et un portail en fer noir. Une caméra et un téléphone étaient à la disposition de ceux qui voulaient entrer. Les lettres CC ornaient le portail.

Bosch prit toute la largeur de la route goudronnée à l'entrée pour faire demi-tour comme s'il n'était qu'un voyageur égaré. En reprenant Hammett Road pour rejoindre la 99, il remarqua que la sécurité avait pour seul objet la route d'accès à la propriété. Personne ne pouvait l'emprunter sans en obtenir l'autorisation et se faire ouvrir le portail. Mais la prendre à pied était tout autre chose. Aucun mur ou grillage n'en interdisait l'accès. Tout individu prêt à se mouiller les pieds pouvait pénétrer dans la propriété en se traînant dans la plantation d'amandiers. À moins qu'il ne s'y trouve des caméras cachées et des détecteurs de mouvements, le défaut de sécurité était classique. Tout pour le show, mais rien de concret.

Il avait à peine repris la 99 vers le nord lorsqu'il longea le panneau annonçant qu'il entrait dans le comté de San Joaquin. Les trois sorties suivantes étaient pour la ville de Ripon et Bosch aperçut le panonceau d'un motel au-dessus d'épais buissons de fleurs roses et blanches qui bordaient l'autoroute. Il prit la première et revint en arrière pour gagner le Blu-Lite Motel and Liquor Market. L'établissement était du plus pur style ranch des années 50. Bosch cherchait un endroit tranquille où il n'y aurait personne pour suivre ses allées et venues. Il ne vit qu'une voiture garée devant des quantités de chambres et se dit que c'était parfait.

Il régla sa chambre au comptoir du magasin de vins et spiritueux et fit les choses en grand en se payant ce qu'il y avait de mieux – une chambre avec kitchenette pour quarante-neuf dollars la nuit.

— Vous n'auriez pas la connexion Wi-Fi par hasard ? demanda-t-il à l'employé.

— Pas officiellement, lui répondit celui-ci. Mais si vous me filez cinq dollars, je vous donne le mot de passe de la maison derrière le motel. Vous aurez le signal dans votre chambre.

— Qui est-ce qui hérite des cinq dollars ?

— Je les partage avec le type qui habite là-bas derrière.

Bosch réfléchit un instant.

— C'est privé et sûr, précisa l'employé.

— Bon, d'accord, dit enfin Bosch. Je prends.

Il roula jusqu'à la chambre n° 7, se gara devant la porte, apporta son sac de voyage à l'intérieur, le posa sur le lit et regarda autour de lui. La kitchenette était équipée d'une petite table avec deux chaises. Ça ferait l'affaire.

Avant de repartir, Bosch changea de chemise et accrocha la bleue boutonnée dans la penderie, au cas où il aurait besoin de la remettre s'il devait rester jusqu'au jeudi. Il ouvrit son sac et en choisit une noire. Il s'habilla, ferma sa chambre à clé et regagna sa voiture. *Over the Rainbow* passait encore lorsqu'il reprit la route en marche arrière.

Son arrêt suivant était pour Manteca. Bien avant d'y arriver, il vit le château d'eau orné de l'inscription *Cosgrove Ag*. Le siège de l'entreprise se trouvait dans une contre-allée parallèle à l'autoroute. En plus des bâtiments administratifs, il comportait des entrepôts de produits frais et des hangars où s'alignaient des dizaines de camions de transport et de camions-citernes prêts à partir. Le long de ce complexe, des kilomètres et des kilomètres de vigne couvraient le paysage qui montait peu à peu jusqu'aux montagnes couleur de cendre vers l'ouest. À l'horizon, cet ensemble naturel n'était brisé que par des géants d'acier qui, énormes turbines éoliennes que Carl Cosgrove avait apportées à la Valley, descendaient les pentes tels des envahisseurs venus d'un autre monde.

Après avoir été dûment impressionné par la taille de cet empire, Bosch alla traîner dans les bas-fonds.

En suivant les cartes qu'il avait imprimées le samedi précédent, il se rendit aux adresses que donnait le DMV pour Francis John Dowler et Reginald Banks. Rien ne l'y impressionna, hormis le fait qu'elles semblaient se trouver sur les terres de la Cosgrove.

Banks habitait un petit pavillon dont l'arrière donnait sur les plantations d'amandiers en retrait de Brunswick Road. En vérifiant sur la carte et en remarquant l'absence de routes entretenues entre celles de Brunswick au nord et d'Hammett au sud, Bosch se dit qu'on devait pouvoir entrer dans la plantation à pied en passant derrière la maison de Banks, et en ressortir dans Hammett Road… bien des heures plus tard.

La maison de Banks avait besoin d'un bon coup de peinture et les fenêtres d'être nettoyées. Si c'était là qu'il vivait avec sa famille, rien ne l'indiquait. Le jardin était jonché de canettes de bière, toutes à distance de jets d'une véranda équipée d'un vieux canapé éventré. Banks n'avait pas fait le ménage après son week-end.

Le dernier arrêt de Bosch avant le dîner fut pour le mobile home double largeur de Dowler avec son antenne parabolique montée sur le faîte du toit. Il était installé dans un parc en retrait de la contre-allée, chaque mobile home étant doté d'un parking aussi long que la roulotte de façon à pouvoir y garer le tracteur routier. C'était dans ce parc qu'habitaient les chauffeurs de la Cosgrove.

Assis dans sa voiture de location, Bosch regardait la résidence de Dowler lorsque, une porte s'ouvrant sur le côté de l'auvent, une femme sortit en le regardant d'un œil soupçonneux. Bosch lui fit de grands signes de la main comme s'il était un vieil ami, ce qui la désarma un instant. Elle passa dans l'allée et s'essuya les mains à un torchon à vaisselle. Elle était ce que l'ancien coéquipier de Bosch aurait appelé une fifty/fifty – cinquante ans d'âge et cinquante livres de trop.

— Vous cherchez quelqu'un ? lui demanda-t-elle.

— C'est-à-dire que j'espérais trouver Frank chez lui. Mais je vois que son camion est parti, lui répondit Bosch en lui montrant la place de parking vide. Il doit revenir bientôt ?

— Il a dû conduire un chargement de jus à American Canyon. Il pourrait devoir y rester jusqu'à ce qu'ils lui trouvent quelque chose à redescendre ici. Il devrait être de retour demain soir. Qui vous êtes ?

— Juste un ami de passage dans le coin. Je le connais d'il y a vingt ans, dans le golfe. Vous pourrez lui dire qu'il a le bonjour de John Bagnall ?

— Ce sera fait.

Bosch ne se rappelait plus si la femme de Dowler figurait dans le dossier que lui avait préparé Chu. S'il avait su son nom, il le lui aurait servi en lui disant au revoir. Elle fit demi-tour et se dirigea vers la porte qu'elle avait laissée ouverte. Bosch remarqua une moto avec réservoir couleur mouche bleue garée sous un des auvents doubles du mobile home. Il se dit que lorsqu'il ne transportait pas du jus de raisin dans un semi, Dowler devait aimer faire de la Harley.

Il sortit du parc en espérant ne pas avoir éveillé davantage de soupçons que de curiosité chez la femme. Il espéra aussi que Dowler n'était pas le genre de mari qui appelle chez lui tous les soirs quand il est en voyage.

Son avant-dernier arrêt dans son périple au cœur de la Central Valley le conduisit à Stockton, où il se gara dans le parking du Steers, le grill où Christopher Henderson avait connu sa dernière heure dans la chambre froide.

Bosch dut quand même admettre qu'il faisait plus que reconnaître l'endroit parce qu'il comptait dans l'affaire. Il mourait de faim et avait passé sa journée à penser au délicieux steak qu'il allait y manger. Il ne serait pas facile de trouver meilleur que celui qu'il avait dégusté chez Craig le samedi soir précédent, mais il avait assez faim pour vérifier.

N'ayant jamais eu de problèmes à l'idée de manger tout seul dans un restaurant, il dit à l'hôtesse d'accueil qu'il préférait être assis à une table qu'au comptoir. Il fut conduit à une table de deux près de l'armoire à vins réfrigérante et choisit la place qui lui permettait de voir tout le restaurant. Il avait pris cette habitude pour des raisons de sécurité, mais il essayait aussi toujours d'être prêt en cas de coup de chance. Qui sait si Carl Cosgrove, à savoir le patron, n'allait pas débarquer en personne dans son restaurant pour y manger ?

Pendant les deux heures qui suivirent, Bosch ne vit entrer personne qu'il aurait reconnu, mais tout ne fut pas perdu. Il commanda un steak à la new-yorkaise avec des pommes de terre écrasées et tout fut délicieux. Il sirota aussi un verre de merlot Cosgrove qui se mariait parfaitement avec son morceau de bœuf.

Le seul ennui qu'il connut fut d'entendre sonner très fort son portable. Il avait monté le volume de la sonnerie au maximum de façon à être sûr de l'entendre en conduisant et avait malheureusement oublié de repasser sur son habituel mode vibreur qui ne gêne personne. Ses voisins le regardèrent d'un sale œil, une femme allant jusqu'à hocher la tête de dégoût. Elle le prenait probablement pour un petit con prétentieux de Los Angeles.

Prétentieux ou pas, il prit l'appel en voyant le code de région 404 s'afficher à l'écran. Atlanta. Comme il fallait s'y attendre, c'était une des Charlotte Jackson auxquelles il avait laissé un message. Il ne lui fallut que quelques questions pour conclure que ce n'était pas celle qu'il cherchait. Il la remercia et raccrocha. Puis sourit et adressa un petit signe à la femme qui avait hoché la tête devant tant de grossièreté.

Il ouvrit le dossier qu'il avait apporté au restaurant et y barra Charlotte Jackson numéro 4. Il ne lui en restait plus que deux possibles – la n° 3 et la n° 7 –, et pour l'une d'elles, il n'avait même pas de numéro.

Lorsque enfin il regagna le parking, il faisait nuit et il était fatigué après sa longue journée de route. Il songea à s'installer dans sa voiture pour y faire un somme d'une heure, mais finit par renoncer à l'idée. Il fallait avancer.

Debout près du coffre de la Crown Victoria, il leva la tête et regarda le ciel. Il n'y avait ni lune ni nuages, mais les étoiles brillaient en force au-dessus de la Central Valley. Ça ne lui plaisait pas. Il avait besoin que tout soit plus sombre. Il ouvrit le coffre.

## 27

Il éteignit ses phares en passant lentement devant le portail d'entrée du Domaine Cosgrove. Il n'y avait aucune autre voiture dans Hammett Road. Il fit encore deux cents mètres jusqu'à l'endroit où la route tournait légèrement à droite, et se gara sur le bas-côté en terre.

Comme il avait déjà éteint l'allumage automatique du plafonnier, la voiture resta dans le noir lorsqu'il ouvrit sa portière. Il retrouva la fraîcheur de dehors, regarda et écouta. Aucun bruit dans la nuit. Il porta la main à la poche arrière de son jean, en sortit un carré de papier plié et le glissa sous l'essuie-glace. Il y avait écrit ces mots : *Panne d'essence. Reviens bientôt.*

Il avait enfilé les bottes qu'il avait retirées d'une des caisses entreposées dans le coffre de sa voiture et portait une petite lampe Mag-Lite dont il espérait ne jamais avoir à se servir. Il descendit le talus d'un petit mètre et entra précautionneusement dans l'eau, sa progression faisant naître des rides scintillantes dans toute la plantation.

Son plan était d'avancer en biais pour pouvoir revenir jusqu'à la route où se trouvait l'entrée. Il la suivrait alors en parallèle jusqu'au moment où il atteindrait la demeure de Cosgrove. Il ne savait trop ni ce qu'il faisait ni ce qu'il cherchait. Il obéissait à son intuition, et son intuition lui disait qu'avec son argent et son pouvoir, Cosgrove était au centre de tout. Bosch sentait le besoin de l'approcher de plus près, de voir où et comment il vivait.

Il n'y avait que quelques centimètres de profondeur, mais la boue aspirait ses bottes et l'empêchait d'avancer vite. À plusieurs reprises elle refusa tellement de lâcher prise qu'il faillit y laisser la droite.

La surface de l'eau reflétant le champ d'étoiles dans le ciel, il avait l'impression que tout le monde le voyait commettre son intrusion. Tous les vingt mètres ou à peu près, il se mettait à couvert sous un arbre pour pouvoir écouter et se reposer un instant. L'amandaie était d'un silence de mort, pas même un seul bourdonnement d'insecte ne s'y faisant entendre. Le seul bruit audible venait de loin, et Bosch n'aurait su dire ce qui le produisait. Il s'agissait d'une sorte de *whououosh* régulier ; il se dit que c'était peut-être une pompe d'irrigation pour alimenter la plantation en eau.

Au bout d'un certain temps, l'amandaie commença à lui faire l'effet d'un labyrinthe. Les grands arbres adultes montaient jusqu'à des dix mètres de hauteur et donnaient l'impression d'être l'exacte réplique les uns des autres. Tous ayant été plantés selon des lignes étonnamment droites, toutes les directions dans lesquelles il regardait lui semblaient identiques. Il commença à avoir peur de se perdre et regretta de n'avoir rien apporté pour jalonner sa progression.

Enfin, après une demi-heure, il parvint à la route d'accès. Il se sentait déjà épuisé et avait l'impression d'avoir des bottes de plomb. Mais il décida de ne pas renoncer. Il avança en passant d'un arbre à l'autre dans la première rangée d'amandiers parallèle à la route.

Une demi-heure plus tard ou presque, il apercevait les lumières de la demeure entre les branches des dernières rangées d'arbres. Il continua d'avancer lourdement et remarqua que le bruit de succion de ses bottes se faisait de plus en plus fort au fur et à mesure qu'il s'approchait des lumières.

Arrivé au bout de l'amandaie, il s'accroupit à côté du talus et étudia ce qui s'étendait devant lui. La demeure était une version exotique d'un château français. Elle n'était haute que d'un étage, mais tout en toitures très pentues et coins à tourelles. Quelque chose en elle lui fit penser à une espèce de Chateau Marmont miniature.

Le bâtiment était éclairé par des lampes flood dont le faisceau montait en biais du sol. Il y avait un grand espace circulaire à l'avant et une allée qui le rejoignait après avoir fait le tour de la bâtisse par-derrière. Bosch se dit que le garage devait se trouver à l'arrière. Il n'y avait aucun véhicule alentour, Bosch comprenant alors que toutes les lumières qu'il avait vues entre les arbres étaient à l'extérieur. La maison elle-même était plongée dans le noir. Tout semblait dire qu'il n'y avait personne.

Il se releva, franchit le talus, se dirigea vers la maison et se retrouva vite sur une plate-forme surélevée en béton. Le grand H peint en son centre lui indiqua qu'il s'agissait d'une hélisurface. Il continuait d'avancer droit vers la maison lorsqu'il fut distrait par un changement dans sa vision périphérique. Il se tourna vers la gauche et découvrit une légère élévation dans le paysage.

Au début, il ne vit rien. La maison était si violemment éclairée que les étoiles en étaient à peine visibles dans le ciel et que tout ce qui entourait le bâtiment paraissait d'un noir d'encre. C'est alors qu'il revit le mouvement, tout en haut de la colline. Soudain il comprit que ce qu'il voyait n'était autre que les pales noires d'une éolienne qui fendaient l'air et réorganisaient le ciel en lui bloquant momentanément la faible lueur des étoiles.

C'était aussi de cette éolienne que venait le *whououosh* qu'il avait entendu en traversant la plantation. Cosgrove croyait tellement à la force du vent qu'il avait fait construire un de ses géants de fer dans son propre jardin à l'arrière de la maison. Bosch devina que les lumières qui baignaient l'extérieur du château étaient alimentées par les vents qui inlassablement soufflaient d'un bout à l'autre de la Valley.

Il recentra son attention sur la demeure éclairée et fut presque aussitôt pris d'une hésitation, comme s'il remettait en cause ce qu'il faisait. L'homme qui habitait entre ces murs était assez intelligent et puissant pour maîtriser le vent. Il vivait derrière une muraille d'argent et un régiment – non, disons plutôt une armée d'arbres. Il n'avait pas besoin de faire courir de clôture tout autour de sa vaste propriété parce qu'il savait que l'amandaie ferait perdre contenance à tout individu osant la traverser. Il vivait dans un château entouré de douves, et qui donc était-il, lui, Bosch pour croire qu'il allait pouvoir l'abattre ? Bosch qui, en plus, ne connaissait même pas la nature exacte de son crime. Anneke Jespersen était morte et il ne faisait que suivre une intuition. Il n'avait aucune preuve de quoi que ce soit. Juste une coïncidence qui remontait à vingt ans et rien d'autre.

Soudain, un déferlement de vent et de bruits mécaniques éclata au-dessus de lui tandis qu'un hélicoptère survolait l'amandaie et s'immobilisait au-dessus de lui. Bosch fila d'un coup et se rua vers la plantation en glissant du talus droit dans l'eau et la boue. Puis il se retourna et observa l'appareil qui, silhouette noire sur le fond noir du ciel, se mettait en position au-dessus du plan d'atterrissage. Un projecteur sortit sous la cabine et éclaira le H de l'hélisurface. Bosch se baissa encore plus et regarda l'appareil qui semblait lutter contre le vent pour maintenir ses patins dans l'axe. Puis, tandis que l'hélicoptère descendait lentement pour se poser en douceur, son projecteur s'éteignit et le sifflement aigu de la turbine s'arrêta.

Les pales du rotor tournèrent encore un peu, puis s'immobilisèrent. La portière du pilote s'ouvrit et une silhouette descendit de l'appareil. Bosch qui se trouvait à au moins trente mètres de distance ne put voir que sa forme, qu'il identifia comme étant celle d'un homme. Le pilote gagna la portière arrière et l'ouvrit. Bosch s'attendait à ce que quelqu'un d'autre descende de la cabine arrière, mais ce fut un chien qui en bondit. Le pilote attrapa un sac à dos, referma la portière et se dirigea vers la maison.

Le chien trottina derrière lui sur quelques mètres, s'arrêta brusquement et se tourna droit vers l'endroit où Bosch se cachait. Il était gros, mais il faisait trop noir pour que Bosch puisse identifier sa race. Il commença par l'entendre gronder, puis l'animal se mit à courir vers lui.

Bosch se figea tandis que le chien couvrait rapidement la distance qui les séparait. Bosch savait qu'il n'avait nulle part où aller. Il n'avait que de la boue derrière lui et il s'y engluerait en deux pas. Il se baissa et se serra encore plus près du talus en espérant que l'animal en colère lui passe par-dessus d'un bond et aille s'empêtrer dans la boue.

Il détacha son arme de sa ceinture. Si le chien ne s'arrêtait pas, il serait, lui, prêt à l'arrêter.

— Cosmo ! cria l'homme depuis le chemin qui conduisait à la maison.

Le chien s'arrêta en pleine course, ses pattes arrière dérapant sous lui tandis qu'il faisait tout ce qu'il pouvait pour obéir à l'ordre qu'il venait de recevoir.

— Ici !

Le chien se retourna vers Bosch et l'espace d'un instant, Harry crut voir ses yeux s'enflammer de rouge. Puis l'animal fila vers son maître, châtié.

— Vilain chien ! On ne s'en va pas ! Et on n'aboie pas !

L'homme donna une claque sur la croupe de l'animal qui lui passait devant en courant. Le chien continua d'avancer, puis s'arrêta et s'accroupit dans la posture de l'animal soumis. Une seconde auparavant, il allait arracher la gorge de Bosch et maintenant, c'était Bosch qui avait pitié de lui.

Il attendit que l'homme et son chien soient à l'intérieur du château avant de reprendre le chemin de la plantation d'amandiers en espérant ne pas se perdre en regagnant sa voiture.

*

* *

Il fut de retour au Blu-Lite Motel avant 23 heures. Il fila droit à la salle de bains, se débarrassa de ses habits mouillés et couverts de boue et les jeta dans la baignoire. Il s'apprêtait à y grimper et à faire couler l'eau de la douche lorsqu'il entendit bourdonner son téléphone – il était repassé en mode vibreur après l'incident au grill.

Il ressortit de la salle de bains, une serviette de toilette dure comme du carton autour de la taille. Pas d'identifiant à l'écran. Il s'assit sur le lit et prit l'appel.

— Bosch, dit-il.

— Harry, c'est moi. Ça va ?

Chu.

— Oui, ça va. Pourquoi t'appelles ?

— Parce que j'ai plus de nouvelles et que tu réponds pas à mes mails.

— J'ai passé ma journée au volant et je les ai pas encore ouverts. Je viens juste d'arriver au motel et je sais pas trop pour le Wi-Fi.

— Harry, tes mails, tu les as sur ton portable.

— Oui, je sais, mais c'est chiant. Faut le mot de passe et… bref. Et puis l'écran est trop petit et j'aime pas faire ça. Je préfère les textos.

— Bon, comme tu voudras. Tu veux que je te dise ce que je t'ai envoyé ?

Bosch était mort de fatigue. L'épuisement de la journée qu'il venait de passer plus l'aller-retour dans la plantation se faisaient sentir jusque dans ses os. Les muscles de ses cuisses lui faisaient aussi mal que s'il avait fait des dizaines de kilomètres dans une boue collante. Il n'avait qu'une envie – prendre une douche et se coucher –, mais il dit à Chu d'y aller.

— En gros, deux choses. Un, j'ai établi un lien plutôt solide entre deux noms de ta liste.

Bosch chercha son carnet des yeux et s'aperçut qu'il l'avait laissé dans la voiture. Il ne pouvait pas ressortir le chercher maintenant.

— Vas-y. C'est quoi, ce lien ?

— Eh bien, tu sais que Drummond se présente au Congrès ?

— Oui, j'ai vu un panneau, mais rien de plus.

— C'est parce que l'élection est pour l'année prochaine. Ça ne va donc pas être chaud avant un moment. En fait, il n'a même pas encore d'opposant. Le sortant prend sa retraite et Drummond a très probablement annoncé sa candidature tôt pour effrayer la concurrence.

— Ouais, bon, comme tu voudras. C'est quoi, le lien ?

— C'est Cosgrove. Cosgrove et la Cosgrove Agriculture sont les deux plus gros donateurs de sa campagne. J'ai obtenu le premier dossier de campagne qu'il a rempli pour se déclarer candidat.

Bosch hocha la tête. Chu avait raison : c'était un lien solide entre deux membres de la bande organisée. Tout ce qui lui manquait maintenant, c'étaient les autres.

— Hé, Harry ! T'es toujours là ? T'es pas en train de me lâcher en t'endormant, dis ?

— C'est pour dans pas longtemps. Mais bon boulot, David. Si Cosgrove le soutient maintenant, y a des chances qu'il l'ait aussi soutenu dans ses deux campagnes pour le poste de shérif.

— C'est ce que je pensais moi aussi, mais ces archives-là ne sont pas accessibles en ligne. Tu pourrais peut-être les avoir demain au greffe du comté là-haut.

— Non, dit Bosch en hochant la tête. La ville est petite. Si je le fais, ça leur reviendra aux oreilles à tous les deux. Et je ne veux pas de ça. Pas maintenant.

— Je vois. Comment ça va, là-haut ?

— Ça va. Aujourd'hui, c'était juste de la reconnaissance. C'est demain que je vais commencer à bousculer un peu les choses. C'était quoi, l'autre truc ? Tu as parlé de deux choses.

Chu marquant une pause avant de répondre, Bosch comprit que la deuxième nouvelle n'allait pas être bonne.

— Le Tool m'a convoqué dans son bureau.

*Évidemment*, songea Bosch. *O'Toole*.

— Qu'est-ce qu'il voulait ?

— Il voulait savoir à quoi je travaillais, mais je sentais aussi qu'il était inquiet que tu ne sois pas vraiment en vacances. Il m'a demandé si je savais où t'étais allé, des trucs comme ça. Je lui ai dit que pour ce que j'en savais, t'étais chez toi à repeindre ta maison.

— « À repeindre ma maison », répéta Bosch. Bon, bon, je m'en souviendrai. Tu m'en as averti par mail ?

— Oui, juste après le déjeuner.

— Mets surtout pas des trucs comme ça dans tes mails. Appelle-moi. Qui sait jusqu'où pourrait aller O'Toole s'il essaie de virer quelqu'un de l'unité.

— OK, Harry, je le ferai plus. Désolé.

Bosch entendit le *bip* d'un appel en attente. Il regarda son écran et vit que c'était sa fille.

— T'inquiète pas pour ça, Dave, reprit-il, mais faut que j'y aille. Y a ma fille qui m'appelle. On en reparle demain.

— OK, Harry, repose-toi.

Bosch bascula l'appel sur sa fille. Elle parlait à voix basse, presque en chuchotant.

— Comment ça s'est passé aujourd'hui, papa ?

Bosch réfléchit un instant à ce qu'il pourrait lui répondre.

— En fait, ç'a été plutôt barbant, dit-il. Et toi ?

— Moi aussi. Quand est-ce que tu rentres ?

— Bon, alors, voyons… J'ai encore un peu de travail à faire ici demain. Deux ou trois interrogatoires. Et donc, probablement pas avant mercredi. Tu es dans ta chambre ?

— Ouais, ouais.

Ce qui voulait dire qu'elle était seule et qu'Hannah n'entendrait pas. Bosch s'allongea sur les oreillers. Ils étaient minces, mais il eut l'impression d'être au Ritz-Carlton.

— Alors, demanda-t-il, comment ça se passe avec Hannah ?

— Bah, pas mal.

— Tu es sûre ?

— Elle a essayé de m'expédier au lit de bonne heure. Genre 22 heures.

Il sourit. Il connaissait la chanson. Pour ne pas avoir à réveiller trop tôt une ado, tactique opposée, on lui suggère d'aller se coucher tôt.

— Je lui avais dit de te laisser faire tes trucs comme tu veux. Je peux lui rappeler demain que tu connais parfaitement ton rythme biologique.

C'était ce qu'elle lui avait objecté lorsqu'il avait commis la même erreur qu'Hannah.

— Non, ça ira. Je peux gérer.

— Et le dîner ? Ne me dis pas que vous avez commandé une pizza !

— Non, elle a fait à manger et c'était vraiment bon.

— C'était quoi ?

— Du poulet avec un genre de sauce au yaourt. Et des macaronis au fromage.

— Des macaronis au fromage, ça se refuse pas.

— Elle l'a pas fait comme moi.

En d'autres termes, elle les préférait à sa façon. Bosch sentit qu'il lâchait prise. Il essaya de se reprendre.

— Bah, dit-il, c'est le chef cuisinier qui décide. Quand c'est toi qui fais la cuisine, c'est toi qui décides.

— Je sais. Je lui ai dit que je la ferai demain si j'ai pas trop de devoirs.

— Parfait, et moi, peut-être que je la ferai mercredi.

Ça le fit sourire et il se dit qu'elle aussi souriait peut-être.

— Ouais, des nouilles chinoises. Ah mon Dieu, je sais pas si je vais pouvoir attendre.

— Pareil pour moi. Faut que je dorme, ma fille. On se parle demain, d'accord ?

— D'accord, papa. Je t'adore.

— Moi aussi.

Elle raccrocha et il entendit les trois *bips* de la connexion qui s'arrêtait. Il resta sur le dos, incapable de se redresser. La lumière était toujours allumée, mais il ferma les yeux. Deux secondes plus tard, il dormait.

Il rêva d'une marche interminable dans la boue. Mais les amandiers avaient disparu, remplacés par des souches calcinées d'où montaient des branches noires qui se tendaient vers lui comme des mains. Au loin se faisaient entendre les aboiements d'un chien en colère. Et aussi vite qu'il avançait, le chien ne cessait de se rapprocher.

# 28

Il fut arraché à son sommeil par le bourdonnement de son portable sur sa poitrine. Il pensa d'abord que c'était sa fille et qu'elle avait des ennuis ou était en colère contre Hannah pour une raison ou une autre. Le réveil posé sur la table de chevet affichait 4 h 22.

Il attrapa son téléphone, mais ne vit pas la photo de Maddie lui tirant la langue qui s'affichait quand elle l'appelait. Il vérifia le numéro et reconnut le code de région 404. Atlanta.

— Inspecteur Bosch à l'appareil, lança-t-il.

Il se redressa, chercha son carnet des yeux et se rappela une fois de plus que celui-ci était dans sa voiture. Il se rendit compte qu'il était nu, à l'exception de la serviette qu'il avait autour de la taille.

— Oui, je m'appelle Charlotte Jackson et vous m'avez laissé un message hier. Je ne l'ai eu que tard dans la soirée. Est-il trop tôt chez vous ?

Il s'éclaircit les idées et se rappela l'appel de Charlotte Jackson n° 4 qu'il avait reçu au restaurant. Ce devait donc être Charlotte Jackson n° 3. C'était la seule qui ne l'avait pas rappelé. Il se souvint qu'elle habitait Ora Avenue, à East Atlanta.

— Pas de problème, madame Jackson, dit-il. Je suis content que vous me rappeliez. Comme je vous le disais dans mon message, je suis inspecteur de police à Los Angeles. Je travaille à l'unité des Affaires non résolues… C'est un service qui reprend de vieux dossiers jamais refermés, si ça a un sens pour vous.

— Je regardais souvent *Affaires classées* à la télé. C'était une bonne série.

— Bon, OK, j'enquête sur un homicide pour lequel j'essaie de joindre une Charlotte Jackson qui a servi pendant l'opération Tempête du désert, en 1991.

Il y eut un silence, mais Bosch attendit.

— Eh bien… oui, j'étais militaire et j'y ai pris part, mais je ne connais personne de Los Angeles ou d'ailleurs qui se serait fait assassiner. Tout ça est très étrange.

— Je comprends et je sais que tout ça peut vous sembler déroutant. Mais si vous acceptez de répondre à quelques questions, je pense pouvoir vous éclairer un peu.

Il attendit encore une fois une réponse de sa part, en vain.

— Madame Jackson ? Vous êtes toujours là ?

— Oui, oui, je suis là. Allez-y, posez vos questions. Je n'ai pas énormément de temps. Il faut que je parte au boulot.

— Bon d'accord, je vais essayer de faire vite. Mais d'abord, ce numéro, c'est celui de chez vous ou c'est un portable[1] ?

---

1. La distinction entre fixe et portable n'existe pas aux États-Unis.

— C’est un portable. C’est mon seul numéro.

— Bon, et vous m’avez bien dit que vous étiez militaire lors de l’opération Tempête du désert, n’est-ce pas ? Dans quelle branche ?

— Armée de terre.

— Êtes-vous toujours dans l’armée ?

— Non, répondit-elle, et d’un ton laissant entendre qu’il lui avait posé une question idiote.

— Où étiez-vous basée en Amérique, madame Jackson ?

— À Fort Benning.

Bosch y avait lui aussi passé du temps lorsqu’il était dans l’armée. Ç’avait même été son dernier arrêt avant le Vietnam. Il savait que la base se trouvait à deux heures de route d’Atlanta, le premier endroit où s’était arrêtée Anneke Jespersen lorsqu’elle était venue aux États-Unis. Il commençait à se dire qu’il se rapprochait de quelque chose. Une vérité cachée était sur le point de sortir au grand jour. Il essaya de garder un ton mesuré.

— Combien de temps avez-vous servi dans le golfe Persique ?

— Environ sept mois en tout. D’abord en Arabie Saoudite pour l’opération Bouclier du désert et après, nous sommes allés au Koweït pour les opérations terrestres. Tempête du désert, donc. En fait, je ne me suis jamais trouvée en Irak.

— Avez-vous eu des permissions pendant cette période et vous êtes-vous jamais trouvée à bord d’un navire de croisière appelé *Princesse saoudienne* ?

— Oui, bien sûr, répondit-elle. Pratiquement tout le monde s’y est retrouvé à un moment ou un autre. Mais qu'est-ce que ç'a à voir avec un meurtre à Los Angeles ? Je ne comprends vraiment pas pourquoi vous m'avez appelée et comme je vous l'ai déjà dit, faut que j'aille au boulot et…

— Madame Jackson, je vous assure que cet appel est tout ce qu'il y a de plus légitime et que vous êtes peut-être en mesure de nous aider à résoudre un meurtre. Puis-je vous demander comment vous gagnez votre vie maintenant ?

— Je travaille au Justice Center d'Atlanta. À Inman Park.

— D'accord. Vous êtes avocate ?

— Non. Grand Dieu, non !

Même ton de voix, comme s'il venait de lui poser une deuxième question idiote ou évidente sur elle alors même qu'il ne lui avait encore jamais parlé.

— Et que faites-vous au Justice Center ?

— Je suis dans la médiation, et mon patron n'aime pas que j'arrive en retard. Faut vraiment que j'y aille tout de suite.

Dieu sait comment, il s'était beaucoup éloigné du propos central de ses questions. Ça l'énervait beaucoup lorsqu'un interrogatoire s'écartait de son but. Il mit ça sur le compte de la soudaineté avec laquelle il avait été tiré du sommeil et jeté dans cette conversation.

— Juste quelques questions, reprit-il. C'est très important. Revenons au *Princesse saoudienne*. Vous rappelez-vous du moment où vous y étiez ?

— C'était en mars, juste avant que mon unité ne soit rapatriée aux États-Unis. Je me rappelle m'être dit que je n'y serais pas allée si j'avais su que je serais de retour en Géorgie un mois plus tard. Mais ça, l'armée ne me l'avait pas dit et j'y suis donc allée pour une permission de soixante-douze heures.

Il hocha la tête. Il avait repris la bonne direction. Il ne lui restait plus qu'à s'y tenir.

— Vous rappelez-vous avoir été interviewée par une journaliste ? Une certaine Anneke Jespersen ?

Il n'y eut qu'un court instant de silence avant qu'elle ne lui réponde.

— La Hollandaise ? Oui, je m'en souviens.

— Anneke était danoise. Parlons-nous bien de la même femme ? Caucasienne, blonde, jolie, dans les trente ans ?

— Oui, oui, je n'ai fait qu'une interview avec elle. Hollandaise, danoise… oui, je me rappelle ce nom et je me souviens d'elle.

— Bon, où vous a-t-elle interrogée, vous en souvenez-vous ?

— J'étais dans un bar. Je ne me rappelle plus lequel, mais c'était près de la piscine. C'était là que je traînais.

— Vous rappelez-vous quoi que ce soit de cette interview en dehors de ça ?

— L'interview ? Non, pas vraiment. Ça s'est résumé à quelques questions vite fait. Elle interrogeait un tas de gens de chez nous et y avait du boucan là-dedans, tout le monde était saoul, vous savez ?

— Bien sûr.

Le moment décisif était arrivé. Celui où il allait falloir lui poser la seule question qu'il avait vraiment besoin de lui poser.

— Avez-vous jamais revu Anneke après ce jour-là ?

— Eh bien déjà, je l'ai revue au même endroit le lendemain soir. Sauf que là, elle n'était pas en service. Elle m'a dit qu'elle avait soumis son article, envoyé ses photos ou je ne sais plus quoi, et que maintenant, c'était elle qui était en permission. Il lui restait encore deux jours à bord et elle avait pas à pointer.

Bosch garda le silence. Ce n'était pas la réponse qu'il attendait. C'était au voyage qu'elle avait fait à Atlanta qu'il pensait.

— Pourquoi me posez-vous ces questions sur elle ? lui demanda Jackson. C'est elle qui est morte ?

— Oui, elle est morte, j'en ai bien peur. Elle a été assassinée il y a vingt ans de ça, à Los Angeles.

— Oh, mon Dieu !

— Ça s'est passé pendant les émeutes de 92. Un an après Tempête du désert.

Il attendit de voir si elle allait réagir, mais il n'eut droit qu'au silence.

— Je pense que c'est lié, Dieu sait comment, à son séjour à bord de ce bateau, reprit-il. Vous rappelez-vous quoi que ce soit d'autre ? Était-elle saoule quand vous l'avez vue le lendemain ?

— Saoule, je sais pas. Mais elle avait une bouteille à la main. Comme moi. C'était ce qu'on faisait, sur ce bateau. On buvait.

— Oui. Autre chose dont vous vous souviendriez ?

— Je me rappelle seulement que la bombe sexuelle toute blonde qu'elle était avait bien plus de mal que n'importe laquelle d'entre nous à tenir les boys en respect.

— « Nous », c'est-à-dire les filles du bar et celles qu'il y avait à bord.

— C'est ce qu'elle m'a demandé quand elle est venue me voir à Fort Benning.

Il se figea sur place. Ne fit aucun bruit, ne respira plus. Attendit la suite. Comme rien ne venait, il essaya très doucement de lui faire sortir toute l'histoire.

— Quand était-ce ?

— À peu près un an après Tempête du désert. Je me rappelle que j'étais pas loin de la quille. Disons quinze jours avant d'être rendue à la vie civile. Elle avait réussi à me retrouver, je ne sais pas par quel miracle, et elle était passée à la base pour poser toutes ses questions.

— Que voulait-elle savoir au juste, vous vous en souvenez ?

— Elle m'a questionnée sur la deuxième journée, quand elle n'était pas en service, en fait. Elle a commencé par me demander si je l'avais vue et je lui ai dit : « Vous ne vous rappelez pas ? » Et là, elle m'a demandé avec qui elle était et à quel moment je l'avais vue pour la dernière fois.

— Que lui avez-vous répondu ?

— Je me rappelais qu'elle était partie avec plusieurs de ces mecs. Ils m'avaient dit qu'ils allaient traîner dans une boîte disco et moi, j'en avais pas envie. Alors, ils sont partis. Et je ne l'ai plus revue avant Fort Benning.

— Lui avez-vous demandé pourquoi elle voulait savoir ça ?

— Pas vraiment, non. Je pense que je devais m'en douter.

Il hocha la tête. C'était probablement la raison pour laquelle Charlotte Jackson se rappelait aussi clairement cette conversation vingt ans plus tard.

— Il lui est arrivé quelque chose sur ce bateau, dit-il.

— C'est ce que je pense, répondit-elle. Mais je ne lui ai pas demandé précisément quoi. Je pensais qu'elle n'avait pas envie de me le dire. Elle voulait seulement des réponses à ses questions. Elle voulait savoir avec qui elle était.

Bosch crut alors comprendre bien des mystères dans cette affaire. Ce qu'était le crime de guerre sur lequel enquêtait Anneke Jespersen et pourquoi elle avait tenu à ne rien partager de ce qu'elle faisait avec quiconque. Il en eut encore plus mal au cœur pour cette femme qu'il n'avait jamais rencontrée ou connue.

— Parlez-moi des hommes avec qui elle est sortie. Combien étaient-ils ?

— Je ne me rappelle pas, trois ou quatre.

— Vous souvenez-vous d'autre chose sur eux ? Même infime ?

— Ils étaient originaires de Californie.

Là, Bosch s'arrêta un instant tant la réponse de Jackson résonnait fort dans sa tête.

— C'est tout, inspecteur ? lui demanda-t-elle. Faut que j'y aille.

— Juste une ou deux questions encore, madame Jackson. Vous m'aidez énormément. Comment savez-vous que ces hommes venaient de Californie ?

— Je ne sais pas. Je le savais, c'est tout. Ils avaient dû nous le dire parce que je savais que c'était de là qu'ils étaient. C'est ce que j'ai dit à Anneke quand elle est venue me voir à la base.

— Des noms vous reviennent-ils ? Des noms ou autre chose ?

— Là tout de suite, non. Ça remonte à loin, tout ça. Je me rappelle juste ce que je vous ai dit parce qu'elle était venue me voir.

— Et à l'époque ? Vous rappelez-vous lui avoir donné un ou plusieurs noms pour ces types ?

Il y eut un long silence pendant qu'elle réfléchissait.

— Je n'arrive pas à me rappeler si j'en connaissais. Ce que je veux dire, c'est que j'aurais pu connaître leurs prénoms quand ils étaient à bord du *Princesse saoudienne*, mais je ne sais pas si je m'en souvenais encore un an plus tard. Il y en avait tellement de ces mecs sur ce bateau ! Je me rappelle seulement qu'ils venaient de Californie et qu'on les appelait les « Camionneurs ».

— Les « Camionneurs » ?

— Oui.

— Pourquoi les appeliez-vous comme ça ? Vous avaient-ils dit qu'ils conduisaient des camions ?

— C'est pas impossible, mais je me souviens qu'ils avaient le tatouage du camionneur de Crumb avec ses grosses chaussures. Vous vous rappelez cette bande dessinée ?

Il fit oui de la tête, moins en réponse à sa question qu'à tout ce qui se confirmait.

— Oui, oui. Et donc, ces types avaient ce tatouage ? Où ça ?

— Sur l'épaule. Il faisait chaud sur ce bateau, et comme on était au bar de la piscine, ou bien ils ne portaient pas de chemise, ou bien ils n'avaient que leurs marcels sur eux. En tout cas, deux d'entre eux avaient ce même tatouage et du coup… nous, les filles au bar… on a commencé à les appeler comme ça : les « Camionneurs ». J'ai du mal à me rappeler les détails et… je suis en retard, déjà.

— Vous faites un boulot superbe, madame Jackson. Je ne vous remercierai jamais assez.

— C'est ces types qui l'ont tuée ?

— Je ne le sais pas encore. Avez-vous une adresse e-mail ?

— Bien sûr.

— Je peux vous envoyer un lien ? Ce sera une photo sur un site Web où l'on voit quelques types à bord du *Princesse saoudienne*. Vous pourriez la regarder et me dire si vous en reconnaissez certains ?

— Je peux faire ça quand je serai au boulot ? Il faut vraiment que j'y aille.

— Oui, ça ira très bien. Je vous l'envoie dès que nous raccrochons.

— D'accord.

Elle lui donna son adresse e-mail, il l'écrivit sur un bloc-notes posé sur la table de chevet.

— Merci, madame Jackson. Vous me dites pour le lien dès que vous pouvez.

Il raccrocha, gagna la table de la kitchenette, alluma son ordinateur et se connecta au Wi-Fi de la maison derrière le motel. En usant du savoir-faire qu'il tenait de son coéquipier et de sa fille, il retrouva le lien vers la photo du *Princesse saoudienne* du site Web de la 237e compagnie et l'envoya par mail à la Charlotte Jackson avec laquelle il venait juste de parler.

Puis il alla à la fenêtre et regarda à travers le rideau. Il faisait toujours noir dehors, pas même encore un soupçon d'aurore. En une nuit, le parking s'était Dieu sait comment presque à moitié rempli. Il décida de prendre une douche et de se préparer pour la journée en attendant la réponse de Charlotte Jackson.

Vingt minutes plus tard, il était en train de se sécher avec une serviette qui avait été lavée mille fois lorsqu'il entendit le *ding* du message arrivé dans sa boîte « mail » et regagna la kitchenette pour voir. Charlotte Jackson venait de lui répondre.

*Je crois que c'est eux. Je ne peux pas en être sûre, mais je le crois vraiment. Les tatouages sont les bons et c'est bien le bateau. Mais ça remonte à loin et j'avais bu. Mais oui, je pense que c'est eux.*

Bosch s'assit à la table et relut le mail. Il éprouvait une impression grandissante d'excitation et de crainte. L'identification n'était pas à toute épreuve, mais n'en était pas loin. Il sentait que les événements d'il y avait vingt ans commençaient à s'agencer à une vitesse indéniable. Les voix du passé commençaient à se faire entendre et nul n'aurait pu dire qui elles allaient désigner et faire tomber lorsque enfin elles seraient parfaitement audibles.

## 29

Il passa la matinée dans sa chambre, ne la quittant que brièvement pour traverser le parking et aller acheter du lait et des doughnuts pour le petit déjeuner au magasin de vins et spiritueux. Puis il accrocha le panneau *Ne pas déranger* à la poignée de sa porte et décida de faire son lit et de suspendre les serviettes de toilette lui-même. Il appela sa fille avant qu'elle ne parte à l'école et parla aussi avec Hannah, ces deux conversations étant courtes et du genre : « Passe une bonne journée. » Puis il se mit enfin au travail et consacra les deux heures suivantes à mettre à jour sur son ordinateur le compte rendu détaillé de l'enquête. Dès qu'il eut fini, il remit son ordinateur et tous les documents dont il s'était servi dans son sac à dos.

Avant de partir, il prépara sa chambre en poussant le lit contre le mur pour ménager un espace central juste sous le plafonnier, sous lequel il positionna la table de la kitchenette. Son dernier geste fut d'ôter les abat-jour des deux lampes de chevet et de placer ces dernières de telle sorte qu'elles éclairent le visage de l'individu qui s'assiérait du côté gauche de la table.

Une fois à la porte, il effleura la poche arrière de son pantalon pour être sûr qu'il avait encore sa clé de chambre. Il sentit alors le porte-clés en plastique auquel elle était attachée, et quelque chose d'autre – la carte de visite de l'inspectrice Mendenhall. Il se rendit compte qu'il l'avait dans son pantalon depuis qu'il l'avait trouvée sur son bureau.

La carte lui rappela de ne pas oublier de l'appeler pour savoir si elle s'était bien rendue à San Quentin la veille comme elle avait promis de le faire à Hannah. Il chassa cette idée et décida de rester concentré sur le soudain élan que l'appel de Charlotte Jackson venait de lui insuffler. Il rempocha la carte et ouvrit la porte. S'assura que le panneau *Ne pas déranger* restait bien en place et tira la porte derrière lui.

*

* *

C'est un classique de l'enquête. La meilleure façon, et la plus rapide, de démanteler une bande organisée est d'en identifier le maillon le plus faible et de trouver un moyen de l'exploiter. Dès qu'un maillon saute, toute la chaîne s'effondre.

Dans les trois quarts des cas, il s'agit d'un individu. Bosch pensait vraiment être en face d'une bande organisée vieille de vingt ans et comprenant au moins quatre personnes, peut-être même cinq. L'une d'entre elles était morte, et deux autres bien protégées par les boucliers du pouvoir, de l'argent et du droit. Cela lui laissait John Francis Dowler et Reginald Banks.

Dowler n'était pas en ville et Bosch n'avait pas envie d'attendre qu'il revienne. Il avait pris de la vitesse et entendait la garder. Lui restait Banks, non seulement par défaut, mais aussi parce qu'il pensait que c'était lui qui, dix ans plus tôt, avait passé le coup de fil pour savoir où en était l'affaire. Et cela disait l'inquiétude. Voire la peur. Soit des signes de faiblesse qu'il pouvait exploiter.

Après avoir déjeuné tôt au In-N-Out Burger de Yosemite Avenue et s'être ensuite arrêté dans un Starbucks voisin, il regagna Crows Landing Road et retrouva sa place de stationnement le long du trottoir, celle d'où il pouvait observer Reginald Banks au boulot.

Au début, il ne le vit pas au bureau qu'il occupait la veille. C'était l'autre vendeur qui occupait sa place. Pas de Banks, mais Bosch attendit patiemment et, vingt minutes plus tard, celui-ci fit son apparition. Il arrivait d'une salle à l'arrière du magasin, une tasse de café à la main. Il s'assit, tapa sur la barre d'espacement de son clavier et se mit à donner une série de coups de fil, chaque fois après avoir passé un doigt en travers de l'écran de son ordinateur. Bosch se dit qu'il devait appeler d'anciens clients par surprise, histoire de voir s'ils étaient prêts à échanger le vieux tracteur qu'il leur avait vendu contre un nouveau modèle.

Bosch le surveilla encore une demi-heure et travailla son histoire en l'observant. Et lorsque l'autre vendeur commença à s'occuper d'un client en chair et en os, il passa à l'action. Il descendit de voiture, traversa la chaussée et rejoignit le magasin. Il entra dans la salle d'exposition et gagna le véhicule tout-terrain le plus proche de l'endroit où, toujours assis à son bureau, Banks était en train de parler au téléphone.

Bosch tourna autour de l'engin, un deux places et quatre roues motrices, avec un petit plateau et une barre antiroulis. L'étiquette du prix était attachée à un pied en plastique moulé juste à côté. Comme il s'y attendait, Banks raccrocha rapidement.

— Vous cherchez un Gator ? lança-t-il à Bosch de son bureau.

Bosch se retourna et le regarda comme si c'était la première fois qu'il remarquait sa présence.

— Ça se pourrait, répondit-il. Vous n'en auriez pas un d'occasion, des fois ?

Banks s'approcha. Il portait une veste de sport et une cravate au nœud desserré. Il s'arrêta près de Bosch et regarda le tout-terrain comme si c'était la première fois qu'il l'évaluait.

— C'est le modèle XUV haut de gamme, dit-il. Quatre roues motrices, moteur quatre temps à injection tout ce qu'il y a de moins bruyant et voyons voir… amortisseurs réglables, freins à disque et la meilleure garantie qu'on puisse avoir sur un de ces vilains garçons. Non, parce que tout ce dont vous pourriez avoir besoin, avec ça vous l'avez. C'est aussi peu immobilisable qu'un tank, mais avec le confort et la fiabilité John Deere. À propos, moi, c'est Reggie Banks.

Il tendit la main, Bosch la lui serra.

— Harry.

— OK, Harry. Content de vous connaître. Vous voulez qu'on fasse les papiers ?

Bosch pouffa comme un acheteur un peu nerveux.

— Je sais qu'il a tout ce que je veux, dit-il. Ce que je sais pas, c'est si j'ai besoin que ce soit tout neuf. Je ne me rendais pas compte que ces trucs-là coûtaient aussi cher. À ce prix-là, je pourrais presque me payer une voiture.

— Ça vaut le prix, jusqu'au dernier centime, lui renvoya Banks. Sans parler de la ristourne qui vous atténuera le coup de bambou.

— Ah oui ? De combien ?

— Cinq cents dollars de remboursés, plus deux cent cinquante en bons de service. Je pourrais demander au directeur des ventes de vous ôter un ou deux dollars de l'ardoise. Mais il ira pas très loin. On en vend des tas, de ces machins-là.

— Oui, d'accord mais… pourquoi j'aurais besoin de bons de service puisque vous me dites que ce truc marche comme un tank ?

— L'entretien et la maintenance, mec. Ces bons couvriront vos frais pour au moins deux ou trois ans, si vous voyez c'que j'veux dire.

Bosch acquiesça d'un signe de tête et regarda fixement le véhicule comme s'il envisageait la chose.

— Et donc, vous n'avez rien en occasion ? demanda-t-il enfin.

— On pourrait aller voir là-bas derrière.

— Allons-y. Faut que j'sois au moins capable de dire à ma bonne femme que j'ai vu tout ce qu'il y avait.

— C'est entendu. Laissez-moi aller chercher les clés.

Banks disparut dans le bureau du directeur au fond de la salle d'exposition et revint bientôt avec un gros anneau plein de clés. Il conduisit Bosch le long d'un couloir jusqu'à l'arrière du bâtiment. Puis ils franchirent une porte et entrèrent dans un enclos grillagé, où une série de véhicules tout-terrain s'alignaient contre le mur du fond.

— Tout ce que j'ai est là, reprit Banks en ouvrant la marche. Plaisir ou commercial ?

Ne sachant pas trop ce qu'il voulait dire par là, Bosch ne répondit pas. Il fit semblant de ne pas avoir entendu la question tellement il était fasciné par la rangée de véhicules scintillants.

— C'est une ferme ou un ranch que vous avez ? Ou alors… on fait juste que sauter par-dessus les flaques de boue ? demanda Banks en lui éclaircissant le problème.

— Je viens juste d'acheter un vignoble près de Lodi, répondit Bosch. Je veux quelque chose qui puisse passer entre deux rangs de vigne et m'y amener vite. Je suis trop vieux pour faire tout ça à pied.

Banks hocha la tête comme s'il connaissait la chanson.

— Gentleman-farmer, c'est ça ?

— C'est à peu près ça, oui.

— Tout le monde achète des vignobles parce que c'est cool de faire dans le vin maintenant. Le patron d'ici, le propriétaire… possède des tas de vignobles à Lodi. Vous avez entendu parler des vignobles Cosgrove ?

— Difficile de pas en avoir entendu parler, lui renvoya Bosch en hochant la tête. Moi, c'est petit bras à côté de lui.

— Oui, bah, faut bien commencer, si vous voyez c'que j'veux dire. Bon alors, on devrait pouvoir arriver à quelque chose. Qu'est-ce qui vous plaît ?

Il lui montra les six véhicules tout-terrain avec plateau arrière, Bosch les trouvant tous identiques. Tous étaient verts, les seules différences qu'il remarquait étant qu'ils avaient ou n'avaient pas de barres antiroulis et de cages complètement fermées, et que les plateaux de certains étaient plus mal en point et rayés que d'autres. Et là, il n'y avait pas non plus de joli pied en plastique auquel étaient accrochées les étiquettes de prix.

— Il n'y a que des modèles en vert, hein ? demanda-t-il.

— Pour le moment, on n'a que du vert dans les occasions. C'est chez un concessionnaire John Deere que vous êtes. On est tous fiers d'être verts. Mais si vous voulez du neuf, on peut vous commander la version camouflage.

Bosch hocha la tête d'un air pensif.

— Je veux une cage, dit-il enfin.

— D'accord. La sécurité avant tout. Y a du choix là-bas.

— Oui, dit Bosch. La sécurité avant tout, toujours. Allons revoir l'autre là-bas.

— Pas de problème.

*

* *

Une heure plus tard, Bosch regagnait sa voiture après avoir été en apparence à deux doigts d'acheter le tout-terrain de la salle d'exposition – et y avoir renoncé en disant qu'il avait besoin de réfléchir. Frustré d'avoir été si près d'une vente, Banks avait essayé de sauver la situation pour le lendemain en lui donnant sa carte et en l'encourageant à le rappeler. Il avait même ajouté qu'il passerait par-dessus la tête du directeur des ventes et demanderait au patron en personne d'abaisser encore le prix plutôt que de jouer les ristournes et les bons de service. À l'entendre, le grand patron et lui étaient super copains, leurs relations remontant à vingt-cinq ans.

Pour Bosch, la rencontre n'avait eu d'autre but que celui d'approcher Banks et tenter de l'évaluer, voire, peut-être, de le pousser un peu hors de ses retranchements. L'attaque véritable viendrait plus tard, lorsque s'engagerait la deuxième partie de son plan.

Il fit démarrer sa Crown Victoria et déboîta du trottoir, juste au cas où Banks l'aurait regardé partir. Il roula jusqu'au deuxième croisement de Crows Landing Road, fit demi-tour et revint vers le magasin. Se gara à une demi-rue de là, de l'autre côté de la chaussée cette fois, mais toujours de manière à pouvoir surveiller Banks assis à son bureau.

Celui-ci n'eut pas d'autre client ce jour-là. Il donna des coups de fil et travailla de temps en temps à son ordinateur, mais Bosch n'eut pas l'impression qu'il avait beaucoup de succès. Il n'arrêtait pas de gigoter sur son siège et de se lever pour aller remplir sa tasse de café au fond du magasin. Bosch le vit aussi, et à deux reprises, y verser de la gnôle en se servant d'une flasque qu'il gardait dans un tiroir de son bureau.

À 18 heures, Banks et le reste du personnel fermèrent boutique et levèrent le camp *en masse*[1]. Bosch, qui savait

1. En français dans le texte original.

que Banks habitait à Manteca, soit au nord de Modesto, longea le magasin et fit encore demi-tour afin d'être dans la bonne direction pour le suivre jusque chez lui.

Banks partit au volant d'un Toyota argent et, comme prévu, prit vers le nord. Mais c'est là qu'il surprit Bosch en tournant à gauche dans Hatch Road et en s'éloignant de la 99. Au début, Bosch crut qu'il prenait un raccourci, mais il devint vite clair que ce n'était pas le cas. Il aurait déjà été chez lui s'il était passé par l'autoroute.

Bosch le suivit dans un quartier où se mélangeaient l'industriel et le résidentiel. D'un côté de la route se serraient aussi fort que les dents d'une mâchoire des maisons pour résidents des classes moyennes ou à faible revenu, alors que de l'autre tout se réduisait à une interminable procession de casses et d'entrepôts de ferrailleurs.

Bosch dut ralentir de peur que Banks ne finisse par le remarquer. Et le perdit de vue lorsque Hatch Road commença à épouser les méandres de la Tuolumne River toute proche.

Il accéléra, sortit d'un virage, mais la Toyota avait disparu. Il continua de rouler, accéléra et se rendit compte, mais trop tard, qu'il venait juste de dépasser un poste des VFW[1]. Intuition aidant, il ralentit et fit demi-tour. Regagna le poste et entra dans un parking. Où il vit tout de suite la Toyota argent garée derrière le bâtiment, comme si Banks voulait la cacher. Bosch devina que le bonhomme se faisait un petit arrêt apéro

1. *Veterans of Foreign Wars*, anciens combattants des guerres étrangères.

avant de rentrer chez lui, et qu'il n'avait aucune envie qu'on le sache.

Le bar était faiblement éclairé lorsque Bosch y entra. Il resta immobile un instant pour accommoder et chercher Banks. Il n'y avait pas besoin.

— Tiens donc, mais qui avons-nous là ? s'exclama ce dernier.

Bosch regarda sur sa gauche et vit Banks en personne, assis seul au comptoir, sa veste de sport et sa cravate disparues depuis longtemps. Bosch joua la surprise.

— Hé mais, qu'est-ce que vous… je venais juste m'en jeter un vite fait avant de repartir vers le nord.

Banks lui fit signe de prendre place sur le tabouret voisin du sien.

— On s'inscrit au club ?

Bosch s'approcha et sortit son portefeuille.

— J'ai déjà ma carte, dit-il.

Il prit sa carte d'ancien combattant et la jeta sur le comptoir. Avant que la serveuse ait pu vérifier, Banks la saisit sur le comptoir éraflé et la regarda.

— Mais… vous m'avez pas dit que vous vous appeliez Harry ?

— Si, si. C'est comme ça qu'on m'appelle.

— Hi… er… comment ça se prononce, ce nom de fou ?

— Hieronymus. C'est le prénom d'un peintre d'il y a très longtemps.

— C'est pas moi qui vous reprocherai de préférer Harry.

Banks tendit la carte à la serveuse.

— Lori, dit-il, je me porte garant de ce gars-là. C'est un bon.

Lori ne prêta guère attention à la carte avant de la rendre à Bosch.

— Harry, reprit Banks, je vous présente Triple L. Lori Lynn Lucas, la meilleure serveuse sur le marché.

Bosch la salua d'un signe de tête et se glissa sur le tabouret à côté de Banks. Il avait l'impression de s'en être bien tiré. Banks ne semblait pas se méfier de la coïncidence. Et, à continuer de boire comme il le faisait, tout soupçon aurait vite fait de s'estomper encore plus.

— Lori, tu mets ça sur mon compte, lança Banks.

Bosch le remercia et commanda une bière. En un rien de temps, une canette bien glacée arriva devant lui, Banks levant son verre pour trinquer.

— À nous autres, guerriers !

Banks choqua son verre contre la canette de Bosch et descendit d'un trait un bon tiers de ce que Bosch pensa être un scotch *on the rocks*. Au moment où Banks tendait le bras pour trinquer, Bosch avait vu qu'il portait une grosse montre militaire avec cadrans multiples et lunette tournante. Il se demanda quel pouvait bien être le rapport avec le fait de vendre des tracteurs.

Banks regarda Bosch en plissant les yeux.

— Laissez-moi deviner, dit-il. Vietnam.

Bosch acquiesça d'un signe de tête.

— Et vous ?

— Tempête du désert. Première guerre du Golfe.

Ils trinquèrent encore un coup.

— « Tempête du désert », répéta Bosch d'un ton admiratif. Ça, j'ai pas.

Banks fronça les sourcils.

— Ça, quoi ?

Bosch haussa les épaules.

— Je suis une espèce de collectionneur, dit-il. Je cherche des souvenirs de toutes les guerres, ce genre de trucs. Essentiellement des armes de l'ennemi. Ma femme pense que je suis dingue.

Banks gardant le silence, Bosch continua sur sa lancée.

— Ma plus belle pièce est un *tantô* pris sur un cadavre de Jap dans une grotte d'Iwo Jima. Il s'en était servi.

— C'est un flingue ?

— Non, une lame.

Bosch imita le geste d'un couteau qu'on se passe de gauche à droite en travers du ventre. Lori Lynn eut un petit hoquet de dégoût et partit à l'autre bout du comptoir.

— Ça m'a coûté deux mille dollars, reprit Bosch. Ç'aurait été moins cher si, enfin, vous savez bien… s'il n'avait pas servi. Et vous, vous avez rapporté des trucs intéressants d'Irak ?

— J'y ai jamais été, en fait. J'étais basé en Arabie Saoudite et suis entré plusieurs fois au Koweït. J'étais dans le transport.

Il finit son verre tandis que Bosch acquiesçait d'un hochement de tête.

— Et donc, pas vraiment d'action, c'est ça ? dit-il.

Banks racla son verre vide sur le comptoir.

— Lori, tu travailles ce soir ou quoi ? demanda-t-il.

Puis il regarda Bosch dans les yeux.

— Putain, mec, pour avoir de l'action, on en a eu ! Toute notre unité a failli se faire liquider par un Scud. Et on a botté des culs, mec. Et comme je disais, moi, j'étais dans le transport. On avait accès à tout et on savait comment le faire passer aux États-Unis.

Bosch se tourna vers lui comme si brusquement ça l'intéressait. Mais il attendit que Lori Lynn s'éloigne après avoir rempli encore une fois le verre de Banks. Alors, il lui parla doucement, sur un ton de conspirateur.

— Ce que je cherche, dit-il, c'est un truc de la garde républicaine. Vous connaissez des gens qu'auraient ça ? C'est pour ça que je m'arrête toujours dans un poste de la VFW chaque fois que j'arrive dans une nouvelle ville. C'est là que je trouve ces trucs. Mon *tantô*, c'est un vieux mec que j'ai trouvé dans un bar de la VFW de Tempe qui me l'a filé. Y a genre vingt ans de ça.

Banks hocha la tête en essayant de suivre ses paroles dans le brouillard grandissant de sa cuite.

— Ben... je connais des mecs... Et ils ont des tas de trucs qu'ils ont rapportés. Des flingues, des uniformes, tout ce que vous voulez. Mais faut payer et pour commencer, vous pourriez m'acheter ce putain d'Gator que vous avez passé toute la journée à zyeuter !

Bosch acquiesça.

— J'entends bien. On en reparlera. Je repasserai au magasin dès demain. Ça vous va ?

— Enfin tu causes, collègue !

# 30

Bosch réussit à sortir du poste des VFW sans avoir payé un seul coup à boire à Banks et, tout semblait le dire, sans que celui-ci ait remarqué qu'il n'avait, lui, même pas bu la moitié de sa bière. Une fois de retour dans sa voiture, Bosch gagna la partie la plus éloignée du parking où se trouvait une rampe de mise à l'eau de bateaux dans la rivière. Il se gara derrière une rangée de camionnettes équipées de remorques vides. Il attendit encore vingt minutes avant que Banks ne sorte enfin du bar et monte dans sa voiture.

Bosch l'avait vu descendre trois verres. Il se dit qu'il devait y en avoir eu un autre avant qu'il n'arrive et encore un après. Son souci était que si Banks montrait des signes évidents de conduite en état d'ébriété, il doive lui ordonner trop tôt de se ranger sur le bas-côté pour l'empêcher de se faire du mal ou d'en faire à d'autres.

Mais Banks était doué dans l'art de la conduite en état d'ivresse. Il déboîta et prit vers l'est dans Hatch Road, soit par où il était venu. Bosch le suivit à bonne distance, mais sans cesser de garder les yeux sur ses feux arrière. Il ne constata ni zigzags, ni excès de vitesse, ni coups de freins intempestifs. Banks semblait contrôler sa voiture.

Il n'empêche, les dix minutes que Bosch passa à le suivre jusqu'à la rampe d'accès à l'autoroute 99, où il prit vers le nord, furent passablement intenses. Dès qu'ils furent sur l'autoroute, Bosch réduisit la distance qui les séparait et remonta jusque derrière lui. Cinq minutes plus tard, ils dépassaient la sortie Hammett Road et arrivaient au panneau souhaitant la bienvenue aux voyageurs entrant dans le comté de San Joaquin. Bosch posa le phare stroboscopique sur son tableau de bord et l'alluma. Puis il réduisit encore plus le fossé entre les deux véhicules et mit pleins phares, l'intérieur de la voiture de Banks en étant complètement éclairé. Bosch n'avait pas de sirène, mais Banks ne pouvait pas ne pas voir ces grands jeux de lumières derrière lui. Quelques secondes plus tard, il mettait son clignotant droit.

Bosch s'était dit que Banks ne se rangerait pas sur le bas-côté de l'autoroute, et il ne se trompait pas. La première sortie vers Ripon se trouvait à huit cents mètres. Banks ralentit, sortit de l'autoroute, s'arrêta sur l'emplacement gravillonné d'un stand de fruits fermé et coupa son moteur. Il faisait nuit et l'endroit était désert. Tout était parfait.

Banks ne descendit pas de voiture comme le font tant de poivrots qui protestent. Mais il ne baissa pas non plus sa vitre. Bosch s'approcha, sa grosse Mag-Lite sur l'épaule de façon à ce qu'il y ait trop de lumière si jamais

Banks essayait de voir son visage. Il frappa à la vitre, Banks la descendit à contrecœur.

— Vous n'aviez aucune raison de m'arrêter, man, lança-t-il avant que Bosch ait le temps de parler.

— Monsieur, vous n'arrêtez pas de zigzaguer depuis que je vous suis. Vous avez bu ?

— N'importe quoi !

— Descendez de voiture, monsieur.

— Tenez, dit Banks en lui tendant son permis de conduire par la fenêtre.

Bosch le lui prit et le tint à la lumière comme pour l'examiner. Sans jamais lâcher son propriétaire des yeux.

— Eh bien, c'est ça, lui lança celui-ci d'un ton plein de défi, avertissez le commissariat ! Tenez, appelez donc le shérif Drummond et vous verrez comment il va vous dire de retourner à votre véhicule banalisé et de dégager de là, bordel !

— Je n'ai pas besoin d'appeler le shérif Drummond, lui renvoya Bosch.

— Tu ferais mieux, mec, pa'ce que t'es en train de jouer ton boulot. Alors, écoute ce que je te suggère ! Vas-y, appelle-le donc !

— Non, non, monsieur Banks, vous ne comprenez pas. Je n'ai pas besoin d'appeler le shérif Drummond parce qu'on n'est pas dans le comté de Stanislaus. On est dans celui de San Joaquin, et notre shérif s'appelle Bruce Ely. Et oui, je pourrais l'appeler, mais je n'ai pas envie de l'emmerder avec un truc aussi nul qu'un soupçon de conduite en état d'ivresse.

Bosch vit Banks baisser la tête en comprenant qu'il avait franchi la limite du comté et était donc passé d'un territoire protégé en un lieu où il était sans défense.

— Descendez de voiture, lui ordonna de nouveau Bosch. C'est la dernière fois que je vous le demande.

Banks se rua sur la clé de contact et tenta de démarrer. Mais Bosch s'y attendait. Il lâcha sa MagLite, plongea vite le bras dans la voiture et arracha la main de Bank à la clé de contact avant qu'il n'arrive à ses fins. Puis il le tint par le poignet d'une main, tandis que de l'autre il ouvrait la portière. Il tira Banks de sa voiture, le fit pivoter et lui plaqua la poitrine contre la portière du véhicule.

— Vous êtes en état d'arrestation, monsieur Banks, dit-il. Résistance à agent et soupçon de conduite en état d'ivresse.

Banks se débattit lorsque Bosch lui ramena les bras en arrière pour le menotter. Il réussit à se retourner et regarda Bosch. La portière côté conducteur était toujours ouverte et le plafonnier allumé, il y avait assez de lumière pour qu'il le reconnaisse.

— Vous ? s'exclama-t-il.

— C'est ça même, lui rétorqua Bosch en réussissant à le menotter complètement.

— C'est quoi, ces conneries ?

— Ces conneries, c'est toi qui es en train de te faire coffrer. Et maintenant, nous allons gagner l'arrière de ma voiture et si jamais tu te débats encore, tu vas te prendre les pieds dans le tapis et tomber face contre terre, tu comprends ? Et tu cracheras du gravier, Banks. C'est de ça que t'as envie ?

— Non, moi, j'ai juste envie d'avoir un avocat.

— Tu en auras un dès que je t'aurai conduit au commissariat. Allons-y.

Bosch l'écarta violemment de sa voiture et le conduisit jusqu'à la Crown Vic. La lumière stroboscopique tournait encore. Bosch amena Banks à la portière arrière, le colla sur la banquette et lui attacha sa ceinture de sécurité.

— Si tu bouges de là pendant le trajet, tu vas te prendre le cul de ma lampe torche en pleine poire. Et après, c'est un dentiste que tu voudras en plus de l'avocat. Suis-je assez clair ?

— Oui. Je ne me battrai pas. Contentez-vous de m'amener au commissariat et de me passer mon avocat.

Bosch claqua la portière, retourna à la voiture de Banks, prit les clés du contact et la ferma, la dernière chose qu'il fit étant de revenir chercher l'écriteau *Panne d'essence* dont il s'était servi la veille au soir. Il le glissa sous l'essuie-glace de la voiture de Banks.

Il revenait à la Crown Vic lorsqu'il aperçut la silhouette d'une voiture éclairée par les lumières de l'autoroute. Garé sur le bas-côté de la bretelle de sortie, le véhicule formait une tache sombre. Bosch ne se rappelait pas avoir dépassé de voiture garée à cet endroit lorsqu'il était sorti de l'autoroute derrière Banks.

L'intérieur du véhicule était trop sombre pour qu'il puisse voir s'il y avait quelqu'un dedans. Il ouvrit la portière de la Crown Vic, éteignit le stroboscope, enclencha les vitesses, sortit rapidement de l'emplacement gravillonné et longea la route en bordure de l'autoroute sans cesser de garder un œil sur le rétroviseur pour surveiller Banks, mais aussi pour voir s'il était suivi par la voiture mystère.

*

* *

Bosch entra dans le parking du Blu-Lite et vit qu'il ne s'y trouvait que deux autres voitures tout à l'autre bout, loin de sa chambre. Il se gara en marche arrière dans l'emplacement où sa portière passager serait au plus près de la porte de sa chambre.

— Mais qu'est-ce qui se passe ? voulut savoir Banks.

Bosch ne répondit pas. Il descendit de voiture et ouvrit sa chambre. Puis il retourna à la Crown Vic et jeta un coup d'œil tout autour du parking avant de faire descendre Banks de la banquette arrière. Il l'accompagna vite jusqu'à sa porte, un bras autour de sa taille comme s'il aidait un poivrot à réintégrer sa chambre.

Une fois à l'intérieur, il alluma la lumière, referma derrière lui d'un coup de pied et accompagna Banks jusqu'à la chaise de la table où il aurait la lumière en pleine figure.

— Vous avez pas le droit de faire ça, protesta Banks. Vous devez m'amener au commissariat, établir le procès-verbal et me donner un avocat.

Bosch ne répondit pas davantage. Il se posta derrière Banks, lui libéra un poignet et passa la boucle et la chaîne des menottes entre les deux barreaux du dossier de la chaise. Après quoi, il lui remit la boucle autour du poignet, l'attachant ainsi fermement à la chaise.

— Oh putain, reprit Banks, tu vas te faire baiser comme c'est pas permis ! Je me fous du comté où on est parce que là, t'as dépassé les bornes, 'spèce de connard ! Enlève-moi ces pinces !

Bosch garda le silence, entra dans la kitchenette, gagna l'évier et y remplit d'eau une tasse en plastique. Puis il revint à la table, but un peu d'eau et posa la tasse sur la table.

— Mais putain, tu m'écoutes ou quoi ? Je connais des gens, moi ! Des gens qu'ont du pouvoir dans la Valley et putain, tu sais pas dans quoi tu fous les pieds, mec !

Bosch le dévisagea sans un mot. Des secondes passèrent. Banks banda les muscles, Bosch entendant les menottes racler contre les barreaux du dossier de la chaise. Mais tous ces efforts restèrent vains. Banks se pencha enfin en avant, vaincu.

— Tu vas finir par dire quelque chose ou quoi ? hurla-t-il.

Bosch sortit son téléphone portable et le posa sur la table. But encore un peu d'eau et s'éclaircit la gorge. Parla enfin, d'une voix calme, totalement neutre, en y allant d'une variation sur l'ouverture dont il s'était servi avec Rufus Coleman la semaine précédente.

— Cet instant est le plus important de ton existence, commença-t-il. Tout comme le choix que tu vas faire.

— Je vois pas de quoi tu parles, bordel !

— Bien sûr que si. Tu sais même tout ce qu'il faut en savoir. Et si tu veux sauver ta peau, tu vas tout me dire. Parce que le choix, c'est celui-là : ou tu sauves tes fesses ou tu les sauves pas.

Banks secoua la tête comme s'il essayait de dissiper un rêve.

— Oh, man… c'est dingue ! T'es pas flic. Ça y est, je comprends. T'es une espèce de fou furieux qui se balade partout en faisant ce genre de trucs. Non, parce que si t'étais flic, faudrait que tu me montres ton badge. Allez, fais-le-moi voir, trouduc !

Bosch ne bougea pas d'un pouce, sauf pour boire une autre gorgée d'eau. Et attendre. Le faisceau des phares d'une voiture qui se garait dans le parking glissant en travers de la fenêtre, Banks se mit à hurler.

— Hé là ! À l'aide ! On est en train de me…

Bosch s'empara de la tasse et lui balança le reste d'eau dans la figure pour le faire taire. Puis il passa vite à la salle de bains et y prit une serviette. Quand il en ressortit, Banks toussait et crachait. Bosch le bâillonna avec sa serviette et la lui attacha derrière la tête. Puis il le prit par les cheveux, lui tira la tête de côté et lui glissa à l'oreille :

— Tu gueules encore un coup et je serai beaucoup moins gentil.

Sur quoi, il gagna la fenêtre et écarta les lames de la jalousie d'un doigt. Mais ne vit que les deux voitures qui se trouvaient déjà dans le parking lorsqu'ils étaient arrivés. L'individu qui venait d'y entrer avait dû faire demi-tour et repartir. Bosch se retourna pour regarder Banks, ôta sa veste et la jeta sur le lit, son geste dévoilant le pistolet qu'il portait dans son étui de ceinture. Il se rassit directement en face de Banks.

— Bon, alors, où en étions-nous ? Ah oui, le choix. Parce que ce soir, tu vas avoir à choisir, Reggie. Et ton premier dilemme va être de me parler ou pas. Et c'est une décision qui implique des tas de choses très importantes. En fait, ça se réduit à opter pour passer le reste de tes jours en prison ou améliorer ta situation en coopérant. Sais-tu bien ce qu'améliorer veut dire ? Ça veut dire rendre les choses meilleures.

Banks hocha la tête, mais pas pour dire non. Ça ressemblait plutôt à « j'arrive-pas-à-croire-ce-qui-m'arrive ».

— Bon et maintenant, reprit Bosch, je vais t'enlever ton bâillon et si tu essaies de gueuler encore un coup, eh bien… eh bien, il y aura des conséquences. Mais avant, je veux que tu te concentres sur ce que je vais te dire dans les quelques minutes qui suivent parce que je veux vraiment que tu comprennes dans quelle situation tu es. Tu piges ?

Banks hocha dûment la tête et tenta même de faire entendre son accord à travers le bâillon, mais ne réussit qu'à émettre un son inintelligible.

— Bon alors, dit Bosch, voici l'affaire. Tu fais partie d'une bande organisée depuis plus de vingt ans. Votre association a démarré à bord d'un bateau, le *Princesse saoudienne*, et sévit toujours en ce moment même.

Bosch vit ses yeux s'écarquiller de plus en plus et son regard s'emplir de crainte au fur et à mesure qu'il comprenait ce qu'on lui disait. Bientôt cette crainte se fit terreur.

— Et donc, ou tu vas en prison pour un bon bout de temps ou tu coopères et tu nous aides à démanteler la bande. Coopère et tu auras une chance d'être traité moins sévèrement, une chance de ne pas passer le reste de tes jours en taule. Je peux enlever le bâillon maintenant ?

Banks acquiesça vigoureusement de la tête. Bosch tendit la main au-dessus de la table et lui ôta brutalement la serviette de la tête.

— Voilà, dit-il.

Les deux hommes se dévisagèrent un long moment. Puis Banks se mit à parler d'une voix où perçait le désespoir à l'état pur.

— Je vous en prie, m'sieur, je sais vraiment pas de quoi vous parlez avec vos histoires de bande organisée et autres. Moi, je vends des tracteurs, et vous le savez. Tu m'as vu, mec. C'est ce que je fais. Si tu veux me poser des questions sur un John Dee…

— Ça suffit ! cria Bosch en abattant violemment la main sur la table.

Banks se tint tranquille et Bosch se leva. Il alla chercher le dossier dans son sac à dos et le rapporta. Pour truquer les cartes, il l'avait ordonné de façon à pouvoir l'ouvrir sur une série de documents et de clichés de son choix. Il commença par une photo d'Anneke Jespersen, étendue par terre dans la ruelle. Il fit glisser le cliché sur la table jusqu'à ce que Banks l'ait sous le nez.

— Voici la femme que vous avez tuée à vous cinq, celle dont vous couvrez le meurtre depuis tout ce temps.

— Vous êtes fou. C'est complètement…

Bosch lui glissa la photo suivante – l'arme du crime.

— Et voilà le pistolet de l'armée irakienne avec lequel elle a été abattue. C'est une des armes que vous avez rapportées du golfe en contrebande, comme tu me l'as dit tout à l'heure.

Banks haussa les épaules.

— Et alors ? Qu'est-ce qu'on va me faire ? M'enlever ma carte d'ancien combattant des guerres étrangères ? La belle affaire ! Enlevez-moi ces photos de là !

Bosch lui glissa la suivante. On y voyait Banks, Dowler, Cosgrove et Henderson au bord de la piscine du *Princesse saoudienne.*

— Et là, vous êtes tous les quatre à bord du *Princesse*, le soir où vous vous êtes tous bourré la gueule et avez violé Anneke Jespersen.

Il fit non de la tête, mais Bosch vit que la photo avait fait mouche. Banks avait peur parce que même lui savait qu'il était le maillon faible. Dowler peut-être aussi, mais il n'était pas menotté à la chaise. Contrairement à Banks.

La peur et l'inquiétude bouillonnant en lui, il commit une erreur colossale.

— Le délai de prescription pour le viol est de sept ans et vous avez rien pour m'accuser. Et je n'ai absolument rien à voir avec l'autre merde.

La concession était d'importance. S'il se doutait bien qu'il y avait crime en bande organisée, Bosch n'avait aucune preuve pour étayer sa théorie. La partie qu'il jouait avec Banks n'avait qu'un seul but : le retourner contre les autres. Faire de lui la preuve à leur opposer.

Mais Banks n'avait pas l'air de comprendre ce qu'il venait de dire, ce qu'il venait de lâcher. Bosch partit de là.

— C'est ce que disait Henderson ? Que vous étiez tous tranquilles pour le viol ? C'est pour ça qu'il s'en est pris à Cosgrove et lui a demandé du fric pour son restaurant ?

Banks garda le silence. Il avait l'air abasourdi de voir tout ce que Bosch savait de l'affaire. Bosch s'avançait, et sans être trop sûr de la manière dont les choses s'agençaient entre les cinq hommes.

— Sauf que ça lui a pété au nez, on dirait.

Et de hocher la tête comme s'il confirmait ses propres déclarations. Il vit une espèce de compréhension se faire jour dans les yeux de Banks. C'était ce qu'il attendait.

— Ouais, c'est bien ça, reprit-il. Dowler, on le tient. Et lui, il n'a aucune envie de passer le restant de ses jours en taule. Bref, il coopère, lui.

Banks fit non de la tête.

— C'est impossible, s'écria-t-il. Je viens d'y causer. Au téléphone. Juste après que t'es parti du bar.

C'est ça, l'ennui quand on improvise. On ne sait jamais quand la belle histoire va se heurter à des faits irréfutables. Bosch essaya de se couvrir en hochant la tête et en souriant d'un air rusé.

— Mais bien sûr ! dit-il. Même qu'il était avec nous quand vous l'avez appelé. Et qu'il t'a dit très exactement ce qu'on lui a dit de te dire. Et après, il a recommencé à nous raconter des histoires sur toi, sur Cosgrove, sur Drummond… « Drummer », comme vous l'appeliez à l'époque.

Bosch vit que Banks commençait à le croire – il savait que quelqu'un avait dû parler de Drummer à Bosch, forcément. Bosch ne pouvait quand même pas tout inventer.

Bosch fit alors grand étalage de la façon dont il étudiait le dossier posé devant lui comme s'il se demandait s'il n'avait pas oublié quelque chose.

— Je sais pas, Reg, reprit-il. Quand tout ça passera devant un jury d'accusation et que vous serez tous accusés de meurtre, de viol, d'association de malfaiteurs et j'en passe, qui crois-tu que Cosgrove et Drummond se trouveront comme avocats ? Et toi, qui arriveras-tu à te trouver ? Et quand ils décideront de te suicider en disant que c'est toi, Dowler et Henderson qui avez organisé le crime, qui crois-tu donc que croiront les jurés ? Eux ou vous ?

Les bras toujours attachés au dos de sa chaise, Banks essaya de se pencher, mais n'arriva qu'à avancer de quelques centimètres. Il baissa la tête de peur et d'amère déception.

— Il y a prescription, répéta-t-il. Je peux plus être accusé pour le bateau, et c'est tout ce que j'ai fait.

Bosch hocha lentement la tête. Il était toujours émerveillé de voir jusqu'où le criminel peut aller pour se distancier de ses crimes et leur trouver des explications rationnelles.

— Tu n'arrives même pas à le dire, hein ? Tu parles de « bateau ». C'est d'un viol qu'il s'agit, Reggie ! Vous avez tous violé cette femme. Et en plus, la loi t'échappe un rien. Conspirer pour couvrir un crime en prolonge d'autant la durée. Tu peux toujours être accusé de ce viol, Banks, et tu le seras.

Bosch naviguait à vue pour lui vendre son histoire même s'il inventait au fur et à mesure.

Il le fallait : un seul résultat lui permettait de l'emporter. Il fallait retourner Banks, le faire parler et qu'il accepte, preuves à l'appui, de témoigner contre les autres. Menacer de le poursuivre en justice, de l'expédier en prison… finirait par tomber à plat. Bosch n'avait que des éléments de preuve très indirects pour les relier, lui et les autres, au meurtre d'Anneke Jespersen. Il n'avait ni témoins ni preuves matérielles. S'il avait bien l'arme du crime, il ne pouvait pas la mettre entre les mains de l'un plutôt que de l'autre de ses suspects. Il pouvait certes mettre la victime et les suspects dans les mêmes lieux dans le golfe Persique et, un an plus tard, à South L.A., mais cela ne prouvait pas le meurtre. Bosch savait que ça n'était pas suffisant et que même le plus frais émoulu des adjoints au district attorney de Los Angeles refuserait de poursuivre. Il n'avait qu'une cartouche : retourner un des membres du complot. Par une astuce, en lui mentant ou par n'importe quel autre moyen nécessaire, il devait briser Banks et le forcer à lui raconter toute l'affaire.

Celui-ci s'était mis à secouer la tête, mais seulement comme s'il essayait de chasser des pensées ou des images. Comme s'il se disait qu'à continuer de la secouer, la réalité de ce qu'il avait devant lui ne pourrait pas y entrer.

— Non, non, mec, tu peux pas… faut que vous m'aidiez, dit-il enfin. Je vous dirai tout, mais va falloir m'aider. Va falloir promettre.

— Je ne peux rien te promettre, Reggie. Mais je peux plaider ta cause au bureau du district attorney, et je sais une chose : les procureurs prennent toujours grand soin de leur témoin clé. Si c'est ça que tu veux, va falloir que tu causes et que tu me dises tout. Absolument tout. Et on ne me raconte pas de craques. Un seul mensonge et tout est fini : tu termines ta vie en taule.

Il le laissa mijoter dans ce jus un bon moment avant de reprendre. C'était là qu'il allait pouvoir bâtir son dossier contre les autres ou alors, la chance le lâchant, jamais il n'y arriverait.

— Alors, on est prêt à me causer ? demanda-t-il.

Banks hocha la tête d'un air hésitant, puis se décida.

— Oui, dit-il. Je vais causer.

# 31

Bosch entra le mot de passe dans son téléphone portable, enclencha l'application « enregistrement » et lança l'interrogatoire. Il s'identifia, indiqua l'affaire à laquelle se rapportait l'interrogatoire, puis il identifia Reginald Banks, âge et adresse compris. Après quoi, il lui lut ses droits sur une carte de visite qu'il gardait dans son porte-badge, Banks déclarant alors qu'il les comprenait, qu'il était d'accord pour coopérer et ceci on ne peut plus clairement, qu'il n'entendait pas conférer avec un avocat avant de parler.

Puis, en une heure et demie, il raconta l'histoire qui, vieille de vingt ans, avait commencé à bord du *Princesse saoudienne*. Jamais il ne parla de viol, mais reconnut que quatre d'entre eux – à savoir lui-même, Dowler, Henderson et Cosgrove – avaient eu des rapports sexuels avec Anneke Jespersen dans une cabine grand luxe du navire alors qu'elle était sous l'emprise de l'alcool et d'une drogue que Cosgrove avait versée dans son verre. Il précisa que Cosgrove appelait cette drogue *romp and stomp*[1], mais que lui, Banks, ne voyait pas pourquoi. Il précisa que c'était quelque chose qu'on donne aux bêtes avant qu'elles soient « transportées ».

Bosch devina qu'il parlait du Rompun, un sédatif pour animaux. Il l'avait découvert dans d'autres affaires.

Banks poursuivit en affirmant que Jespersen avait été tout spécialement prise pour cible par Cosgrove, qui avait déclaré aux autres que c'était probablement une vraie blonde et qu'il n'avait encore jamais couché avec une femme comme ça.

Lorsque Bosch lui demanda si J.J. Drummond se trouvait dans la cabine pendant l'agression, Banks répondit fermement que non. Il précisa plus tard que Drummond savait ce qui s'y était passé, mais qu'il n'y avait pas pris part. Il ajouta aussi que ces cinq hommes n'étaient pas les seuls soldats de la 237e compagnie en permission à bord du navire, mais qu'ils étaient les seuls à avoir commis cet acte.

Il pleura en racontant les faits et répéta plus d'une fois à quel point il regrettait d'avoir participé à ce qui s'était passé dans la cabine.

— C'était la guerre, mec, dit-il. Ça laisse des traces, ça.

Bosch avait déjà entendu l'excuse – l'idée que la pression des situations de vie et de mort et que la peur de la guerre devraient exonérer tout individu de crimes et d'actes méprisables qu'il ne commettrait pas, ni même seulement n'envisagerait de commettre au pays. Certains y avaient recours pour tout excuser, du

1. « S'ébattre et taper du pied ».

massacre de villages entiers à la tournante à laquelle on soumet une femme sans défense. Bosch ne marchait pas dans la combine et se disait qu'Anneke Jespersen avait vu juste. Il s'agissait bien là de crimes de guerre et rien ne les excusait. Pour lui, la guerre faisait ressortir, bonne ou mauvaise, la véritable personnalité de l'individu. Il n'avait aucune sympathie ni pour Banks ni pour les autres.

— Est-ce pour ça que Cosgrove avait apporté cette drogue avec lui des États-Unis ? Au cas où la guerre lui aurait laissé des traces ? Avec combien d'autres femmes s'en est-il servi là-bas ? Et avant, hein ? Au lycée ? Je parie que vous êtes tous allés à l'école ensemble. Quelque chose me dit que ce n'est pas à bord de ce bateau que vous vous êtes servis de cette drogue pour la première fois.

— Non, mec, c'était pas moi. Je me suis jamais servi de ce machin-là. Je ne savais même pas qu'il s'en servait à ce moment-là. Je croyais juste qu'elle était, enfin… saoule, quoi. C'est Drummond qui me l'a dit après.

— Qu'est-ce que vous me racontez ? Vous m'avez dit que Drummond n'était pas là.

— Il n'y était pas, non. C'est de plus tard que je parle. Après notre retour ici. Il savait ce qui s'était passé dans cette cabine. Il savait tout.

Bosch avait besoin d'en savoir plus pour juger du rôle qu'avait joué Drummond dans ce crime perpétré contre Anneke Jespersen. Pour empêcher Banks de lui débiter très confortablement son histoire, il le ramena brutalement aux émeutes de L.A.

— Bien et maintenant, dit-il, parlez-moi de ce qui s'est passé boulevard Crenshaw en 1992.

Banks hocha la tête.

— Quoi ? dit-il. Je peux pas.

— Comment ça « vous ne pouvez pas » ? Vous y étiez.

— J'y étais, mais je n'étais pas là, si vous voyez ce que je veux dire.

— Non, je ne vois pas. Dites-moi.

— Bon alors, bien sûr que j'y étais. On nous avait tous appelés. Mais quand cette fille a été abattue, je me trouvais pas du tout près de la ruelle. Henderson et moi, on nous avait demandé de vérifier les identités au barrage à l'autre bout du déploiement.

— Vous êtes donc en train de me dire, et attention, c'est enregistré, que vous n'avez jamais vu « la fille », soit Anneke Jespersen, vivante ou morte quand vous étiez à Los Angeles ?

Le caractère formel de la question fit réfléchir Banks. Il savait que Bosch était en train de cadenasser son histoire et l'avait explicitement averti que s'il disait la vérité, tout espoir n'était pas perdu pour lui. Mais il lui avait aussi précisé que s'il mentait même seulement une fois, tout tomberait à l'eau, tous les efforts de Bosch pour améliorer sa situation cessant aussitôt.

En bon témoin qui coopère, Banks n'était plus menotté. Il leva les mains et se les passa dans les cheveux. Deux heures plus tôt, il était assis sur un tabouret de bar au poste de la VFW. Maintenant il se battait figurativement parlant pour sa vie, une vie qui, d'une façon ou d'une autre, serait sûrement différente après cette soirée.

— OK, non, attendez, lança-t-il, c'est pas ce que je dis. Je l'ai vue. Oui, je l'ai vue, mais je sais rien de ce qui s'est passé quand elle s'est fait descendre dans la ruelle. J'en étais loin. J'ai découvert que c'était elle quand on y est retournés disons… quinze jours plus tard, et c'est la vérité.

— Très bien. Et donc, racontez-moi comment vous l'avez vue.

Banks expliqua alors que, peu de temps après que la 237e était arrivée à Los Angeles pour contrôler les émeutes, Henderson avait informé les autres qu'il avait vu « la blonde » du bateau avec les autres journalistes devant le Coliseum, où les unités de la garde nationale de Californie se réunissaient après être descendues de la Central Valley en un long convoi de camions.

Les autres avaient commencé par ne pas le croire, mais Cosgrove avait envoyé Drummond jeter un coup d'œil aux journalistes parce qu'il ne s'était pas trouvé dans la cabine du *Princesse saoudienne* et ne risquait donc pas d'être reconnu.

— D'accord, mais comment l'aurait-il reconnue ? lui demanda Bosch.

— Il l'avait vue à bord du bateau. Il savait donc à quoi elle ressemblait. C'est simplement qu'il était pas monté à la cabine avec nous. Il avait dit que quatre, ça faisait beaucoup.

Bosch enregistra, pressa Banks de continuer et Banks lui raconta que, revenu du rassemblement de journalistes, Drummond leur avait confirmé que la femme était bien là.

— Je me rappelle qu'on a dit : « Qu'est-ce qu'elle veut ? » et « Comment diable a-t-elle fait pour nous retrouver ? ». Mais Cosgrove était pas inquiet. Il disait qu'elle pouvait rien prouver. Que tout ça, c'était avant l'ADN, le CSI et tout le bazar, si vous voyez c'que j'veux dire.

— Oui, je vois. Bon mais et vous, quand est-ce que vous l'avez vue ?

Banks lui répondit que c'était quand l'unité avait reçu l'ordre de gagner Crenshaw Boulevard. Anneke avait suivi les camions et pris des photos des types qui se déployaient le long du boulevard.

— C'était comme un fantôme qui nous suivait et nous prenait en photo. Ça me foutait la chair de poule. Et à Henderson aussi. On se disait qu'elle allait genre… écrire un article sur nous.

— Vous a-t-elle parlé ?

— Non, pas à moi. Jamais.

— Et à Henderson ?

— Pas que je sache et il est resté avec moi les trois quarts du temps.

— Qui a tué Anneke Jespersen, Reggie ? Qui l'a emmenée dans la ruelle et l'y a abattue ?

— J'aimerais bien le savoir, mec, parce que je vous le dirais. Mais j'étais pas à c't'endroit-là.

— Et vous n'en avez jamais parlé entre vous après ?

— Ouais, bon, si, on en a parlé, mais sans jamais dire qui avait fait quoi. Drummer a pris le commandement des opérations et a dit qu'on devait faire un pacte et jurer de ne plus jamais en parler. Il a dit que Carl était riche et qu'il prendrait soin de tout le monde aussi longtemps qu'on la fermerait là-dessus. Mais que si on causait, il s'assurerait que tout le monde tombe avec lui.

— Comment ?

— Il a dit qu'il avait les preuves. Il a dit que ce qui s'était passé à bord du bateau constituait un mobile et qu'on serait tous accusés. Constitution de bande organisée en vue de commettre un crime.

Bosch acquiesça d'un hochement de tête. Tout cela cadrait avec sa propre théorie.

— Bon alors, qui l'a tuée, cette femme ? Carl ? C'est ce que vous en avez compris ?

Banks haussa les épaules.

— Ben, oui, c'est ce que moi, j'ai toujours cru. Il l'a poussée dans la ruelle ou l'y a attirée et les autres ont fait le guet pour lui. Ils y étaient tous, là-bas. Carl, Frank et Drummer. Mais moi et Henderson, on y était pas, mec, je te le dis.

— Et après, ce même soir, Frank Dowler entre dans la ruelle pour aller pisser un coup et comme ça, *pouf*, il « découvre » le corps.

Banks se contenta de hocher la tête.

— Mais pourquoi ? Pourquoi se donner cette peine ? Pourquoi n'ont-ils pas laissé le corps là où il était, tout bêtement ? Il n'aurait probablement pas été trouvé avant au moins plusieurs jours.

— Je sais pas. Ils ont dû se dire que s'ils le trouvaient pendant les émeutes, l'enquête serait foutue. Vous savez bien, genre… bâclée. Drummer était assistant du shérif ici et les trucs de flics, il connaissait. On entendait dire que plus personne ne faisait quoi que soit pour rien. C'était dingue là-bas.

Bosch le dévisagea longuement.

— Oui, eh bien, ils n'avaient pas tort, dit-il.

Il essaya de voir ce qu'il avait encore besoin de lui demander. Parfois, lorsqu'un témoin se lâche, il y a tellement d'aspects de l'affaire ou du crime à couvrir qu'il est difficile de ne pas en oublier. Il se rappela que c'était l'arme qui l'avait conduit à cet instant avec Banks. Toujours suivre l'arme, se répéta-t-il.

— De quelle arme s'est-on servi pour la tuer ? demanda-t-il.

— Je ne sais pas. Pas de la mienne. La mienne est chez moi, dans un coffre-fort.

— Vous aviez tous des Beretta rapportés d'Irak ?

Banks acquiesça et lui raconta comment leur unité avait apporté des camions entiers d'armes saisies aux Irakiens jusqu'à un trou creusé dans le désert saoudien de façon à pouvoir les faire sauter et les y enterrer. Presque tous les membres de l'unité chargés de l'opération en avaient piqué dans les camions, y compris les cinq hommes qui devaient plus tard se trouver à bord du *Princesse saoudienne* en même temps qu'Anneke Jespersen.

Les armes avaient ensuite été expédiées aux États-Unis, toutes cachées par Banks – l'officier d'inventaire – au fond des cartons d'équipement de la compagnie.

— C'était le coup du renard qui garde le poulailler, déclara Banks. On était une compagnie de transport et j'étais un des types chargés de tout démonter avant de mettre les trucs dans les cartons. Y coller ces armes n'avait rien de difficile.

— Et après, vous vous les êtes distribuées une fois ici.

— Voilà. Et tout ce que je sais, c'est que la mienne, je l'ai mise dans mon coffre-fort chez moi, ce qui prouve que c'est pas moi qui l'ai tuée.

— Vous les aviez tous sur vous à Los Angeles ?

— Je ne sais pas. Pas moi, en tout cas. Il aurait fallu la dissimuler tout le temps.

— Mais vous alliez dans une ville que la télé montrait complètement déchaînée. Vous n'aviez pas envie d'avoir un petit quelque chose en plus juste au cas où ?

— Je ne sais pas. Pas moi, en tout cas.

— Qui alors ?

— Je ne sais pas, mec. On n'était plus aussi copains que ça, vous savez. Après Tempête du désert, on est revenus et on a tous fait nos trucs chacun de notre côté. Et après, quand on a été rappelés pour aller à L.A., on s'est retrouvés. Mais personne n'a demandé qui avait apporté une arme en plus.

— Bon d'accord. Juste encore un truc : qui a ôté les numéros de série ?

Banks eut l'air perdu.

— Que voulez-vous dire ? Personne, pour autant que je sache.

— Vous en êtes sûr ? Le numéro de série du Beretta qui a tué Anneke Jespersen dans cette ruelle a été effacé. Et ce ne serait pas l'un d'entre vous qui l'aurait fait ? Vous n'avez jamais limé ces numéros ?

— Non, pourquoi on l'aurait fait ? Enfin je veux dire… moi, je ne l'ai pas fait. Ces armes, c'étaient comme des trucs qui nous rappelaient qu'on avait été là-bas. Comme des souvenirs.

Bosch allait devoir réfléchir à ce que Banks venait de lui répondre. Charles Washburn avait insisté, et plusieurs fois répété, que le numéro de série du Beretta qu'il avait trouvé dans son jardin avait déjà disparu. Ce qui cadrait bien avec le fait que le tireur l'avait jeté par-dessus la palissade après avoir commis son meurtre en se disant qu'on ne pourrait jamais remonter jusqu'à lui. Mais si c'était Banks qu'il fallait croire, ce n'étaient pas les cinq du *Princesse saoudienne* qui avaient effacé les numéros de série de leurs armes en revenant de la guerre du Golfe. Cela étant, l'un d'entre eux au moins l'avait fait. Et cela avait quelque chose de sinistre. Un des cinq au moins savait donc que son arme allait être plus qu'un souvenir. Que quelqu'un allait finir par s'en servir un jour ou l'autre.

Bosch pensa à ce qui venait ensuite. Il était en effet important qu'il ait de quoi décrire précisément tous les moments de l'histoire, y compris les relations actuelles, et changeantes, entre les cinq du navire.

— Parlez-moi d'Henderson, reprit-il. Que croyez-vous qu'il lui soit arrivé ?

— Quelqu'un l'a tué, voilà ce qui lui est arrivé.

— Qui ?

— J'en sais rien, mec. Tout ce que je sais, c'est qu'il m'a dit qu'on était tous à l'abri pour le truc du bateau parce qu'il s'était écoulé assez de temps depuis que ça s'était passé et que, comme on n'avait rien à voir avec ce qui s'était produit à L.A., pour ça aussi on était complètement tranquilles.

Il ajouta encore qu'il n'avait plus jamais eu la moindre conversation avec Henderson après ça. Un mois plus tard, celui-ci était assassiné lors du braquage du restaurant dont il était le gérant.

— Le restaurant dont Cosgrove était propriétaire, précisa Bosch.

— C'est ça.

— Dans un journal de l'époque, il a été dit qu'Henderson mettait le sien en route. Des choses que vous sauriez là-dessus ?

— Oui, moi aussi, je l'ai lu, mais j'en savais rien.

— Pensez-vous que ce braquage soit une coïncidence ?

— Non, j'ai toujours pensé que c'était un message. À mon avis, Chris se croyait à l'abri, mais pensait avoir de quoi tenir Carl. Il est allé le voir, lui a dit de le mettre en selle, sinon… et après, y a eu le braquage et il s'est fait buter. Vous savez qu'on n'a jamais attrapé personne pour ce truc et que ça n'arrivera jamais.

— Et donc, qui l'a buté ?

— Comme si je le savais, bordel ! Du fric, Carl en a des tonnes. S'il a besoin que quelque chose soit fait, c'est fait, vous voyez c'que j'veux dire ?

Bosch acquiesça d'un signe de tête. Il comprenait. Il prit le dossier et y chercha quelque chose qui pourrait lui donner une idée de question. Il tomba sur une série de photos d'appareils semblables à ceux qu'Anneke Jespersen avait avec elle. Le Détachement spécial les avait fait circuler chez les prêteurs sur gages des environs après les émeutes, sans résultat.

— Et ses appareils photo ? demanda-t-il. Ils ont été volés. Avez-vous vu quelqu'un avec l'un d'entre eux ?

Banks fit non de la tête. Bosch le pressa.

— Et les pellicules ? Cosgrove a-t-il jamais dit en avoir sorti une de son appareil ?

— Pas à moi, en tout cas. Je ne sais absolument rien de ce qui s'est passé dans cette ruelle, mec. Combien de fois faudra-t-il que je vous le dise ? Je n'y é-tais-pas !

Bosch se rappela soudain une série de questions clés qu'il n'avait pas encore abordées et s'engueula en silence de les avoir presque oubliées. Il était clair qu'il n'aurait plus jamais d'entretien avec Banks. Dès que l'affaire irait plus loin, celui-ci prendrait un avocat. Et même s'il continuait de coopérer en suivant les conseils de son avocat, il était peu probable que Bosch ait la chance d'avoir un autre tête-à-tête avec lui sans avocat dans la pièce et lui, Bosch, pour en poser les règles. Il fallait absolument qu'il lui soutire, et tout de suite, tout ce qu'il lui était possible d'en tirer.

— Et pour la chambre d'hôtel de la fille ? demanda-t-il. Quelqu'un y est passé après sa mort et ce quelqu'un avait la clé. Il l'avait prise dans sa poche après l'avoir assassinée.

Il n'avait même pas fini de poser sa question que Banks hochait la tête. Bosch y vit un signe révélateur.

— Je sais rien de tout ça.

— Vous êtes sûr ? Vous me cachez le moindre truc et c'est exactement comme si vous me mentiez. Je m'en aperçois, notre marché est cuit et je me sers de tout ce que vous venez de me dire pour vous enfoncer. Vous comprenez ?

Banks finit par lâcher.

— Écoutez, dit-il, je sais pas grand-chose. Mais quand on était là-bas, j'ai entendu dire que Drummer s'était fait mal et qu'il avait dû aller à l'hôpital. Il avait genre une commotion cérébrale et ils l'ont gardé toute une nuit. Mais il m'a dit plus tard que c'était jamais arrivé. Que lui et Carl avaient inventé ça pour qu'il ne soit plus avec son unité et qu'il puisse aller à son hôtel et ouvrir avec la clé, histoire de voir si elle avait pas des trucs qu'auraient pu être, enfin vous savez… compromettants pour le bateau.

Bosch connaissait déjà la version publique. Drummond, le héros de guerre, était le seul soldat de la 237e à avoir été blessé en accomplissant son devoir lors des émeutes. Parfaitement bidon, la manœuvre faisait partie d'un plan destiné à couvrir une tournante, puis un meurtre. Et maintenant, avec le soutien financier d'un des hommes qu'il avait couverts, Drummond en était à son deuxième mandat de shérif et envisageait de se présenter au Congrès.

— Qu'avez-vous entendu dire d'autre ? reprit Bosch. Qu'est-ce qu'il a trouvé dans la chambre ?

— Tout ce que j'ai entendu dire, c'est qu'il avait trouvé ses notes. C'était comme, disons… le journal de ses efforts pour nous débusquer et essayer de comprendre qui on était. Il s'avère qu'elle écrivait un livre là-dessus.

— Et ce livre, il l'a toujours avec lui ?

— Aucune idée. Moi, je l'ai jamais vu.

Bosch finit par se dire que Drummond devait toujours l'avoir. C'était ça et ce qu'il savait de ce qui s'était passé qui lui permettaient de contrôler les quatre autres comploteurs. Surtout Carl Cosgrove, qui était riche et puissant et pouvait l'aider à réaliser ses ambitions.

Il jeta un coup d'œil à son portable. Il arrivait à quatre-vingt-onze minutes d'enregistrement. Bosch n'avait plus qu'une zone d'ombre à éclaircir avec Banks.

— Parlez-moi d'Alex White, dit-il.

Banks hocha la tête, l'air perdu.

— Qui c'est ?

— Un de vos clients. Il y a dix ans, vous lui avez vendu une tondeuse à gazon au magasin.

— D'accord, mais… Qu'est-ce que ç'a à…

— Le jour où il est venu la chercher, vous avez appelé le LAPD et vous vous êtes servi de son nom pour savoir où en était l'enquête.

Bosch le vit enfin retrouver le souvenir.

— Ah oui, dit-il, c'est juste. Oui, c'était bien moi.

— Alors pourquoi ? Pourquoi avez-vous appelé ?

— Parce que je me demandais où on en était de l'affaire. J'avais lu un journal qu'un client avec laissé dans la salle d'attente et y avait un article sur le fait que dix ans s'étaient écoulés depuis les émeutes. Alors j'ai appelé et demandé et on m'a baladé un peu jusqu'à ce qu'un type veuille bien me parler. Sauf qu'il m'a dit que je devais lui donner mon nom parce que sans ça, il pouvait rien me dire. Alors, je sais pas, j'ai vu ce nom-là sur une feuille de papier ou autre et je lui ai répondu que je m'appelais Alex White. Non, parce qu'il avait pas mon numéro de téléphone ni rien et je me suis dit qu'il pourrait pas aller bien loin.

Bosch hocha la tête en comprenant que si Banks n'avait pas passé cet appel, il n'aurait peut-être jamais réussi à faire le lien avec Modesto et que la piste serait toujours aussi froide.

— De fait, dit-il, votre numéro a été enregistré. C'est même la raison pour laquelle je suis ici.

Banks hocha la tête d'un air lugubre.

— Mais il y a quelque chose que je ne comprends pas, reprit Bosch. Pourquoi avez-vous appelé ? Vous étiez tous à l'abri. Pourquoi avoir pris le risque de faire naître des soupçons ?

Banks haussa les épaules et secoua la tête.

— Je ne sais pas. J'ai fait ça sur une espèce de coup de tête. L'article m'avait fait penser à la fille et à ce qui s'était passé. Et je me demandais si, enfin… si les flics cherchaient toujours quelqu'un.

Bosch consulta sa montre. Vingt-deux heures. Il était tard, mais il ne voulait pas attendre jusqu'au matin pour ramener Banks à Los Angeles. Il ne voulait pas perdre son élan.

Il mit fin à l'enregistrement et le sauvegarda. Puis, étant de ceux qui ne font pas confiance à la technologie moderne, il fit quelque chose de rare : il se servit de l'e-mail de son portable pour envoyer le fichier audio à son coéquipier, juste au cas où. Juste au cas où son portable tomberait en panne, juste au cas où le fichier serait corrompu, ou si jamais il laissait tomber son téléphone dans la cuvette des toilettes. Il ne voulait qu'une chose : que l'histoire de Banks soit sauvegardée.

Il attendit le chuintement lui indiquant que son mail avait bien été expédié, puis il se leva.

— Bien, dit-il, ce sera tout pour l'instant.

— Vous allez me ramener à ma voiture ?

— Non, Banks, tu viens avec moi.

— Où ça ?

— À Los Angeles.

— Maintenant ?

— Oui, maintenant. Allez, debout.

Mais Banks ne bougea pas.

— Mais je veux pas aller à L.A., moi ! Je veux rentrer chez moi ! J'ai des enfants !

— Ouais, bon. Quand as-tu vu tes enfants pour la dernière fois ?

Banks marqua un temps d'arrêt. Il n'avait pas de réponse.

— C'est bien ce que je pensais, dit Bosch. Allons-y. Debout.

— Mais pourquoi maintenant ? Laissez-moi rentrer chez moi.

— Écoute, Banks, tu vas descendre à L.A. avec moi. Demain matin, je te présente à un adjoint au district attorney qui prendra ta déposition et, c'est probable, te collera devant un jury d'accusation. Après seulement, il décidera du jour où tu pourras rentrer chez toi.

Banks ne bougeait toujours pas. Son passé le clouait sur place. Qu'il échappe ou n'échappe pas à des poursuites au pénal, il savait que l'existence qu'il avait menée jusqu'alors était définitivement révolue. De Modesto à Manteca, tout le monde saurait à quoi il avait joué – autrefois et maintenant.

Bosch rassembla les photos et les documents pour les remettre dans le dossier.

— Voici ce que je te propose, enchaîna-t-il. On descend à L.A. en voiture et tu peux t'asseoir devant à côté de moi, ou alors je t'arrête, je te menotte et je te rassois sur la banquette arrière. Voûté comme tu le seras tout au long du trajet, y a des chances que tu puisses plus jamais te remettre droit. Alors, qu'est-ce que tu veux ?

— OK, OK, je viens. Mais faut que j'aille pisser un coup avant. Vous avez vu tout ce que j'ai descendu au bar et j'ai pas pissé avant de partir.

Bosch fronça les sourcils. La requête n'avait rien de déraisonnable. De fait, lui aussi se demandait comment aller aux toilettes sans laisser à Banks la possibilité de changer d'avis et de partir en courant.

— Bon d'accord, dit-il. On y va.

Il entra le premier dans la salle de bains et vérifia la fenêtre au-dessus de la cuvette des W.-C. C'était une vieille fenêtre à claires-voies et ouverture à manivelle. Qu'il n'eut aucun mal à arracher. Il la tint en l'air afin que Banks comprenne bien qu'il n'irait nulle part.

— Faites vos petites affaires, dit-il.

Il sortit de la salle de bains, mais laissa la porte ouverte pour entendre tout ce que Banks pourrait essayer de faire s'il ouvrait ou cassait la fenêtre. Puis, pendant que celui-ci urinait, il chercha des yeux un endroit où le menotter de façon à pouvoir pisser à son tour avant les cinq heures de route du retour. Il arrêta son choix sur les barreaux servant de motif à la tête de lit.

Il fit ensuite ses bagages en vitesse, ce qui se résuma à jeter ses habits n'importe comment dans sa valise. Lorsque Banks tira la chasse et sortit de la salle de bains,

Bosch l'accompagna jusqu'au lit, l'y fit asseoir et le menotta à la tête de lit.

— Pourquoi, bordel ? protesta Banks.

— C'est juste pour m'assurer que tu ne changes pas d'avis pendant que je pisse un coup.

Debout devant la cuvette, Bosch finissait son affaire lorsqu'il entendit la porte de devant s'ouvrir dans un grand fracas. Il remonta vite sa fermeture Éclair et entra dans la chambre en courant. Il était déjà prêt à courir après Banks lorsqu'il vit que celui-ci était toujours menotté à la tête de lit.

Il se tourna vers la porte et un homme s'y tenait, une arme à la main. Même sans l'uniforme ou la moustache à la Hitler qu'on avait dessinée sur son affiche de campagne, il reconnut sans mal le shérif du comté de Stanislaus, J.J. Drummond. Il était grand, fort et beau avec sa mâchoire anguleuse. Le rêve pour un directeur de campagne.

Drummond entra seul dans la chambre en veillant à garder son arme braquée sur la poitrine de Bosch.

— Inspecteur Bosch, lança-t-il, vous ne seriez pas un peu en dehors de votre juridiction, des fois ?

# 32

Drummond ordonna à Bosch de mettre les mains en l'air, s'approcha de lui, lui prit son arme dans son holster, la glissa dans la poche de sa veste de chasse verte et, du bout de son flingue, lui fit signe de rejoindre Banks.

— Détachez-le, dit-il.

Bosch sortit les clés de sa poche et détacha Banks de la tête de lit.

— Ôtez-lui ses menottes et passez-vous-en une autour du poignet gauche.

Bosch fit ce qu'on lui ordonnait et remit ses clés dans sa poche.

— Et maintenant à toi, Reggie. Menotte-le. Dans le dos.

Bosch mit les mains dans son dos et laissa Banks le menotter. Drummond s'approcha de lui, juste assez pour pouvoir le toucher du bout de son arme s'il en avait envie.

— Où est votre portable, inspecteur ?

— Poche avant droit.

Drummond lui prit son portable et le regarda droit dans les yeux à moins de cinquante centimètres de distance.

— Z'auriez dû laisser tout ça tranquille, inspecteur, dit-il.

— Peut-être bien.

Drummond fouilla dans l'autre poche de Bosch et en sortit les clés. Puis il lui tapota les autres pour être sûr qu'il n'y avait plus rien dedans, gagna le lit, s'empara de la veste de Bosch et la palpa jusqu'à ce qu'il trouve son porte-badge et ses clés de voiture de location. Il mit tout ce qu'il avait confisqué dans l'autre poche de sa veste, passa la main dans son dos et la ressortit. Il y tenait une deuxième arme qu'il tendit à Banks.

— Surveille-le, Reggie, dit-il.

Il rejoignit la table et ouvrit le dossier de l'affaire du bout du doigt. Se pencha pour regarder les photos des modèles d'appareils photo qu'Anneke Jespersen avait avec elle.

— Alors, messieurs, dit-il, que faisons-nous ici ?

Banks y alla aussitôt d'une réponse comme s'il fallait absolument qu'on sache qu'il répondait avant Bosch.

— Il essayait de me faire parler, Drummer. De me faire dire des trucs sur L.A. et le bateau. Il est au courant pour le bateau. Il m'a kidnappé, bordel ! Mais j'y ai dit que dalle !

Drummond hocha la tête.

— C'est bien, ça, Reggie. Vraiment bien.

Puis il parcourut le dossier, en tourna des pages, toujours du bout d'un doigt. Bosch savait qu'il ne le lisait pas vraiment. En fait, il essayait d'évaluer dans quoi il venait de mettre les pieds et ce qu'il fallait faire. Pour finir, il referma le dossier et le glissa sous son bras.

— Et si on allait faire un petit tour ? dit-il.

Bosch parla enfin et se fendit d'un pitch qui ne mènerait à rien, il le savait.

— Vous savez que vous n'êtes pas obligé de faire ça, shérif, dit-il. Je n'ai que mes intuitions et même si vous y ajoutiez trois sous, ça vous ne paierait même pas un café au Starbucks du coin.

Drummond eut un sourire sans humour.

— Je ne sais pas, dit-il. Pour moi, un type comme vous travaille un peu plus que sur des intuitions.

Bosch lui renvoya son sourire sans humour.

— Vous seriez surpris, dit-il.

Drummond pivota et regarda tout autour de la chambre pour s'assurer qu'il n'avait rien oublié.

— OK, Reg, lança-t-il, prends la veste de l'inspecteur. Ce petit tour, on va aller le faire tout de suite. Et on va prendre sa voiture.

Le parking était désert lorsqu'ils escortèrent Bosch jusqu'à sa Crown Vic. Il fut mis à l'arrière, puis Drummond donna les clés à Banks, lui dit de prendre le volant et passa à l'arrière, derrière Banks, juste à côté de Bosch.

— Où on va ? demanda Banks.

— Hammett Road.

Banks sortit du parking et se dirigea vers la bretelle d'accès de la 99. Bosch regarda Drummond qui tenait toujours son arme à la main.

— Comment avez-vous su ? demanda-t-il.

Dans la pénombre il vit le sourire satisfait de Drummond.

— Vous voulez dire… comment est-ce que j'ai su que vous renifliez un peu partout dans le coin ? Eh bien, mais vous avez commis quelques erreurs, inspecteur. Et d'un, hier soir vous avez laissé des traces de pas sur l'hélisurface de Carl Cosgrove. Il les a vues ce matin et m'a appelé. Il m'a dit qu'il y avait un rôdeur et j'ai envoyé deux ou trois de mes gars voir ça de plus près.

« Et après, voilà que ce soir même, j'ai un appel de Frank Dowler qui m'annonce que notre Reggie ici présent est en train de boire un coup au bar du VFW avec un type qui cherche à lui acheter une arme de la garde républicaine d'Irak et moi, tout ça mis ensemble, ça commence à me faire réfléchir…

— Drummer, ce mec était en train de m'arnaquer ! s'écria Banks du siège avant, ses yeux cherchant ceux de Drummond dans le rétroviseur. Je savais pas, mec. J'ai cru qu'il était réglo et j'ai appelé Frank pour voir s'il voulait toujours vendre son flingue. La dernière fois que j'y ai parlé, il avait besoin de fric.

— C'est ce que je me suis dit, moi aussi, Reggie. Sauf que Frank, il sait deux ou trois trucs que toi, tu sais pas… en plus du fait qu'il était un peu nerveux parce que sa femme lui avait dit qu'un inconnu avait demandé après lui la veille.

Il jeta un coup d'œil à Bosch et hocha la tête comme pour lui faire savoir qu'il savait parfaitement que l'inconnu, c'était lui.

— Frank a réfléchi et a eu la sagesse de m'appeler, reprit-il. Et là, moi, je donne quelques coups de fil et en un rien de temps, j'apprends qu'il y a un type que je connais depuis une certaine nuit, il y a une éternité de ça, qui vient de prendre une chambre au Blu-Lite. Ça aussi, c'était une erreur, inspecteur Bosch. Prendre une chambre à son nom !

Bosch ne répondit pas. Il regarda les ténèbres de l'autre côté de la vitre et tenta de se remonter le moral en se disant qu'il avait envoyé le dossier audio de l'interrogatoire à son coéquipier. Chu le trouverait en regardant ses mails le lendemain matin.

Il savait qu'il pouvait peut-être se servir de ça pour essayer de monnayer sa liberté, mais sentit que c'était trop risqué. Il n'avait aucune idée du genre de relations que Drummond pouvait avoir à L.A. Et il ne pouvait mettre en danger ni l'enregistrement ni son collègue. Il allait devoir se contenter de savoir que quoi qu'il lui arrive cette nuit-là, toute l'histoire parviendrait à Chu et qu'Anneke Jespersen serait vengée. Que justice serait faite. Ça au moins, il pouvait y compter.

Ils roulaient vers le sud et franchirent bientôt la limite du comté de Stanislaus. Banks demandant quand il pourrait récupérer sa voiture, Drummond lui dit de ne pas s'inquiéter, qu'ils la reprendraient plus tard. Banks mit son clignotant en approchant de la sortie Hammett Road.

— On va voir le patron, c'est ça ? lança Bosch.

— On va dire ça, oui, lui renvoya Drummond.

Ils quittèrent l'autoroute et traversèrent la plantation d'amandiers pour gagner l'entrée majestueuse du Domaine Cosgrove. Drummond ordonna à Banks d'avancer encore un peu de façon à pouvoir appuyer sur l'Interphone depuis la banquette arrière.

— Oui ?

— C'est moi.

— Tout va bien ?

— Tout va bien. Ouvre.

Le portail s'ouvrit automatiquement et Banks avança. Ils suivirent la route à travers l'amandaie jusqu'au château, faisant en deux minutes ce que Bosch avait mis deux heures à parcourir la nuit précédente. Bosch s'appuya à la vitre et leva la tête. Il eut l'impression qu'il faisait plus noir que la veille. La couverture nuageuse masquait la voûte des étoiles.

Ils sortirent de l'amandaie, Bosch constatant alors que les lumières à l'extérieur du manoir étaient éteintes. Peut-être n'y avait-il pas assez de vent pour faire tourner l'éolienne derrière le bâtiment. Ou alors était-ce que Cosgrove voulait un black-out complet pour ce qui allait se passer. Les phares de la voiture balayèrent l'hélicoptère noir garé sur son hélisurface, prêt à décoller.

Un homme attendait sur le terre-plein circulaire devant le château. Banks arrêta la voiture, l'homme monta devant. À la lumière du plafonnier, Bosch vit que c'était Carl Cosgrove. Grand, torse bombé, grosse crinière de cheveux gris ondulés. Il le reconnut à ses photos. Drummond ne lui adressa pas la parole, mais Banks parut tout excité de revoir son vieux pote de la garde nationale.

— Carl ! s'écria-t-il. Ça fait une paye…

Cosgrove lui jeta un bref coup d'œil, manifestement pas du tout aussi joyeux que lui de le revoir.

— Reggie, dit-il.

Et ce fut tout. Drummond ordonna à Banks de faire le tour et d'emprunter une voie de service qui passait derrière le château, puis devant un garage indépendant pour revenir dans la colline à l'arrière de la propriété.

Bientôt ils arrivèrent devant une vieille grange à charpente en A entourée d'enclos à bétail qui n'avaient pas l'air de servir et semblaient à l'abandon.

— Bon, qu'est-ce qu'on fait ? demanda Banks.

— « On » ? répéta Drummond. « On » s'occupe de l'inspecteur Bosch parce que l'inspecteur Bosch n'a pas pu laisser les fantômes du passé tranquilles. Arrête-toi devant la grange.

Banks s'arrêta, ses phares inondant l'énorme double porte de lumière. Un panneau *Défense d'entrer* était cloué au battant gauche. Une grosse barre coulissante fermait l'ensemble, une lourde chaîne étant en plus passée entre les deux poignées et maintenue en place par un cadenas.

— Y avait des gamins qui venaient ici et laissaient leurs canettes de bière et toutes leurs merdes un peu partout, déclara Cosgrove comme s'il lui fallait expliquer pourquoi la grange était fermée au cadenas.

— Ouvre, dit Drummond.

Cosgrove descendit de voiture et se dirigea vers la bâtisse, une clé déjà à la main.

— T'es sûr, Drummer ? demanda Banks.

— M'appelle pas comme ça, Reggie. On m'appelle plus comme ça depuis longtemps.

— Je m'excuse. Je le ferai plus. Mais… t'es sûr qu'on doive faire ça ?

— Ça y est, tu recommences avec tes « on ». Comme si ç'avait jamais été « on », Reg ! Ça serait pas plutôt « moi » que tu voudrais dire ? Moi qui nettoie toujours après vous, les gars ?

Banks garda le silence. Cosgrove avait ôté le cadenas et tirait sur le battant droit de la porte pour l'ouvrir.

— Allez, finissons-en, dit Drummond.

Il descendit de voiture et claqua la portière derrière lui. Banks mit du temps à faire pareil, Bosch en profitant pour le regarder droit dans les yeux dans le rétroviseur.

— Ne prends pas part à ce truc, Reggie, dit-il. Il t'a passé un flingue, tu as les moyens d'arrêter ça.

La portière de Bosch s'ouvrit d'un coup et Drummond tendit le bras à l'intérieur pour sortir son prisonnier de la voiture.

— Mais qu'est-ce que t'attend, Reggie ?! s'écria-t-il. Allons-y, mec !

— Oh, je savais pas que tu voulais que je sois là, moi aussi.

Et il descendit du véhicule tandis que Drummond en sortait Bosch.

— À la grange, Bosch ! lança-t-il.

Bosch leva encore une fois les yeux et vit le ciel noir tandis qu'on le poussait vers la porte ouverte de la grange. Dès qu'ils furent à l'intérieur, Cosgrove alluma une ampoule qui se trouvait si haut dans les poutres qu'elle ne jeta qu'une faible lumière sur l'endroit où ils se tenaient.

Drummond gagna un pilier central qui soutenait le grenier à foin et poussa dessus pour tester sa résistance. Il avait l'air solide.

— Ici, dit-il. Amène-le-moi ici.

Banks poussa Bosch en avant, Drummond l'attrapant à nouveau par le bras pour le faire pivoter de façon qu'il soit dos au pilier. Puis il remonta son arme et la lui pointa sur la figure.

— On se tient tranquille, dit-il. Reggie, menotte-moi ce mec au pilier.

Banks sortit les clés de sa poche, ouvrit une des menottes et bloqua les bras de Bosch en arrière autour du pilier. Bosch comprit alors qu'ils n'allaient pas le tuer. Pas tout de suite, du moins. Pour une raison ou une autre, ils avaient besoin de lui vivant.

Dès qu'il fut immobilisé, Cosgrove se fit courageux et s'approcha de lui.

— Tu sais ce que j'aurais dû faire ? lui demanda-t-il. J'aurais dû te décharger mon flingue dessus là-bas dans la ruelle. Ça m'aurait épargné tout ça. Mais bon, j'ai dû viser trop haut.

— Ça suffit, Carl ! s'écria Drummond. Retourne attendre Frank à la baraque. On se charge de ça et je te rejoins dans une minute.

Cosgrove regarda longuement Bosch, puis sourit d'un air mauvais.

— Allez, assis, dit-il.

Et il lui crocheta le pied gauche en lui appuyant sur les épaules. Bosch glissa le long du pilier jusque sur le sol, où il atterrit violemment sur le coccyx.

— Carl ! Allez quoi, mec ! Laisse-nous faire !

Cosgrove finit par reculer au moment même où Bosch comprenait ce qu'il avait voulu dire en expliquant qu'il avait visé trop haut. C'était lui qui avait ouvert le feu ce soir-là quand ils étaient sur la scène de crime et avait ainsi jeté tout le monde à terre pour se protéger. Bosch comprit aussi qu'il n'avait jamais vu personne sur les toits. Cosgrove n'avait cherché qu'à les mettre sur les nerfs et créer une diversion dans l'enquête sur le crime qu'il venait de commettre.

— Je serai à la voiture, reprit Cosgrove.

— Non, laisse la voiture où elle est. Je ne veux pas que Frank la voie en arrivant. Ça pourrait le rendre nerveux. Sa femme lui a dit que Bosch rôdait dans les parages en bagnole.

— Bon, comme tu voudras. J'y retourne à pied.

Il quitta la grange, Drummond se postant devant Bosch et le regardant de haut dans la faible lumière. Puis il glissa la main dans la poche de sa veste et en sortit l'arme qu'il lui avait prise.

— Hé mais, Drummer ! lança Banks, inquiet. Pourquoi tu veux pas que Frank voie la voiture ? Ça veut dire quoi ? Pourquoi est-ce que Frank…

— Reggie, je t'ai déjà dit de pas m'appeler comme ça.

Drummond leva le bras et appuya la gueule du pistolet de Bosch sur la tête de Reggie Banks. Il regardait toujours Bosch lorsqu'il pressa la détente. La détonation fut assourdissante et Bosch reçut une giclée de sang et de matière cérébrale sur lui une fraction de seconde avant que Banks ne s'effondre à côté de lui sur le plancher couvert de foin.

Drummond regarda le corps, les dernières contractions cardiaques qui le secouaient projetant du sang de la blessure d'entrée jusque dans la paille sale. Drummond rempocha l'arme de Bosch et se baissa pour reprendre celle qu'il avait donnée à Banks un peu plus tôt.

— Là-bas, quand vous étiez seul avec lui dans la voiture, vous lui avez bien dit de s'en servir contre moi, pas vrai ? demanda-t-il.

Bosch garda le silence, Drummond n'attendant pas longtemps avant de passer à autre chose.

— Il aurait quand même pu vérifier qu'il était chargé, reprit-il en sortant le chargeur du pistolet et en le vidant sous les yeux de Bosch.

— Vous aviez raison, inspecteur, enchaîna-t-il. Vous vous en êtes pris au maillon faible et le maillon faible, c'était bien Reggie. Pour ça au moins, je vous félicite.

Bosch comprit alors qu'il se trompait. C'était la fin. Il ramena ses genoux contre lui, s'adossa au pilier et s'arma de courage.

Puis il baissa la tête et ferma les yeux. Une image de sa fille lui vint en mémoire. Le souvenir était celui d'une bonne journée. Dimanche. Il l'avait emmenée dans le parking vide d'une école voisine pour lui apprendre à conduire. Ç'avait mal commencé lorsqu'elle avait écrasé la pédale de frein. Mais quand la leçon avait pris fin, elle conduisait en douceur et bien plus habilement que les trois quarts des conducteurs auxquels il avait affaire dans les rues de L.A. Il était fier d'elle et, plus important encore, elle aussi était fière. Et là, lorsqu'ils avaient enfin repris leurs places pour rentrer à la maison, elle lui avait dit qu'elle voulait devenir flic et poursuivre sa mission. C'était tombé du ciel, rien de plus qu'une annonce née de leur complicité ce jour-là.

Il y repensa et le calme se fit en lui. Ce serait son dernier souvenir, ce qu'il emporterait avec lui dans le grand trou noir.

— On ne bouge pas d'ici, inspecteur. Je vais avoir besoin de vous un peu plus tard.

Drummond. Bosch rouvrit les yeux. Regarda en l'air. Drummond lui fit un signe de tête et se dirigea vers la porte. Bosch le vit glisser l'arme qu'il avait donnée à Banks au creux de ses reins, sous sa veste. L'aisance avec laquelle il avait abattu Banks et le geste bien huilé qu'il avait eu pour glisser son arme dans son dos étaient tels que tout se mit en place dans l'esprit de Bosch. On ne liquide pas froidement quelqu'un comme ça sans l'avoir déjà fait. Et sur les cinq de la bande, en 1992, un seul avait un job dans lequel une arme non déclarée – une arme sans numéro de série – pouvait servir. Pour Drummond, le flingue de la garde républicaine d'Irak n'était pas un souvenir de l'opération Tempête du désert. C'était pour cette raison qu'il l'avait rapporté à Los Angeles.

— C'était donc vous, lança Bosch.

Drummond s'arrêta et le regarda par-dessus son épaule.

— Vous avez dit quelque chose ?

Bosch le dévisagea.

— Oui, j'ai dit que maintenant, je sais que c'est vous. Pas Cosgrove, non. C'est vous qui l'avez tuée.

Drummond revint vers Bosch, fouilla des yeux les recoins les plus sombres de la grange et haussa les épaules. Il savait bien qu'il avait toutes les cartes en main. Il parlait à un mort et les morts ne racontent pas d'histoires.

— Bah, dit-il, elle commençait à devenir enquiquinante.

Il ricana, ravi de partager la confirmation de son crime avec Bosch au bout de vingt ans. Bosch insista.

— Comment avez-vous fait pour l'amener dans la ruelle ? demanda-t-il.

— Ça, ç'a été facile. Je me suis pointé devant elle et je lui ai dit qui elle cherchait et ce qu'elle voulait. Je lui ai précisé que j'étais à bord du bateau et que j'avais entendu parler de ce qui s'y était passé. Je lui ai aussi dit que j'étais prêt à la renseigner, mais que j'avais peur, que je ne pouvais pas lui parler et qu'on n'avait qu'à se retrouver dans la ruelle à 17 heures. Et elle a été assez conne pour y aller.

Puis il hocha la tête comme pour dire « chapitre clos ».

— Et ses appareils photo ?

— Même chose que pour le flingue. J'ai tout balancé par-dessus les palissades. Après avoir ôté la pellicule, naturellement.

Bosch se représenta la scène. Un appareil photo qui atterrit dans un jardin. On le garde ou on le met en gage au lieu de le rapporter à la police.

— Autre chose, inspecteur ? lui demanda Drummond, visiblement heureux de la chance qui lui était offerte de lui montrer à quel point il était malin.

— Oui, répondit Bosch. Si c'est vous qui avez fait le coup, comment vous y êtes-vous pris pour que Cosgrove et les autres se tiennent à carreau pendant vingt ans ?

— Aucun problème. Carl Junior aurait été déshérité si son vieux avait su qu'il avait pris part à tout ça. Les autres se sont contentés de suivre et se sont fait descendre quand ils ne jouaient pas le jeu.

Sur quoi, il tourna les talons et reprit le chemin de la porte. L'ouvrit en la poussant, puis hésita. Se retourna vers Bosch et le regarda avec un sourire lugubre tandis qu'il tendait le bras pour éteindre la lumière.

— Dormez un peu, inspecteur, dit-il.

Puis il sortit et referma la porte derrière lui. Bosch entendit la barre en acier s'enclencher lorsque Drummond l'enferma dans la grange.

Bosch se retrouva dans une obscurité parfaite, mais il était vivant – pour l'instant.

## 33

Ce n'était pas la première fois qu'il se retrouvait dans le noir. Et alors souvent il avait eu peur et su que la mort était proche. Il savait aussi que s'il attendait, d'une manière ou d'une autre il finirait par voir que dans tout lieu de ténèbres il est de la lumière perdue et que s'il la trouvait, elle le sauverait.

Il savait encore qu'il devait essayer de comprendre ce qui venait de se produire et pourquoi. Il n'aurait pas dû être encore en vie. Toutes ses théories le voyaient finir entre quatre planches. Avec Drummond en train de lui coller une balle dans la tête aussi impitoyablement qu'il avait exécuté Banks. Drummond, c'était le nettoyeur, celui qui arrange tout, et Bosch faisait partie des cochonneries à nettoyer. Qu'il soit ainsi épargné, même temporairement, n'avait aucun sens. Il fallait absolument qu'il comprenne ce qui se passait s'il voulait en réchapper.

La première chose à faire était de se libérer. Il mit toutes les questions relatives à l'affaire de côté et se concentra sur son évasion. Il ramena les chevilles sous lui, poussa vers le haut et lentement se releva et se remit debout afin de mieux voir ce qui l'entourait et les possibilités qui s'offraient à lui.

Il commença par le pilier. Du bois de charpente bien solide et de section 18 × 18. Le cogner avec le dos ne déclencha ni tremblements, ni même seulement un peu de jeu. Seulement de la douleur. Le pilier ne semblant pas pouvoir bouger, il allait falloir y voir un fait acquis pour travailler la solution.

Il scruta les ténèbres et vit, mais à peine, les formes des longrines au-dessus de sa tête. À les avoir regardées avant que la lumière ne s'éteigne, il savait qu'il n'avait aucun moyen de monter jusqu'en haut, aucun moyen de grimper le long du pilier jusqu'à pouvoir se libérer.

Il regarda en bas, mais ne vit pas ses pieds dans le noir. Il savait que le sol était en terre battue et couvert de paille, il donna des coups de talon au bas du pilier. Et sentit que celui-ci était bien ancré dans la terre, mais comment, il n'aurait su le dire.

Il savait qu'il avait le choix : ou attendre le retour de Drummond ou faire tout son possible pour s'évader. Il se rappela l'image de sa fille un peu plus tôt et décida de ne pas disparaître sans rien faire. Il se battrait jusqu'à l'épuisement. Il balaya la paille de ses pieds et se mit à donner des coups de talon dans la terre pour creuser en dessous.

Il savait que c'était là son dernier effort et frappa avec férocité, comme s'il repoussait tout ce qui l'avait jamais retenu. Endoloris, ses talons lui firent mal à hurler. Il tirait si fort sur ses poignets menottés qu'il sentit ses doigts s'engourdir. Mais peu importait. Il voulait frapper tout ce qui s'était mis en travers de son chemin dans la vie.

Ses efforts étaient futiles. Il avait enfin atteint l'endroit où il pensait que le pilier s'ancrait dans le ciment, et l'ancrage était solide. Il finit par renoncer et baissa la tête. Il était épuisé et se sentait proche de la défaite.

Il se laissa aller à l'idée que sa seule chance, que le seul coup qu'il pouvait jouer, serait d'agir au retour de Drummond. S'il arrivait à lui trouver une raison de lui ôter ses menottes, il pourrait peut-être l'emporter en se battant. Il pourrait se ruer sur son arme ou essayer de s'enfuir. Mais dans les deux cas, ce serait sa dernière chance.

Sauf que… qu'avait-il donc à donner à Drummond ? Que pouvait-il lui dire qui lui fasse renoncer à son avantage stratégique ? Il se redressa contre le pilier. Il devait rester en alerte. Être prêt à tout. Il passa en revue tout ce que Banks lui avait dit dans sa chambre de motel dans l'espoir d'y trouver un élément de l'histoire dont il pourrait se servir. Il avait besoin de quelque chose avec quoi menacer Drummond, de quelque chose de caché qu'il serait le seul à pouvoir lui faire découvrir.

Il ne démordait pas de l'idée qu'il ne pouvait pas renoncer au mail qu'il avait envoyé à Chu. Il ne pouvait pas risquer de mettre son coéquipier en danger, pas plus qu'il ne pouvait laisser Drummond effacer la solution de l'affaire. Les aveux de Banks étaient trop importants pour être marchandés.

Il ne doutait pas que Drummond avait déjà examiné son portable, mais celui-ci était protégé par un mot de passe et programmé pour se bloquer après trois essais de code ratés. S'il continuait, cela finirait par effacer toutes les données. Il en tira l'assurance que son enregistrement parviendrait à Chu sans que Drummond en sache rien. Il décida de ne rien faire qui puisse changer ça.

Mais il avait aussi besoin d'autre chose. Il avait besoin d'un scénario, de quoi travailler.

Mais quoi ?

Le désespoir montait. Il devait bien y avoir une solution. Il repensa au fait que Drummond avait abattu Banks parce qu'il savait que celui-ci avait parlé. Partant de là, il pouvait lui dire que Banks lui avait montré quelque chose, un élément de preuve qu'il s'était gardé par-devers lui comme atout maître. Quelque chose qui lui permettrait de renverser la situation et de prendre l'avantage sur Cosgrove et Drummond s'il en avait l'occasion.

Oui, mais quoi ?

Brusquement, il se dit qu'il avait du solide. L'arme, encore une fois. Toujours suivre l'arme. C'était ce qui avait gouverné toute l'enquête. Il n'y avait aucune raison de changer ça maintenant. Banks avait dit être l'officier de la garde nationale chargé de l'inventaire. C'était lui qui avait rangé les armes souvenirs au fond des cartons d'équipement pour renvoi aux États-Unis. Le renard qui garde le poulailler, c'était lui. Bosch dirait donc à Drummond que le renard avait dressé une liste. Voilà : Banks avait gardé la liste des numéros de série des armes et cette liste permettait de savoir qui avait quoi. Dont le nom du soldat ayant hérité de l'arme qui avait tué Anneke Jespersen. Cette liste était cachée, mais Banks étant mort, elle ne tarderait pas à faire surface. Et seul lui, Bosch, pouvait le conduire à cette liste.

L'espoir le reprit. Il pensa même que son histoire pouvait marcher. Elle n'était pas totalement aboutie, mais ça pouvait fonctionner. Elle avait besoin de fioritures. D'une raison qui susciterait une véritable crainte chez Drummond – la peur, et légitime, que cette liste finisse par sortir et l'accuse maintenant que Banks était mort.

Il commença à croire qu'il avait une chance de s'en tirer. Il lui fallait seulement emballer tout ça avec plus de détails et d'une manière plus crédible. Il lui fallait seulement…

Il arrêta tout raisonnement. Il y avait de la lumière. Il s'aperçut qu'il avait gardé les yeux ouverts tout le temps qu'il travaillait sa petite histoire pour Drummond. Mais il y avait maintenant une petite lueur verdâtre là-bas tout en bas, près de ses pieds. Comme des petits points qui formaient un rond mal défini de la taille d'une pièce de cinquante *cents*. Et ça bougeait à l'intérieur du rond. Telle une étoile lointaine, une minuscule tache de lumière se déplaçait autour du rond, reliant un point à un autre, puis un autre, puis encore un autre.

Il comprit alors que c'était la montre de Banks qu'il regardait. Et dans l'instant, il sut comment il allait pouvoir s'évader.

Un plan se formant rapidement dans son esprit, il se laissa glisser le long du pilier jusqu'à se retrouver dans la position d'un homme assis sans chaise sous lui. Malgré la douleur qu'il ressentait dans les cuisses et les tendons après s'être traîné dans la plantation d'amandiers la nuit précédente, il se servit de sa jambe droite pour se caler, dos au pilier, tenir la position et tâter par terre avec le pied gauche. Du talon, il essaya de ramener le poignet du mort près de lui. Il dut faire plusieurs tentatives avant d'avoir prise sur le cadavre et pouvoir tirer sur son bras. Dès qu'il l'eut ramené le plus près qu'il pouvait, il se redressa et tourna de 180 degrés autour du pilier, se laissa glisser jusqu'au sol et tendit le bras en arrière pour attraper la main de Banks. L'atteignit, mais de très peu.

Une fois la main du mort dans les deux siennes, il se pencha en avant au maximum pour tirer le corps encore plus près de lui. Dès qu'il eut réussi, il prit le poignet de Banks et défit sa montre. La tint dans la main gauche et tira la boucle en arrière de manière à en dégager l'ardillon en acier. Puis il tourna son propre poignet de façon à pouvoir insérer l'ardillon dans la serrure du bracelet droit des menottes.

Il travailla en visualisant ce qu'il faisait. La serrure d'un bracelet de menotte est ce qu'il y a de plus facile à crocheter à condition de ne pas le faire dans le noir et les mains dans le dos. Une clé de menotte se réduit, en gros, à un panneton à un seul cran. Elle est universelle, les prisonniers menottés étant souvent passés d'un officier de police ou de tribunal à un autre. Si chaque paire de menottes avait une clé unique, déjà lent, tout le système policier et judiciaire en serait encore ralenti. C'était là-dessus que comptait Bosch tandis qu'il manœuvrait l'ardillon. Il savait s'y prendre avec le jeu de rossignols qu'il cachait derrière le badge que Drummond lui avait confisqué, mais transformer un ardillon de boucle de montre en un crochet était une tout autre affaire.

Il lui fallut malgré tout moins d'une minute pour ouvrir le premier bracelet de la menotte. Il passa ensuite les bras dans son dos et ôta le deuxième encore plus rapidement. Il était libre. Il se leva et partit tout de suite vers la porte de la grange. Il trébucha aussitôt sur le cadavre de Banks et tomba la tête la première dans la paille. Il se releva, se repéra et essaya encore, les mains devant lui cette fois. Arrivé à la porte, il tendit les bras à gauche, fit monter et descendre ses mains le long du mur et trouva le commutateur.

Enfin il y avait de la lumière dans la grange. Il revint vers l'énorme double porte. Il avait entendu Drummond la fermer en faisant coulisser la barre extérieure jusqu'au bout, mais il tenta quand même de faire bouger la porte en poussant fort dessus. Cela ne servit à rien. Il réessaya encore deux fois, avec le même résultat.

Il recula et regarda autour de lui. Il ne savait pas si Drummond et Cosgrove allaient revenir dans une minute ou vingt-quatre heures, mais il voulait continuer d'agir. Il revint sur ses pas en contournant le cadavre de Banks et gagna la partie la plus sombre de la grange. Il y découvrit une autre double porte dans le mur du fond, mais elle aussi était fermée à clé. Il fit demi-tour, scruta l'intérieur de la grange, mais ne découvrit aucune autre porte ou fenêtre. Il jura tout haut.

Puis il tenta de se calmer et de réfléchir. Il s'imagina dehors et essaya de revoir la grange dans la lumière des phares lorsqu'ils s'étaient arrêtés devant. La bâtisse était à charpente en A et il se souvint qu'il y avait une porte dans le grenier pour y charger et décharger du foin.

Il gagna rapidement une échelle en bois dressée à côté d'un poteau de soutènement et y grimpa. Le grenier était encore encombré de balles de foin qu'on n'avait jamais enlevées après que la grange avait été abandonnée. Il se fraya un chemin entre elles et gagna une petite double porte. Fermée elle aussi, mais de l'intérieur cette fois.

Un seul loquet bloqué par un gros cadenas. Bosch savait qu'il aurait pu crocheter le cadenas avec les bons rossignols, mais ses rossignols étaient dans son porte-badge, et son porte-badge dans la poche de Drummond. Et un ardillon de boucle de montre ne ferait pas l'affaire. Encore une fois, sa tentative d'évasion était contrecarrée.

Il se pencha sur le loquet pour l'étudier du mieux qu'il pouvait à la faible lumière de l'ampoule. Il songea bien à essayer d'ouvrir la porte à coups de pied, mais le bois avait l'air solide et le loquet lui-même était fixé par huit vis à bois. Essayer de fracasser la porte du pied ne pourrait constituer qu'un très bruyant dernier recours.

Avant de redescendre, il regarda tout autour de lui en espérant trouver quelque chose qui l'aide ou à s'évader ou à se défendre. Un outil pour briser le loquet, ou un bon morceau de bois pour lui servir de matraque. Ce qu'il trouva à la place avait des chances de beaucoup mieux marcher. Derrière une rangée de balles de foin à moitié défaites se dressait une fourche rouillée.

Il la jeta en bas en veillant à ce qu'elle n'atterrisse pas sur le cadavre de Banks et redescendit l'échelle. Puis, la fourche à la main, il refit le tour de la grange en cherchant une issue possible. N'en trouvant aucune, il regagna le rond de lumière au milieu du plancher.

Fouilla Banks au cas où il aurait sur lui un couteau ou quelque chose dont il pourrait se servir.

Il ne trouva aucune arme, mais tomba sur les clés de sa voiture de location. Drummond avait oublié de les reprendre après avoir tué Banks.

Il regagna les portes de la grange et les poussa encore une fois en sachant parfaitement qu'elles ne s'ouvriraient pas. Il était à moins de cinq mètres de sa voiture, mais n'avait aucun moyen de l'atteindre. Il savait que dans le coffre, sous les cartons d'équipement qu'il y avait transférés, se trouvait un autre carton qu'il avait fait passer de sa voiture de fonction à la Crown Vic. C'était là qu'il rangeait sa deuxième arme. Le Kimber Ultra Carry calibre .45 avec sept cartouches dans le chargeur plus une engagée dans la chambre pour le coup de chance.

— Eh merde, dit-il en soupirant.

Il savait maintenant qu'il n'avait plus d'autre choix que celui d'attendre. Il devrait surprendre deux types armés à leur retour, et l'emporter. Il tendit le bras et éteignit la lumière, la grange retrouvant aussitôt les ténèbres. Il avait maintenant la fourche, les ténèbres et l'élément de surprise pour lui. Il se dit qu'il avait de la chance, finalement.

# 34

Il n'eut pas à attendre longtemps. Il ne s'était pas écoulé plus de dix minutes depuis qu'il avait éteint la lumière lorsqu'il entendit le crissement du métal sur le métal – quelqu'un était en train de faire coulisser la barre de la porte. Et le faisait si lentement qu'il songea que Drummond essayait peut-être de le prendre par surprise.

La porte s'ouvrit. De l'endroit où il se trouvait, Bosch découvrit les ténèbres du dehors et sentit l'air frais entrer dans la grange. Il parvint, mais à peine, à distinguer une forme sombre, et une seule, qui entrait.

Il se raidit et leva sa fourche. Il se tenait près du commutateur. C'était par là que l'un ou l'autre de ses deux tueurs commencerait par se diriger. Pour allumer la lumière. Là, une fois à hauteur d'épaule, il lui planterait son arme dans le corps. Et une fois le type mort, il lui prendrait son arme et ce ne serait alors plus que du un contre un.

Sauf que la silhouette ne se dirigea pas vers le commutateur. L'individu resta parfaitement immobile dans l'ouverture de la porte comme pour laisser le temps à ses yeux de s'habituer aux ténèbres. Puis il fit trois pas en avant et entra dans la grange. Bosch ne s'y attendait pas, lui qui avait réglé sa position d'attaque sur le commutateur. Il était maintenant trop loin de sa cible.

Soudain une lumière s'alluma dans la grange, mais pas dans les combles. L'individu qui venait d'entrer tenait une lampe torche à la main. Tout d'un coup, Bosch se dit que c'était peut-être une femme.

Déjà l'individu lui passait devant en tenant sa lampe loin devant lui. Bosch n'arrivait pas à voir son visage, mais à sa taille et à son maintien, il sut tout de suite que ce n'était ni Drummond ni Cosgrove. C'était une femme, plus aucun doute n'était permis.

Le faisceau balaya toute la grange, puis revint brutalement sur le cadavre étalé par terre. La femme se pencha pour braquer sa lampe sur le visage du mort. Banks reposait sur le dos, les yeux grands ouverts, son horrible blessure d'entrée béant à sa tempe droite. Il avait la main gauche tendue vers le pilier selon un angle bizarre. Abandonnée, sa montre reposait elle aussi dans la paille, à côté de lui.

Elle s'accroupit à côté du corps et promena le faisceau de sa torche sur lui. Ce faisant, elle révéla l'arme qu'elle tenait dans l'autre main, puis son visage. Bosch abaissa sa fourche et sortit de l'ombre.

— Inspecteur Mendenhall, dit-il.

Elle pivota vers la droite et pointa le guidon de son arme sur lui. Il leva les mains sans lâcher sa fourche.

— C'est moi, dit-il.

Il se rendit compte qu'il devait lui faire l'effet d'une espèce de parodie du célèbre tableau *American Gothic*, avec son paysan porteur de fourche et sa femme – la femme en moins. Il lâcha sa fourche et la laissa tomber dans la paille.

Mendenhall abaissa son arme et se releva.

— Bosch, dit-elle, qu'est-ce qui se passe ici ?

Il remarqua qu'elle s'était passée de toute exigence de respect et de mention de grade. Plutôt que de lui répondre, il se dirigea vers la porte et regarda dehors. Il vit les lumières du château entre les branches, mais aucun signe ni de Cosgrove ni de Drummond. Il sortit, gagna sa voiture et ouvrit le coffre avec son porte-clés.

— Inspecteur Bosch, reprit Mendenhall qui l'avait suivi dehors, je vous ai demandé ce qui se passe.

Il sortit un des cartons et le posa par terre.

— Parlez tout bas, dit-il. Qu'est-ce que vous faites là ? Vous m'avez suivi jusqu'ici suite à la plainte d'O'Toole ?

Il trouva le carton avec son arme et l'ouvrit.

— Pas exactement, répondit-elle.

— Alors pourquoi ? insista-t-il en récupérant le Kimber et en vérifiant l'action.

— Je voulais savoir deux ou trois choses.

— Comme quoi ?

Il glissa l'arme dans son étui, sortit le chargeur de rechange du carton et le glissa dans sa poche.

— D'abord, ce que vous fabriquiez. J'avais dans l'idée que vous ne partiez pas vraiment en vacances.

Il referma le coffre sans faire de bruit et regarda autour de lui pour se repérer. Puis il se tourna vers Mendenhall.

— Où est votre voiture ? demanda-t-il. Comment êtes-vous arrivée ici ?

— Je me suis garée au même endroit que vous hier soir. Et je suis arrivée ici de la même façon que vous.

Il regarda ses chaussures. Elles étaient couvertes de la boue de l'amandaie.

— Vous m'avez suivi et vous êtes seule, reprit-il. Quelqu'un sait-il seulement où vous êtes ?

Elle détourna la tête et Bosch comprit que non. Elle enquêtait sur lui en free-lance alors que lui-même enquêtait en free-lance sur le meurtre d'Anneke Jespersen. D'une certaine manière, cela lui plut.

— Éteignez votre lampe, dit-il. Ça pourrait nous faire repérer.

Elle s'exécuta.

— Bon et maintenant, qu'est-ce que vous faites là, inspecteur Mendenhall ?

— Je suis mon affaire.

— Non, non, ça ne suffit pas. Vous me suivez en free-lance et je veux savoir pourquoi.

— Disons que je vous suis sans l'accord de quiconque et restons-en là. Qui a tué ce type ?

Il savait qu'il n'avait pas le temps de la cuisiner sur ce qui l'avait poussée à le suivre. S'ils arrivaient à se sortir de là sans dommage, il y reviendrait le moment venu.

— Le shérif J.J. Drummond, répondit-il. De sang-froid. Juste devant moi et sans perdre une minute. L'avez-vous vu en venant ici en douce ?

— J'ai vu deux hommes. Et tous les deux sont entrés dans la maison.

— Avez-vous vu quelqu'un d'autre ? Un troisième homme qui serait arrivé plus tard ?

— Non, dit-elle en hochant la tête, seulement ces deux-là. Dites, ça vous gênerait de me dire ce qui se passe ? Je vous ai vu vous faire emmener dans la grange. Et maintenant, il y a un type mort à l'intérieur et vous y êtes resté enfermé comme…

— Écoutez, on n'a pas beaucoup de temps. Il va y avoir encore des morts si on n'y met pas un terme. Pour faire court, c'est ici que mon cold case m'a conduit. L'affaire dont je vous ai parlé et qui m'a vu monter à San Quentin. C'est ici. C'est ici qu'elle se termine. Montez.

« Ma victime s'appelait Anneke Jespersen, poursuivit-il en murmurant tandis qu'il gagnait la portière côté conducteur. Elle était danoise et travaillait comme correspondante de guerre. Quatre soldats de la garde nationale l'ont droguée et violée lors d'une permission pendant l'opération Tempête du désert en 91. Elle est venue aux États-Unis l'année suivante, pour les retrouver. Je ne sais pas si elle avait l'intention d'écrire un article, un livre ou quoi que ce soit d'autre, mais elle les a suivis jusqu'à Los Angeles pendant les émeutes. Et ils se sont servis de la couverture des émeutes pour l'assassiner. »

Il monta dans la voiture, mit le contact et démarra en appuyant aussi légèrement que possible sur l'accélérateur. Mendenhall s'assit à côté de lui.

— Mon enquête a fait que leur association de malfaiteurs s'est démantelée. Comme l'un d'eux, Banks, n'était plus fiable, ils l'ont tué. Ils ont mentionné l'arrivée d'un autre type, et lui aussi, je crois qu'ils vont le tuer.

— Qui est-ce ?

— Un certain Frank Dowler.

Il passa en marche arrière et s'éloigna de la grange. Tous feux éteints.

— Pourquoi ne vous ont-ils pas tué ? Pourquoi n'ont-ils tué que Banks ?

— Parce qu'ils ont besoin de moi vivant… pour l'instant. Drummond a un plan.

— Quel plan ? C'est complètement dingue !

Bosch s'était tout repassé en boucle dans sa tête en attendant dans le noir avec sa fourche. Et avait fini par comprendre le plan Drummond.

— L'heure de la mort, dit-il. C'est pour ça qu'il a besoin de moi vivant. L'idée est de tout me coller sur le dos. Ils diront que j'étais devenu complètement obsédé par l'affaire et avais décidé de venger la victime. Ils diront que c'est moi qui ai tué Banks, et que j'ai aussi tué Dowler, mais que le shérif m'a descendu avant que j'aie le temps de m'en prendre à Cosgrove. Drummond a décidé de m'abattre dès qu'il en aura fini avec Dowler. Je suis certain que cette histoire lui donnera l'image d'un policier intrépide qui s'est dressé contre un flic fou pour sauver un des citoyens les plus brillants et valeureux de la Valley… à savoir Cosgrove. Après quoi, il intégrera le Congrès en héros du peuple. Vous ai-je dit qu'il se présentait au Congrès ?

Il descendit la côte vers le château. Les lumières dehors étaient toujours éteintes et du brouillard montait de l'amandaie, revêtant tout d'un manteau de ténèbres encore plus profondes.

— Je ne comprends pas comment Drummond est même seulement impliqué là-dedans. C'est quand même le shérif, pour l'amour du ciel !

— Il est shérif parce que Cosgrove l'a fait shérif. Exactement de la même manière qu'il le fera entrer au Congrès. Il connaît tous les secrets. Il était à la 237e compagnie avec eux. Et à bord du *Princesse saoudienne* pendant l'opération Tempête du désert, et à Los Angeles pendant les émeutes. C'est lui qui a tué Anneke Jespersen. Et c'est comme ça qu'il tient Cosgrove depuis toutes ces…

Il s'arrêta net en comprenant quelque chose. Ralentit, puis immobilisa la voiture, son esprit revenant à l'une des dernières choses qu'avait lâchées Drummond avant de quitter la grange. *Carl Junior aurait été déshérité si son vieux avait su qu'il avait pris part à tout ça.*

— Cosgrove, dit-il. Il va le tuer lui aussi.

— Pourquoi ?

— Parce que le père de Cosgrove est mort et qu'il ne peut donc plus le contrôler.

Comme pour ponctuer sa conclusion, un coup de feu se fit entendre dans la direction du château. Bosch écrasa le champignon et vite ils arrivèrent près du manoir, puis devant le terre-plein circulaire.

Une moto était garée sur sa béquille à cinq mètres de la porte de devant. Bosch reconnut son réservoir d'essence d'un bleu métallique.

— La moto de Dowler, dit-il.

Ils entendirent une deuxième détonation monter de la bâtisse. Puis une troisième.

— On arrive trop tard, dit-il.

# 35

La porte n'était pas fermée à clé. Ils entrèrent, l'un et l'autre couvrant tous les angles des deux côtés. Ils arrivèrent dans un vestibule circulaire doté d'un épais ovale de verre posé sur une souche de cyprès d'un mètre de haut. Il n'y avait rien d'autre dans la pièce, juste la table où déposer ses clés, le courrier et les paquets. De là, ils descendirent le couloir principal, traversèrent une salle à manger munie d'une table assez longue pour y asseoir douze personnes, puis une salle de séjour qui devait faire au moins cent quatre-vingts mètres carrés et était équipée d'une cheminée à chaque extrémité. Ils revinrent dans le couloir, firent le tour d'un escalier monumental et passèrent dans un couloir plus petit qui les conduisit à la cuisine. Étalé sur le sol se trouvait le chien qui avait chargé Bosch la veille au soir. Cosmo. Abattu d'une balle derrière l'oreille gauche.

Debout devant le chien, ils hésitèrent, la lumière s'éteignant presque aussitôt dans la cuisine. Bosch comprit ce qui les attendait.

— À terre ! cria-t-il, et il se jeta sur le sol, juste derrière le cadavre du chien.

Une silhouette apparut dans la pénombre de la porte ouverte et il vit les éclairs de l'arme avant même d'entendre les détonations. Il sentit le cadavre du chien remuer sous l'impact des balles qui lui étaient destinées et fit feu, quatre de ses projectiles filant dans le noir de l'autre côté de la porte. Puis il entendit qu'on ouvrait une autre porte et des bruits de pas qui s'éloignaient.

Aucun autre coup de feu ne retentit après la salve qu'il venait de tirer. Il se retourna et aperçut Mendenhall recroquevillée à côté d'une bibliothèque dressée le long du mur de droite et pleine de livres de cuisine.

— Ça va ? demanda-t-il.

— Pas de problème, répondit-elle.

Il se retourna et regarda dans le couloir derrière eux. Ils avaient laissé la porte d'entrée ouverte. Le tireur pouvait donc être en train de faire le tour de la maison pour les prendre par surprise. L'heure était venue de filer. De dégager de la cuisine.

Bosch s'accroupit, puis se rua en avant en bondissant par-dessus le cadavre du chien pour gagner vite l'embrasure sombre de la porte de la cuisine.

Il entra dans la pièce, passa tout de suite la main le long du mur de droite et appuya sur quatre commutateurs, baignant ainsi la cuisine d'une lumière crue tombant d'en haut. À sa gauche se trouvait une porte ouverte donnant sur une piscine dans le jardin de derrière.

Il rebalaya la pièce de son arme et ne vit personne d'autre.

— RAS ! cria-t-il.

Puis il se dirigea vers la porte ouverte, sortit et tourna immédiatement à droite de façon à ne pas se découper en silhouette dans l'embrasure de la porte. L'eau noire du bassin rectangulaire scintillait à la lumière de la cuisine, mais au-delà, tout n'était que ténèbres. Impossible d'y voir quoi que ce soit.

— Il est parti ?

Il se retourna. Mendenhall se tenait juste derrière lui.

— Il est quelque part là-bas dehors.

Il repassa dans la cuisine pour vérifier le reste de la maison et remarqua tout de suite une coulée de quelque chose qui ressemblait à du sang en train de former une flaque sous une porte à côté de l'énorme réfrigérateur en acier inoxydable. Il la montra à Mendenhall qui revenait dans la pièce. Elle prit la position du tireur debout lorsqu'il tendit la main vers la porte.

Il l'ouvrit, elle donnait sur un cellier et là, par terre, gisaient les cadavres de deux hommes. L'un, il le reconnut immédiatement, était celui de Carl Cosgrove, et il devina que le deuxième était celui de Dowler. Comme le chien, tous les deux avaient été abattus d'une balle tirée derrière l'oreille gauche. Le corps de Cosgrove était tombé sur celui de Dowler, donnant ainsi l'ordre des meurtres.

— Drummond oblige Cosgrove à appeler Dowler pour lui demander de venir. Il flingue Dowler ici… et c'est le premier coup de feu. Puis il tue le chien, et enfin le maître de maison.

Il savait que cet ordre n'était peut-être pas le bon, mais il ne doutait pas que ç'ait été de son arme que s'était servi Drummond. Il ne put pas davantage s'empêcher de remarquer les similitudes qu'il y avait avec l'assassinat de Christopher Henderson quatorze ans plus tôt. Celui-ci avait été poussé dans un petit coin de cuisine et exécuté d'une balle à l'arrière de la tête.

Mendenhall s'accroupit à côté des corps et leur chercha le pouls. Bosch savait que la cause était entendue. Mendenhall fit non de la tête et allait dire quelque chose lorsqu'elle fut interrompue par un vrombissement métallique suraigu éclatant dans le couloir.

— C'est quoi, ce bordel ? s'écria-t-elle par-dessus le bruit grandissant.

Bosch regarda la porte ouverte de la cuisine, puis plus loin, dans le couloir permettant de voir de l'avant à l'arrière de la maison.

— C'est l'hélico de Cosgrove ! hurla-t-il en entrant dans le couloir. Drummond sait piloter.

Il fonça dans le couloir et franchit la porte, Mendenhall sur les talons. Presque aussitôt, ils furent accueillis par une salve de balles qui explosèrent dans le jambage en bois et plâtre de la porte. Bosch se jeta à nouveau par terre, fit un roulé-boulé et cette fois trouva refuge derrière une des jardinières en béton qui bordaient le terre-plein circulaire et l'allée de devant.

Il risqua un œil par-dessus le rebord de la jardinière et vit que l'hélicoptère était toujours sur son hélisurface en ciment, ses rotors tournant maintenant de plus en plus vite pour le décollage. Il se retourna vers la porte éclairée de l'intérieur et vit Mendenhall rouler sur le plancher, juste derrière le seuil, la main collée à son œil gauche.

— Mendenhall ! cria-t-il. Rentrez dans la maison. Vous êtes touchée ?

Mendenhall ne répondit pas. Elle roula encore sur elle-même et se mit à couvert.

Bosch se retourna et regarda de nouveau l'hélicoptère par-dessus le rebord de la jardinière. Presque à la vitesse de décollage, le moteur hurlait. Bosch s'aperçut que la portière était encore ouverte, mais ne put voir à l'intérieur de la carlingue. C'était Drummond, forcément. Tout son plan réduit à néant par la fuite de Bosch, il essayait lui aussi de s'enfuir.

Bosch jaillit de son abri et tira sans relâche sur l'hélico. Au bout de quatre coups de feu, son arme se retrouva à sec et il dut revenir vers la porte en courant. Il s'accroupit à côté de Mendenhall en éjectant son chargeur.

— Inspecteur, dit-il, vous êtes touchée ?

Il enclencha le deuxième chargeur dans son arme et engagea une cartouche dans la chambre.

— Mendenhall ! hurla-t-il. Vous êtes touchée ?

— Non ! Enfin… je ne sais pas. Quelque chose m'a touchée à l'œil.

Il lui prit le bras pour lui écarter la main de l'œil. Elle résista.

— Laissez-moi regarder.

Elle renonça, il lui tira la main en arrière, regarda son œil de très près, mais ne vit rien.

— Vous n'êtes pas touchée, Mendenhall. Vous avez dû vous prendre un éclat de quelque chose ou de la poussière de plâtre.

Elle se remit la main sur l'œil. Dehors, la turbine arrivait à la vitesse maximum et Bosch comprit que

Drummond était en train de décoller. Il se leva et regagna la porte.

— Laissez-le filer ! lui cria Mendenhall. Il ne pourra jamais se cacher.

Bosch l'ignora, ressortit en courant et arriva au milieu du terre-plein juste au moment où l'appareil se détachait du sol.

Bosch en était à une cinquantaine de mètres, l'appareil montant de droite à gauche le long des arbres. Bosch tendit les bras et, son arme serrée à deux mains, visa le carter de la turbine. Il savait qu'il n'avait que sept projectiles pour abattre l'hélico.

— Bosch, hurla Mendenhall qui était sortie de la maison et arrivait derrière lui, mais vous pouvez pas tirer sur lui !

— Et pourquoi je pourrais pas ! Il nous a tiré dessus !

— C'est contre le règlement !

Elle se tenait maintenant à côté de lui, une main toujours posée sur son œil blessé.

— Peut-être, mais c'est dans mon règlement à moi !

— Écoutez-moi ! Vous n'êtes plus menacé ! Il est en train de s'enfuir ! Vous ne défendez aucune vie !

— Des conneries, tout ça !

Il leva haut son arme et tira vite trois fois vers le ciel en espérant que Drummond l'entende ou voie ses feux de bouche.

— Qu'est-ce que vous faites ?

— Je lui fais penser que je suis en train de lui tirer dessus.

Il leva de nouveau son arme et tira encore trois fois en l'air en se gardant une dernière cartouche au cas où. Ça fonctionna. L'hélico changea de direction, vira sèchement loin de Bosch et passa derrière la maison, Drummond essayant de s'en servir comme d'un bouclier.

Bosch ne bougea plus, attendit – et entendit. Un fort claquement métallique suivi par le grondement d'un rotor brisé en train de tourbillonner sauvagement dans les amandiers et d'en sectionner les branches telle une faux.

Le temps resta suspendu un millième de seconde comme si la turbine était devenue silencieuse, puis il n'y eut absolument plus aucun bruit. Et l'hélicoptère, ils l'entendirent, s'écrasa dans la colline derrière le château. Ils virent une boule de feu rouler au-dessus du toit et disparaître dans le ciel.

— Quoi ? cria Mendenhall. Qu'est-ce qui s'est passé ? Vous n'êtes même pas passé près de lui !

Bosch se mit à courir vers le lieu du crash.

— L'éolienne ! lui renvoya-t-il en criant.

— Quelle éolienne ?

Il tourna à l'angle de la maison et vit de la fumée et des départs de feu ici et là à flanc de colline. L'air empestait le kérosène. Mendenhall le rattrapa, puis ouvrit la voie avec le faisceau de sa torche.

L'hélicoptère n'était guère tombé que d'une cinquantaine de mètres, mais s'était totalement disloqué à l'impact. Il y avait du feu à droite dans la colline, à l'endroit où le réservoir s'était séparé de l'appareil, puis avait explosé. Ils trouvèrent Drummond sous la verrière du cockpit, les membres brisés et disposés selon un angle peu naturel par rapport à son torse. Il avait le front profondément entaillé par du métal qui s'était arraché de l'appareil pendant le crash. Mendenhall braquant sa torche sur lui, il réagit et ouvrit lentement les yeux.

— Ah mon Dieu, il est vivant ! s'écria-t-elle.

Drummond suivit des yeux les gestes qu'elle faisait pour lui ôter des débris du corps, mais sans bouger la tête. Ses lèvres remuaient, mais sa respiration était trop faible pour qu'il puisse émettre un son.

Bosch s'accroupit, glissa la main dans la poche gauche de sa veste et en retira son téléphone portable et son porte-badge.

— Qu'est-ce que vous faites ? lui demanda Mendenhall. Il faut qu'on lui trouve de l'aide et vous n'avez pas le droit d'ôter des trucs d'une scène de crime.

Il l'ignora. Ces objets lui appartenaient, il ne faisait que les reprendre. Mendenhall sortit son portable pour appeler une ambulance et des enquêteurs. En attendant, Bosch palpa l'autre poche de veste de Drummond et y sentit la forme d'une arme. La sienne, il le savait. Il regarda Drummond dans les yeux.

— Ça, je veux que vous le gardiez, shérif. Qu'ils le trouvent donc sur vous.

Il entendit jurer Mendenhall et se tourna vers elle.

— On ne capte rien ici, dit-elle.

Bosch glissa le pouce sur l'écran du sien, qui s'éclaira. Il semblait bien qu'il soit sorti indemne du crash et fonctionne encore. Et il avait trois barres.

— Moi non plus, j'ai rien, dit-il, et il remit l'appareil dans sa poche.

— Eh zut, quoi ! s'écria Mendenhall. Faut faire quelque chose !

— Vraiment ? lui renvoya Bosch.

— Oui, inspecteur, dit-elle de façon appuyée. Faut faire quelque chose.

Bosch croisa le regard de Drummond.

— Allez donc à la maison, dit-il à Mendenhall. J'ai vu un téléphone dans la cuisine.

— D'accord. Je reviens tout de suite.

Bosch se retourna et la regarda descendre la colline. Puis il regarda Drummond.

— Et maintenant, à nous deux, shérif, dit-il doucement.

Drummond essayait sans arrêt de dire quelque chose. Bosch finit par se mettre à genoux et approcha l'oreille de sa bouche, Drummond se mettant alors à parler d'une voix faible et saccadée.

— Je… sens… plus rien.

Bosch se redressa et le regarda comme s'il évaluait ses blessures. Drummond fit tout ce qu'il pouvait pour lui arracher un sourire et Bosch remarqua du sang rouge vif sur ses dents. Il s'était crevé un poumon dans le crash. Il dit quelque chose, mais Bosch ne l'entendit pas.

Il se repencha au-dessus de lui.

— Qu'est-ce que vous dites ?

— J'ai oublié de vous dire… dans la ruelle, je l'ai fait mettre à genoux… et je l'ai obligée à me supplier…

Bosch se redressa, la fureur lui parcourant le corps. Il se leva, se détourna de Drummond et regarda vers le château. Il n'y avait aucun signe de Mendenhall.

Il regarda de nouveau Drummond. Son visage n'était plus qu'un seul et même masque de fureur. La vengeance le tiraillait jusqu'au bout des nerfs. Il se laissa tomber à genoux et prit le devant de la chemise de Drummond dans son poing. Se baissa et parla les dents serrées.

— Je sais ce que tu veux, Drummond, mais je ne vais pas te le donner. J'espère que tu vas vivre longtemps et dans la douleur. Cloué dans un lit. Dans un endroit qui pue la merde et la pisse. Et là, tu respireras par un tuyau. Et mangeras par un autre. Et j'espère que jour après jour tu voudras mourir, mais ne pourra rien y faire.

Puis il relâcha sa prise et recula. Drummond avait cessé de sourire. Il contemplait son lugubre avenir.

Bosch se releva, ôta la poussière de ses genoux, lui tourna le dos et descendit la colline. Il vit Mendenhall remonter vers lui, sa torche à la main.

— Ils arrivent, dit-elle. Il est… ?

— Il respire encore. Comment va votre œil ?

— J'ai réussi à enlever le truc qu'il y avait dedans. Ça me brûle.

— Demandez-leur de l'examiner dès qu'ils seront là.

Il la dépassa et poursuivit sa route. Et là, en marchant, il sortit son portable pour appeler chez lui.

# BLANCHE-NEIGE

2012

Il était 19 heures à Copenhague lorsque Bosch appela. Henrik Jespersen était chez lui et décrocha aussitôt.

— Henrik, c'est moi, dit-il, Harry Bosch, à L.A.

— Inspecteur Bosch, comment allez-vous ? Avez-vous les nouvelles pour Anneke ?

Bosch marqua une pause. La question lui paraissait étrangement formulée. Henrik avait l'air à bout de souffle, comme s'il savait que c'était l'appel qu'il attendait depuis vingt ans. Bosch ne le fit pas attendre plus longtemps.

— Henrik, nous avons procédé à une arrestation pour le meurtre de votre sœur. Nous tenons l'assassin et je voulais…

— *Endelig !*

Bosch ne connaissait pas le sens de ce mot, mais il eut l'impression d'entendre comme de la surprise et du soulagement dans sa voix. Puis il y eut un long silence et Bosch se dit qu'à l'autre bout du fil, là-bas, sur un autre continent, l'homme s'était peut-être mis à pleurer. Il avait déjà vu ça lorsqu'il annonçait personnellement ce genre de nouvelles. Il avait bien demandé à se rendre au Danemark pour en informer lui-même Henrik, mais sa requête avait été refusée par un lieutenant O'Toole qui n'avait toujours pas digéré que Mendenhall et le PSB aient laissé tomber sa plainte contre lui.

— Je suis désolé, inspecteur, reprit Henrik. Je suis très émotionnel, vous voyez. Qui est le tueur de ma sœur ?

— Un certain John James Drummond. Elle ne le connaissait pas.

Ne l'entendant pas réagir immédiatement, Bosch meubla le blanc.

— Henrik, reprit-il, il se pourrait que des journalistes vous parlent de l'arrestation. J'ai conclu un marché avec un reporter du *BT* chez vous à Copenhague. Il m'a aidé dans l'enquête. Il faut que je l'appelle après vous.

Toujours pas de réaction.

— Henrik, vous…

— Cet homme, Drummond, pourquoi l'a-t-il tuée ?

— Parce qu'il pensait que ça lui permettrait d'obtenir les faveurs d'un homme très puissant et de sa famille. Ça les aidait à masquer un autre crime perpétré contre votre sœur.

— Il est en prison maintenant ?

— Pas encore. Il est à l'hôpital, mais on va le mettre très vite dans l'aile réservée aux prisonniers.

— À l'hôpital ? Vous lui avez tiré dessus ?

Bosch hocha la tête. Il comprenait tout ce qu'il y avait d'émotion dans sa question. Tout ce qu'il y avait d'espoir.

— Non, Henrik, dit-il. Il essayait de se sauver. En hélicoptère. Et l'appareil s'est crashé. Il ne remarchera plus jamais. Il a la colonne vertébrale en bouillie. On pense qu'il sera paralysé de la nuque aux pieds.

— Je pense que c'est bien. Et vous ?

Bosch n'hésita pas.

— Oui, Henrik. Moi aussi.

— Vous dites que tuer Anneke lui a apporté du pouvoir. Comment ?

Bosch passa les quinze minutes suivantes à lui résumer l'histoire du point de vue des comploteurs. Il lui dit qui ils étaient et ce qu'ils avaient fait. Le crime de guerre auquel se référait Anneke. Il termina son récit en lui rapportant les derniers moments de l'enquête, les morts de Banks, Dowler et Cosgrove, et la façon dont, suite à un mandat de perquisition, deux propriétés et un entrepôt appartenant à Drummond ou loués par lui avaient été fouillés dans le comté de Stanislaus.

— Nous avons trouvé le journal de l'enquête que tenait votre sœur. Un carnet, en fait. Drummond l'avait fait traduire il y a longtemps. Il semblerait qu'il ait fait appel à plusieurs traducteurs pour différentes parties, de façon que personne ne connaisse toute l'histoire. Il était flic et a très probablement raconté que c'était pour une affaire à laquelle il travaillait. Cette traduction, nous l'avons, et elle remonte au moment des faits à bord du bateau – du moins ce dont elle se souvient. Nous pensons que ce journal se trouvait dans sa chambre d'hôtel et que c'est Drummond qui l'y a volé après avoir assassiné votre sœur. C'est une des choses dont il se servait pour contrôler les autres types.

— Je peux avoir ce journal ?

— Pas tout de suite, Henrik, mais je vais vous en faire une copie et vous l'envoyer. Il fera partie de nos pièces à conviction lorsque nous porterons l'affaire devant le tribunal. C'est une des raisons pour lesquelles je vous appelle. Je vais avoir besoin d'échantillons de son écriture pour que nous puissions authentifier son journal.

Avez-vous des lettres de votre sœur ou quoi que ce soit d'autre avec son écriture ?

— Oui, j'ai des lettres. Je peux envoyer des copies ? Elles sont très importantes pour moi. C'est tout ce que j'ai de ma sœur. Ça, et ses photos.

C'était pour ça que Bosch avait voulu aller au Danemark. Pour traiter directement avec Henrik. Mais O'Toole avait qualifié sa requête de superfétatoire et n'y avait vu qu'une tentative de se faire payer des vacances aux frais du contribuable.

— Henrik, je vais vous demander de me confier les originaux. Nous en avons besoin parce que l'expert effectue aussi des comparaisons sur la façon dont le scripteur appuie sur certaines lettres, sur la ponctuation, des choses comme ça. C'est possible ? Je vous promets de vous renvoyer tout en parfait état.

— Oui, c'est bon. Je vous fais confiance, inspecteur.

— Merci, Henrik. Je vais avoir besoin que vous me les envoyiez aussi vite que possible. Il va y avoir ce qu'on appelle un jury d'accusation et nous allons devoir authentifier le journal avant de le présenter à la barre. Ah oui, Henrik… Nous avons un bon procureur assigné à l'affaire et il voulait que je vous demande si vous seriez prêt à venir à Los Angeles pour le procès.

Il y eut une longue pause avant qu'Henrik ne réponde.

— Je dois venir, inspecteur. Pour ma sœur.

— Je pensais bien que vous me diriez ça.

— Quand je devrais venir ?

— Probablement pas avant un bon moment. Comme je vous l'ai dit, il y aura d'abord le jury d'accusation et après, il y a toujours des délais.

— Longs comment ?

— Eh bien… L'état de Drummond va probablement retarder un peu les choses et puis, il y aura son avocat… Dans notre système judiciaire, les coupables ont toutes sortes d'occasions de repousser l'inévitable. J'en suis désolé, Henrik. Je sais que vous attendez depuis longtemps. Je vous tiendrai au courant de…

— Je regrette que vous l'ayez pas tué. Je regrette qu'il soit pas mort.

Bosch acquiesça d'un signe de tête.

— Je comprends, dit-il.

— Il devrait être mort comme les autres.

Bosch repensa à l'occasion qu'il avait eue dans la colline lorsque Mendenhall l'avait laissé seul avec Drummond.

— Je comprends, dit-il à nouveau.

Il n'eut que le silence pour toute réponse.

— Henrik ? Vous êtes toujours là ?

— Je suis désolé. S'il vous plaît, ne quittez pas.

Silence sur la ligne, et Bosch ne pouvait plus répondre. Encore une fois il regretta de ne pas être avec cet homme qui avait tant perdu. O'Toole lui avait rappelé qu'Anneke Jespersen était morte depuis vingt ans et avait ajouté que les gens passent à autre chose et qu'il n'y avait donc aucune raison de lui payer un voyage à Copenhague rien que pour ajouter une touche personnelle à la nouvelle de cette arrestation.

Bosch attendait toujours qu'Henrik reprenne la ligne lorsqu'il leva les yeux au-dessus de la paroi de son box tel le soldat qui jette un œil par-dessus le bord de son trou. O'Toole se tenait comme par hasard à l'entrée de son bureau et surveillait la salle des inspecteurs comme un baron son fief. Pour lui, tout n'était que chiffres et statistiques. Il n'avait aucune idée de ce que ses inspecteurs faisaient vraiment dans cette salle. Aucune idée de ce qu'était la mission.

O'Toole finit par croiser son regard et, l'espace d'un instant, les deux hommes ne se lâchèrent pas des yeux. Jusqu'au moment où le plus faible se détourna. O'Toole réintégra son bureau et referma sa porte.

Alors qu'ils étaient dans la colline à attendre les renforts, Mendenhall s'était très calmement ouverte à Bosch sur son enquête. Elle lui avait dit des choses qui l'avaient surpris et blessé. O'Toole n'avait fait que sauter sur la première occasion de faire pression sur Bosch, mais ce n'était pas de lui que venait la plainte. C'était Shawn Stone qui l'avait déposée à San Quentin, en prétendant que Bosch l'avait mis en danger en le convoquant dans une salle d'interrogatoire au risque de le faire passer pour un mouton. Après avoir interrogé toutes les parties, Mendenhall était arrivée à la conclusion que Stone avait plus peur de perdre l'attention de sa mère au profit de Bosch que de se faire taxer de mouton par ses codétenus. Il espérait que sa plainte mettrait à mal la relation qu'avaient établie Hannah et Harry.

Bosch n'avait toujours pas abordé la question avec Hannah et ne savait pas trop quand la soulever. Il craignait qu'à la longue son fils ne finisse par remporter la victoire.

La seule chose que Mendenhall avait refusé de lui dire était sa propre motivation dans l'affaire. Elle ne voulait toujours pas lui révéler pourquoi elle l'avait suivi en outrepassant son devoir. Il devrait se contenter de lui être reconnaissant de ce qu'elle avait fait.

— Inspecteur Bosch ?

— Oui, Henrik.

Il y eut un long moment de silence tandis qu'Henrik rassemblait ses idées après avoir repris la ligne.

— Je ne sais pas, dit-il enfin. Je pensais que ça serait différent, vous savez ?

Il avait la voix étranglée par l'émotion.

— Comment ça ?

Il y eut à nouveau une pause.

— J'attends ce coup de téléphone depuis vingt ans… et je pensais que ça s'en irait. Je savais que je serais toujours triste pour ma sœur. Mais je pensais que l'autre partirait.

— L'autre quoi, Henrik ? demanda-t-il alors qu'il connaissait la réponse.

— La colère… Je suis toujours en colère, inspecteur Bosch.

Harry acquiesça. Il baissa les yeux sur son bureau et regarda les photos de toutes les victimes glissées sous le plateau en verre. Toutes ces affaires, tous ces visages. Ses yeux passèrent de la photo d'Anneke à celles de quelques autres. Celles auxquelles il n'avait pas encore rendu justice.

— Moi aussi, Henrik, dit-il. Moi aussi.

## REMERCIEMENTS

*L'auteur aimerait reconnaître tout ce qu'il doit à ceux qui l'ont épaulé dans ses recherches et dans la rédaction de ce roman. Ce sont les inspecteurs Rick Jackson, Tim Marcia, David Lambkin et Richard Bengtson, mais aussi Dennis Wojciechowski, John Houghton, Carl Seibert, Terrill Lee Lankford, Laurie Pepper, Bill Holodnak, Henrik Bastin, Linda Connelly, Asya Muchnick, Bill Massey, Pamela Marshall, Jane Davis, Heather Rizzo et Don Pierce.*

*Merci à l'écrivain Sara Blaedel qui m'a aidé pour les traductions du danois.*

*La musique de Frank Morgan et d'Art Pepper a aussi été pour moi une inestimable source d'inspiration. À toutes et à tous un grand merci.*

*Du même auteur :*

La Glace noire, Seuil, 1995 ; Points, nº P269.
Le Poète, Prix Mystère, 1998, Seuil, 1997 ; Points, nº P534 ; Point Deux.
Le Cadavre dans la Rolls, Seuil, 1998 ; Points, nº P646.
Créance de sang, Grand Prix de littérature policière, 1999, Seuil, 1999 ; Points, nº P835.
Le Dernier Coyote, Seuil, 1999 ; Points, nº P781.
Los Angeles River, Seuil, 2004 ; Points, nº P1359.
Deuil interdit, Seuil, 2005 ; Points, nº P1476.
La Défense Lincoln, Seuil, 2006 ; Points, nº P1690.
Chroniques du crime, Seuil, 2006 ; Points, nº P1761.
Echo Park, Seuil, 2007 ; Points, nº P1935.
À genoux, Seuil, 2008 ; Points, nº P2157.
Le Verdict du plomb, Seuil, 2009 ; Points, nº P2397.
L'Épouvantail, Seuil, 2010 ; Points, nº P2623.
Les Neuf Dragons, Seuil, 2011 ; Point Deux ; Points, nº P2798.
Les Égouts de Los Angeles, Prix Calibre 38, 1993, Calmann-Lévy, « L'intégrale MC », 2012 ; Le Livre de Poche, 2014.

LA LUNE ÉTAIT NOIRE, Calmann-Lévy, « L'intégrale MC », 2012 ; Le Livre de Poche, 2012.

L'ENVOL DES ANGES, Calmann-Lévy, « L'intégrale MC », 2012 ; Le Livre de Poche, 2012.

L'OISEAU DES TÉNÈBRES, Calmann-Lévy, « L'intégrale MC », 2012 ; Le Livre de Poche, 2011.

VOLTE-FACE, Calmann-Lévy, 2012 ; Le Livre de Poche, 2013.

WONDERLAND AVENUE, Calmann-Lévy, « L'intégrale MC », 2013.

ANGLE D'ATTAQUE, ouvrage numérique, Calmann-Lévy, 2013.

LE CINQUIÈME TÉMOIN, Calmann-Lévy, 2013 ; Le Livre de Poche, 2014.

DARLING LILLY, Calmann-Lévy, « L'intégrale MC », 2014.

LUMIÈRE MORTE, Calmann-Lévy, « L'intégrale MC », 2014.

INTERVENTION SUICIDE, ouvrage numérique, Calmann-Lévy, 2014.

CEUX QUI TOMBENT, Calmann-Lévy, 2014 ; Le Livre de Poche, 2015.

LA BLONDE EN BÉTON, Prix Calibre 38, 1996, Calmann-Lévy, « L'intégrale MC », 2014 ; Le Livre de Poche, 2015.

LE COFFRE OUBLIÉ, ouvrage numérique, Calmann-Lévy, 2015.

LA GLACE NOIRE, Calmann-Lévy, « L'intégrale MC », 2015 ; Le Livre de Poche, 2016.

LES DIEUX DU VERDICT, Calmann-Lévy, 2015.

Composition réalisée par Belle Page

Achevé d'imprimer en avril 2016, en France sur Presse Offset par
Maury Imprimeur – 45330 Malesherbes
N° d'imprimeur : 207859
Dépôt légal 1re publication : mai 2016
LIBRAIRIE GÉNÉRALE FRANÇAISE – 31, rue de Fleurus – 75278 Paris Cedex 06

14/1250/1